HIGH TOP 3권

정답과 해설

Ⅰ 과학과 인류의 지속가능한 삶

01 과학과 인류의 지속가능한 삶

개념 빌드업

1권 013쪽	**1** 문제 인식	**2** 가설	
	3 자료 수집·분석 및 해석		**4** 변인
1권 014쪽	**1** 기술 발달 **2** 예술	**3** 생명공학	
1권 015쪽	**1** 환경과 자연	**2** 과학기술	

탐구 확인 문제
1권 016쪽

1 얼음의 크기 **2** ① **3** ④

1 이 탐구의 가설을 검증하기 위해서는 동일한 양의 물에 크기가 다른 얼음을 넣고 시간에 따른 물의 온도 변화를 측정해야 한다.

2 이 탐구에서는 물이 차가워지는 시간을 비교해야 하므로 일정한 시간 간격으로 물의 온도를 측정해야 한다.

3 ㄱ. 물의 양에 따라 얼음이 녹는 시간이 달라지는 것을 확인하는 탐구에서는 투명 유리컵을 사용하는 것이 얼음이 녹는 것을 관찰하기가 좋다.
ㄴ. 물의 양에 따라 얼음이 녹는 시간이 달라지는 것을 확인하기 위해서는 물의 양 이외의 조건은 동일하게 해야 한다. 따라서 얼음의 크기는 모두 같아야 한다.
ㄷ. 물의 양에 따라 얼음이 녹는 시간이 어떻게 달라지는지를 알아보는 탐구이므로 다르게 해야 하는 조건은 물의 양이다.

개념 확인 문제
1권 018쪽~019쪽

| **01** ② | **02** ⑤ | **03** ④ | **04** ⑤ | **05** 변인 통제 |
| **06** ② | **07** ④ | **08** ⑤ | **09** ④ | **10** ④ | **11** ③ |

01 ㄱ. 가설 설정은 탐구 문제에 대한 잠정적인 결론을 만드는 것이다. 실험을 계획하고 설계하는 것은 탐구 설계 단계에 해당한다.

ㄴ. 자료 해석 단계에서는 실험 결과 자료로부터 관련성이나 규칙성을 찾아낸다.
ㄷ. 결론 도출 단계에서는 실험 결과를 종합하여 탐구에 대한 결론을 내린다.

02 과학적 탐구는 문제 인식 및 가설 설정 → 탐구 설계 및 수행 → 자료 수집·분석 및 해석 → 결론 도출의 과정으로 이루어진다.

03 ① 탐구 문제를 정할 때 탐구는 구체적이어야 한다.
② 탐구 문제에는 탐구할 내용이 분명히 드러나야 한다.
③ 궁금한 점이나 의문이 생기는 점을 탐구 문제로 발전시킨다.
④ 탐구 문제를 정할 때 탐구 범위는 좁은 것이 좋다.
⑤ 탐구 문제는 스스로 탐구 수행이 가능한 것으로 한다.

04 ① 탐구 계획서의 주의 사항에는 안전에 관한 사항도 기록한다.
② 탐구 계획서에는 실험에 필요한 준비물을 빠짐없이 기록한다.
③ 탐구 문제에 대한 잠정적인 결론을 가설이라고 한다. 탐구 계획서에는 탐구 문제를 해결할 수 있는 가설을 기록한다.
④ 가설을 증명하기 위한 실험을 계획한 뒤 탐구 계획서에 실험 과정을 순서대로 기록한다.
⑤ 탐구 결과를 표나 그래프를 이용하여 정리하는 것은 실제로 탐구를 수행한 뒤 자료 수집·분석 및 해석 단계에서 해야 할 일이므로 탐구 계획서에는 포함되지 않는다.

05 실험에서 다르게 해야 할 조건 외에 결과에 영향을 주는 조건을 일정하게 유지하는 것을 변인 통제라고 한다.

06 자료 **VIEW**

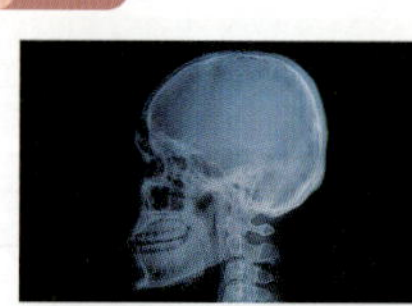
(가) X선

(나) 증기 기관

(다) 반도체

(라) 전기

• (가) 1895년에 뢴트겐이 처음 발견하였으며, 해부 없이 인체 내부의 뼈와 장기를 볼 수 있게 되어 질병 진단이 혁신적으로 빠르고 정확해졌다.
• (나) 증기의 힘으로 동력 기관을 움직이는 증기 기관의 발명으로 인간의 힘과 빠르기를 능가하는 기계, 기차, 증기선 등이 만들어짐으로써 생활이 크

게 달라졌다. 증기 기관을 이용한 대량 생산으로 많은 인력을 필요로 하는 공장이 생기면서 도시 집중화 현상이 나타났고, 생산한 제품을 먼 곳까지 빠르게 운송할 수 있게 되었으며, 사회 전반에 일어난 변화로 산업 혁명이 일어났다.
- (다) 반도체는 대부분의 전자 기기에 필수 부품으로 쓰인다. 반도체의 개발을 바탕으로 한 컴퓨터와 스마트 기기의 개발로 우리 생활은 크게 변화하였다.
- (라) 프랭클린이 전기를 발견한 이후 전기를 저장하는 전지와 생산하는 발전기가 발명되었고, 전기 에너지를 사용하는 여러 가지 기기가 개발되어 산업 현장과 일상생활에서 전기는 가장 널리 쓰이는 에너지가 되었다.

① X선은 겉으로 보이지 않는 몸속 장기나 골격을 촬영하여 질병을 진단하거나 치료하는 데 이용됨으로써 의학을 크게 발전시켰다.

② 증기 기관은 화석연료를 이용하여 기관을 작동하는 데 쓰였고, 그 동력은 기차, 자동차와 같은 운송 수단뿐만 아니라 공장에서 제품을 생산하는 기계에도 이용되었다.

③ 반도체는 컴퓨터, 휴대 전화와 같은 대부분의 전자 기기에 들어간다.

④ 전기는 산업과 가정에서 광범위하게 사용하는 에너지로 인류가 이용하는 주요 에너지이다.

⑤ 반도체는 컴퓨터를 구성하는 주요 부품으로 이용되고 컴퓨터는 전기로 작동되므로, 컴퓨터에는 반도체와 전기가 함께 이용된다.

07 ① 수학 분야에서 미적분은 만유인력 법칙을 증명하는 과정에서 발명되었다. 미적분의 발명으로 수학이 이전보다 더욱 발전하게 되었다.

② 항생제가 개발되기 전에는 가벼운 상처에도 세균이 감염되어 팔다리를 절단해야 하거나 사망에 이르는 경우가 빈번히 발생했고, 백신이 개발되기 전에는 유아 사망률이 매우 높았다.

③ 과학 원리와 기술은 미디어 아트, 음악 분수 등 예술 분야에도 널리 활용된다.

④ 전화기, 인터넷 등 통신 수단의 발달로 빠르고 정확한 정보 전달이 가능해졌다. 식량 증산에 직접적인 영향을 미친 것은 생명공학 분야라고 할 수 있다.

⑤ 아치 모양의 다리와 지붕, 출입구 등은 아래로 누르는 무게가 아치 모양의 구조물을 통해 조금씩 힘의 방향을 바꾸면서 바닥으로 전달되도록 하는 과학 원리를 건축 공학에 이용한 것이다.

도움이 되는 배경 지식 ▶ 최초의 항생제, 페니실린
플레밍은 세균을 배양하던 중 우연히 푸른곰팡이가 침투한 배지에서 세균 증식이 억제되는 것을 발견하였다. 이후 푸른곰팡이에서 추출한 페니실린은 세균 감염을 억제하는 항생제로 널리 사용되어 수많은 목숨을 구했다. 현재는 페니실린 외에 매우 다양한 항생제가 개발되어 사용되고 있다.

08 ㄱ. 로봇공학의 발달로 우주 탐사, 재난 구조 현장 등 사람이 접근하기 어려운 곳에 로봇이 이용되고 있다.

ㄴ. 생명공학의 발달로 유전정보를 바탕으로 한 개인별 맞춤 의료가 가능해졌다.

ㄷ. 인공지능은 자율주행, 드론 운용에 이용될 뿐만 아니라, 전자 상거래에서 고객 맞춤형 제품을 추천하거나 효율적인 교통 신호 시스템을 만드는 데에도 이용된다.

ㄹ. 우주항공의 발달로 위성을 글로벌 인터넷 연결에 이용한다.

09 ① 지속가능발전을 위해서는 사회뿐만 아니라 개인의 노력도 중요하다.

③ 지속가능발전목표 17개에는 빈곤과 기아 퇴치, 불평등 감소, 경제 성장 등이 포함된다.

④ 기후 변화, 환경오염 등의 문제는 어느 한 국가의 노력만으로 해결될 수 있는 것이 아니기 때문에 국가 간 협약이 매우 중요하다.

⑤ 지속가능발전은 현재 세대가 발전하면서도 미래 세대가 이용할 환경과 자연을 훼손하지 않는 발전이다.

10 지속가능발전목표 중 깨끗한 환경을 미래 세대와 함께 누리기 위한 목표에는 다음의 5개가 포함된다.

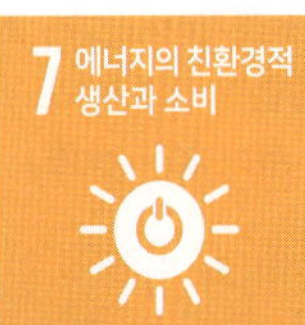

11 ㄱ. 인류 문명의 발달 과정에서 환경오염과 자원 고갈 등의 문제가 발생하여 지속가능발전이 등장하였다.

ㄴ. 이산화 탄소 배출을 억제하고 저장하는 기술은 온실 기체 문제를 해결하는 데 도움을 주고, 신재생 에너지를 이용한 발전은 화석연료를 대체할 수 있다. 이와 같이 과학기술은 환경 문제나 자원 고갈 문제를 해결하는 데 필요한 도구와 지식을 제공한다.

ㄷ. 과학기술은 지속가능발전을 이루는 도구로 사용될 수 있으므로 지속가능한 삶을 위해서는 과학기술을 잘 활용하는 것이 중요하다.

 실력 강화 문제

1권 020쪽

01 ⑤　　**02** ③　　**03** ㉠ 탐구, ㉡ 기술, ㉢ 기기　　**04** ④
05 ①

01 과학 탐구를 수행하여 얻은 결론이 가설과 맞지 않을 때는 가설을 수정하고 다시 탐구를 수행한다. 표나 그래프는 실험 결과를 정리하고 분석하는 단계인 자료 수집·분석 및 해석 단계에서 주로 이용된다.

02 ㄱ. 탐구 계획서에는 탐구 문제가 포함되어 있어야 한다.
ㄴ. 탐구 계획서의 실험 과정에는 실험을 어떤 순서로 할지가 제시되어야 한다.
ㄷ. 실험 과정에는 실험에서 다르게 해야 할 조건과 차이를 주는 방법을 기록한다.
ㄹ. 가설의 옳고 그름은 결론 도출 이후에 판단하는 것으로, 탐구 계획서에 수정 가설은 포함하지 않는다.

도움이 되는 배경 지식 ▶ 실험군과 대조군
과학 탐구 실험에서 변인 통제 못지않게 중요한 것이 대조군의 설정이다. 검증하고자 하는 변인을 적용하는 대상을 실험군, 적용하지 않는 대상을 대조군이라고 한다. 예를 들면, 얼음의 크기에 따른 물의 온도 변화를 알아보는 실험에서 크기가 다른 얼음을 첨가하는 물이 실험군, 얼음을 첨가하지 않는 물이 대조군이라고 할 수 있다. 대조군의 설정은 실험의 결과가 의도적으로 변화시킨 변인에 의한 것인지를 명확하게 하기 위한 것이다.

03 다양한 과학적 원리와 법칙은 과학적 탐구를 통해 얻어졌다. 과학 발전 과정에서 과학 원리를 응용한 기술의 발달, 기기의 발명이 함께 이루어졌다.

04 ㄱ. 우주 자원의 불균등한 이용 등의 문제는 우주항공 분야에서 발생할 수 있다.
ㄴ. 유전자조작과 관련한 생명윤리 문제는 생명공학 분야에서 발생할 수 있다.
ㄷ. 인간 대신에 판단을 내리는 과정에서 인간의 존엄성이 훼손될 수 있는 문제는 인공지능의 활용 과정에서 발생할 수 있다.

05 ① 17개의 지속가능발전목표는 2015년 UN 총회에서 채택된 것이다.
② 사람답게 살 수 있는 포용 사회 전략에는 빈곤층 감소와 사회 안전망 강화, 건강하고 행복한 삶 보장, 모두를 위한 양질의 교육 등이 포함된다.
③ 지속가능한 생산과 소비는 혁신적 성장을 통한 국민의 삶의 질 향상 전략에 포함되는 목표이다.

④ 지속가능발전은 성장과 환경 보호를 함께 추구한다.
⑤ 지구촌 평화와 협력 강화 전략에 따라 우리나라는 인류의 번영과 환경 보호를 위한 글로벌 전략에 협력한다.

 서술형 문제

1권 021쪽

1 탐구를 계획할 때는 가설을 검증할 수 있는 조건 중 어떤 조건을 다르게 할 것인지, 어떻게 차이를 둘 것인지 정하고, 그 조건 외의 다른 조건은 모두 동일하게 유지해야 한다.

모범답안 모래의 양에 따라 모래시계의 시간이 다르다는 가설을 세웠으므로 모래의 양을 각각 다르게 하고, 그 외에 실험 결과에 영향을 미칠 수 있는 조건 즉, 모래시계의 모양과 크기, 모래의 종류 등은 모두 같게 한다.

채점 기준	배점
가설을 근거로 하여 다르게 해야 할 조건과 같게 해야 할 조건을 옳게 설명한 경우	100 %
다르게 해야 할 조건과 같게 해야 할 조건을 옳게 설명하였으나 근거에 대한 설명이 정확하지 않은 경우	50 %

2 로봇은 심해나 우주 탐사, 재난 지역에서의 구조 작업 등 인간이 하기에 위험하거나 힘든 일을 대신할 수 있어 로봇을 활용하면 인간의 삶은 더욱 편리하고 안전해지겠지만, 인간의 나쁜 의도로 로봇이 악용된다면 큰 피해를 입게 될 수도 있다.

모범답안 (1) 인간이 하기에 위험한 일이나 힘든 일을 로봇이 대신하여 우리 생활이 더욱 안전하고 편리해질 수 있다.
(2) 로봇이 사람의 일을 대신하여 일자리가 감소하고, 로봇을 나쁜 일에 악용하는 일이 생길 수 있다.

	채점 기준	배점
(1)	로봇의 편리한 점을 제시어를 포함하여 옳게 설명한 경우	50 %
	로봇의 편리한 점을 설명하였으나 제시어가 일부만 포함된 경우	25 %
(2)	로봇 때문에 발생할 수 있는 문제점을 제시어를 포함하여 옳게 설명한 경우	50 %
	로봇 때문에 발생할 수 있는 문제점을 설명하였으나 제시어가 일부만 포함된 경우	25 %

3 인류가 직면한 에너지와 환경 문제 중 그림에 나타난 쟁점으로는 산업 폐수로 인한 수질오염, 기후 변화, 과도한 개발과 도시화, 원자력 발전에 의존하는 에너지 문제 등이 있다.

모범답안 (1) 산업 폐수로 인한 수질오염, 무분별한 개발, 기후 변화, 산업화로 지구 대기오염, 과도한 도시화 등
(2) 산업 폐수가 발생하지 않는 친환경 기술을 개발하거나 산업 폐수를 정화하는 기술을 개발한다. 화석연료 사용을 줄이고 신재생 에너지를 개발하여 지구 온난화를 억제한다. 등
(3) 과학기술은 인류가 직면한 에너지와 환경 문제를 해결하는 데 청정 에너지를 개발하거나 오염 물질을 제거하는 등 새롭고 획기적인 방법을 제시할 수 있으므로 지속가능한 삶을 위해 중요하다.
(4) • 개인 차원: 산업 폐수 무단 방류 신고, 환경 보전 캠페인 참여 등
• 사회 차원: 신고 포상금 지급 정책 시행, 산업 시설 수시 점검, 대체 에너지 개발, 지역 분산화 촉진 정책 시행 등

	채점 기준	배점
(1)	에너지와 환경 문제를 포함하여 그림에서 충분히 유추할 수 있는 문제를 쓴 경우	20 %
	에너지와 환경 문제 가운데 그림에서 유추하기 어려운 문제를 쓴 경우	10 %
(2)	과학기술을 활용하여 (1)에서 제시한 문제를 해결하는 방안을 옳게 설명한 경우	30 %
	과학기술을 활용하여 (1)에서 제시한 문제를 해결하는 방안을 설명하였으나 과학기술을 활용한 해결 방안이 잘 드러나지 않는 경우	15 %
(3)	인류가 직면한 에너지와 환경 문제를 해결하는 데 과학기술이 중요한 역할을 한다는 점을 옳게 설명한 경우	30 %
	인류가 직면한 에너지와 환경 문제를 해결하는 데 과학기술이 중요한 역할을 한다는 점을 설명하였으나 에너지와 환경 문제의 해결과 과학기술의 연관성이 부족한 경우	15 %
(4)	(1)에서 제시한 문제와 관련한 개인과 사회 차원의 실천 방안을 모두 옳게 쓴 경우	20 %
	(1)에서 제시한 문제와 관련한 개인과 사회 차원의 실천 방안 중 한 가지만 옳게 쓴 경우	10 %

도움이 되는 배경 지식 ▶ 과학기술로 변화할 미래 사회

산업 발전으로 인한 환경오염과 생태계 파괴, 인구 증가로 인한 식량 부족 등 우리 사회의 많은 문제들이 과학기술의 발전 때문이라는 분석도 있지만, 발생한 문제를 해결할 단서 또한 과학기술이 쥐고 있다는 전망도 있다. 과거에는 인간 중심의 개발에 집중하여 환경에 미칠 영향을 생각하지 못하였지만, 현대에는 인간 또한 환경의 영향에서 벗어날 수 없으며 미래 세대를 위해서라도 지구 환경을 보존해야 한다는 것에 대부분의 국가가 동의하고 있다.

Ⅱ 생물의 구성과 다양성

01 생물의 구성

개념 빌드업

1권 030쪽 **1** 세포   **2** 핵   **3** 마이토콘드리아
   4 엽록체, 세포벽(순서 무관)   **5** 기능(하는 일)
1권 033쪽 **1** 기관   **2** 기관계   **3** 조직계

탐구 확인 문제   1권 035쪽

1 ①   **2** ④   **3** 400배   **4** ②

1 메틸렌 블루 용액과 아세트올세인 용액은 둘 다 핵을 염색하기 위한 염색액이다. 메틸렌 블루 용액은 핵을 푸르게 염색하므로 주로 붉은색을 띠는 동물 세포에 사용하면 세포질과 뚜렷하게 구분되는 핵을 관찰할 수 있다. 아세트올세인 용액은 핵을 붉게 염색하므로 주로 초록색을 띠는 식물 세포에 사용하면 세포질과 뚜렷하게 구분되는 핵을 관찰할 수 있다.

2 ㄱ. 입안 상피세포는 동물 세포이므로 세포벽이 없다.
ㄴ. 양파 표피세포를 비롯한 모든 세포에는 세포를 둘러싸는 세포막이 있다.
ㄷ. 입안 상피세포는 동물 세포이고, 양파 표피세포는 식물 세포이다. 동물 세포와 식물 세포에는 모두 핵이 있다.

3 현미경의 배율은 접안렌즈 배율과 대물렌즈 배율의 곱이다. 따라서 접안렌즈의 배율이 10배이고 대물렌즈의 배율이 40배일 때 현미경의 배율은 400배이다.

도움이 되는 배경 지식 ▶ 현미경의 구조와 기능

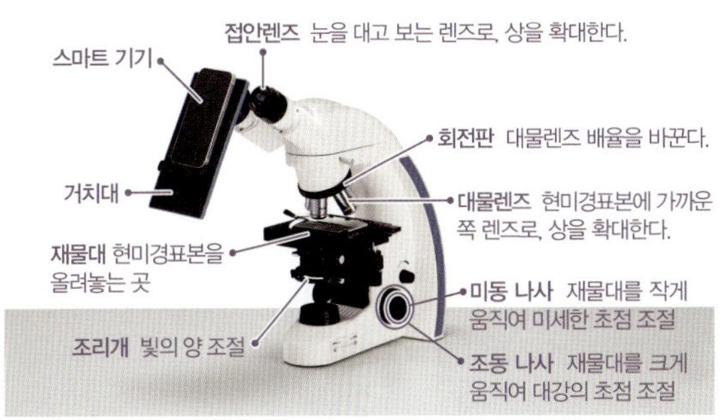

4 ㄱ. 검정말잎은 얇고 투명하여 잎세포를 관찰하기에 좋은 재료이다. 두꺼운 잎은 얇게 잘라야 현미경으로 관찰할 수 있다.

ㄴ. 아세트산 카민 용액과 아세트올세인 용액은 둘 다 핵을 붉게 염색하므로 주로 식물 세포 관찰에 사용된다. 검정말잎을 뜨거운 에탄올에 담그면 엽록소가 추출되어 잎이 탈색되는데, 염색 전에 이와 같은 탈색 과정을 거치면 염색된 핵을 보다 뚜렷하게 관찰할 수 있다.

ㄷ. 염색액의 양이 많으면 상이 어두워져서 세포를 뚜렷하게 관찰하기 어렵기 때문에 거름종이로 여분의 염색액을 흡수하여 제거하는 것이다.

개념 확인 문제

1권 038쪽~040쪽

01 ⑤ **02** ⑤ **03** ③ **04** ① **05** ③ **06** ⑤
07 ④ **08** 메틸렌 블루 용액 **09** (나) **10** ③
11 (가) ㄴ, (나) ㄷ, (다) ㄱ **12** 조직계 **13** ④
14 ④ **15** ① **16** (나), (다), (가), (라) **17** ①
18 ④

01 ㄱ, ㄴ. 동물은 먹이를 먹어서 영양분을 얻고, 식물은 빛을 이용해 영양분을 합성한다.

ㄷ. 생물의 생명활동이 일어나는 구조적, 기능적 기본 단위는 세포이다.

02 ① 세포벽은 크기가 작은 대부분의 물질을 통과시킨다. 세포 안팎으로 물질의 출입을 조절하는 것은 세포막이다.

② 세포는 구성하는 몸의 부위와 기능에 따라 모양과 크기가 매우 다양하다.

③ 아메바, 짚신벌레, 젖산균 등은 세포 하나로만 이루어진 단세포생물이다.

④ 세포를 염색하지 않고 현미경표본을 만들어도 세포막과 세포벽 등은 관찰할 수 있다. 염색은 핵을 뚜렷하게 관찰하기 위한 과정이다.

⑤ 대부분의 세포는 현미경으로 관찰해야 볼 수 있을 정도로 크기가 작지만, 달걀이나 개구리알과 같이 맨눈으로 볼 수 있는 세포도 있다.

03 A는 생명활동을 조절하는 핵으로, 메틸렌 블루 용액에 푸르게 염색된다. B는 생명활동에 필요한 에너지를 만드는 마이토콘드리아, C는 세포 안팎으로 물질의 출입을 조절하는 세포막이다.

04 A는 세포질, B는 빛을 이용한 광합성이 일어나는 엽록체, C는 세포를 보호하고 모양을 일정하게 유지해 주는 세포벽이다. 엽록체와 세포벽은 동물 세포에는 없으며, 세포질에서는 물질의 합성, 수송과 같은 다양한 생명활동이 일어난다.

05 엽록체와 세포벽은 동물 세포에는 없고 식물 세포에는 있다.

세포소기관	동물 세포	식물 세포
핵	있음.	있음.
마이토콘드리아	있음.	있음.
세포막	있음.	있음.
엽록체	없음.	있음.
세포벽	없음.	있음.

06 ㄱ. ㉠은 세포 안에서 생명활동을 조절하는 핵이다. 핵에는 유전물질이 들어 있다.

ㄴ. ㉡은 빛을 이용한 광합성이 일어나는 엽록체이다.

ㄷ. ㉢은 세포막이다. 세포막은 세포 안팎으로 물질의 출입을 조절한다.

07 (가)와 같이 면봉으로 입 안쪽의 볼을 긁어내면 상피세포가 면봉에 묻어 나온다. (나)는 면봉에 묻은 상피세포를 받침유리에 묻히는 과정이다. 입안 상피세포는 세포벽이 없고 배열이 규칙적이지 않아 (가)와 (나) 과정에서 분리된다. (다)는 상피세포의 핵을 염색하는 과정이다.

08 동물 세포를 관찰할 때에는 동물 세포의 핵을 푸르게 염색하는 메틸렌 블루 용액을 주로 사용한다.

09 (가) 덮개 유리를 덮을 때에는 비스듬히 기울여서 천천히 덮어야 기포가 생기지 않는다.

(나) 식물 세포는 세포벽이 있어 모양과 배열이 규칙적이다.

(다) 아세트올세인 용액은 핵을 뚜렷하게 관찰하기 위해 사용하며, 핵은 동물 세포에도 있다. 동물 세포에는 없고 식물 세포에는 있는 엽록체와 세포벽은 염색 과정을 거치지 않아도 관찰할 수 있다.

(라) 현미경으로 관찰할 때에는 먼저 낮은 배율에서 초점을 맞추고 상을 찾은 뒤에 배율을 높여 자세히 관찰한다.

도움이 되는 배경 지식 ▶ 현미경에서 저배율과 고배율의 비교
• 저배율: 시야가 넓어 상을 쉽게 찾을 수 있다.
• 고배율: 상을 자세히 관찰할 수 있으나 시야가 좁다.

10 공장 내부는 세포질, 에너지를 만드는 발전기는 마이토콘드리아, 빵 생산 장소는 엽록체, 중앙 통제소는 핵, 출입문과 담장은 세포막과 세포벽에 비유할 수 있다.

11 (가)는 신경조직을 구성하는 신경세포로, 길고 가느다란 모양이다. (나)는 상피조직을 구성하는 상피세포로, 촘촘하게 배열되어 있다. (다)는 혈액을 구성하는 적혈구로, 가운데가 움푹 파인 원반 모양이다.

12 동물 몸의 구성 단계에는 없고 식물 몸의 구성 단계에만 있는 단계는 조직계이다.

구성 단계	동물	식물
세포	있음.	있음.
조직	있음.	있음.
조직계	없음.	있음.
기관	있음.	있음.
기관계	있음.	없음.
개체	있음.	있음.

13 ㄱ. (가)는 잎살세포, (나)는 근육세포이다.
ㄴ. (가)는 식물의 몸을 구성하는 세포이고, (나)는 동물의 몸을 구성하는 세포이다.
ㄷ. 잎살세포와 근육세포에는 모두 핵이 있다.

14 식물 몸의 구성 단계를 작은 단계에서 큰 단계로 나열하면 세포 → 조직 → 조직계 → 기관 → 개체이다.

15 ① (가)는 잎살세포로 구성된 울타리조직이다.
② (나)는 잎으로 뿌리, 줄기와 같은 구성 단계인 기관이다.
③ (다)와 같은 식물 세포에는 엽록체와 세포벽이 있다.
④ (라)에는 울타리조직과 해면조직으로 구성된 기본조직계, 표피조직으로 구성된 표피조직계, 물관 조직과 체관 조직으로 구성된 관다발조직계가 있다.
⑤ (마)는 독립적인 생명활동을 하는 개체이다.

16 (가)는 위, (나)는 근육세포, (다)는 상피조직, (라)는 소화계이다. 동물 몸의 구성 단계를 작은 단계에서 큰 단계로 나열하면 세포 → 조직 → 기관 → 기관계 → 개체이다.

17 ㄱ. 동물의 몸을 구성하는 기본 단위는 세포이다.
ㄴ. 신경조직을 이루는 세포는 신경세포이다.
ㄷ. 표피조직계와 기본조직계는 식물 몸의 구성 단계에 있으며, 동물 몸의 구성 단계에는 조직계가 없다.

18 ㄱ. ㉠은 식물 몸, ㉡은 동물 몸이며, 동물 몸과 식물 몸을 구성하는 가장 기본적인 단계인 (가)는 세포이다.
ㄴ. (나)는 기능과 모양이 비슷한 세포들이 모여 구성되는 조직이다. 줄기는 기관이므로 (나)의 예에 해당하지 않는다.
ㄷ. (다)는 기관, (라)는 기관계이다. 기관계는 연관된 기능을 하는 여러 종류의 기관으로 구성된다.

강화 문제

1권 041쪽

01 ④　　**02** ②　　**03** ③　　**04** ④
05 ㉠ 기본조직계, ㉡ 관다발조직계, ㉢ 표피조직계

01 A는 빛을 이용한 광합성이 일어나는 엽록체이다. 광합성은 빛에너지를 화학 에너지로 전환하는 과정이다. B는 에너지를 만드는 마이토콘드리아로, 동물 세포에도 있다. C는 세포의 생명활동을 조절하는 핵이다. D는 식물 세포를 보호하고 모양을 유지하는 세포벽이다.

02 공변세포는 반달 모양으로 두 개가 기공을 사이에 두고 마주 보고 있으며, 주로 잎 뒷면에 분포한다. 잎살세포는 광합성이 활발하게 일어나는 울타리조직과 해면조직을 구성한다. 체관 세포는 영양분의 이동 통로인 체관 조직을, 물관 세포는 물의 이동 통로인 물관 조직을 구성한다. 상피세포는 동물의 몸을 구성하는 세포이다.

도움이 되는 배경 지식 ▶ 공변세포
표피조직의 일부로, 다른 표피세포와 달리 엽록체가 있어 광합성을 하며, 기공의 여닫이를 조절하여 기공을 통해 드나드는 산소, 이산화 탄소 등 기체의 출입과 증산 작용을 조절한다. 공변세포는 기공 쪽 세포벽이 반대쪽 세포벽보다 두꺼워서 주변 세포로부터 물을 흡수하여 팽창하면 기공이 열리고, 물이 빠져나가 수축하면 기공이 닫힌다.

03 (가)는 신경세포가 모여 형성되는 신경조직이고, 뇌를 구성한다. (나)는 근육세포가 모여 형성되는 근육조직이며, (다)는 상피세포가 모여 형성되는 상피조직이다. 조직은 기능과 모양이 비슷한 세포가 모여 형성되며, 위와 같은 기관에는 신경조직, 근육조직, 상피조직이 모두 있다.

04 A는 위와 같은 소화기관으로 구성된 소화계, B는 폐와 같은 호흡기관으로 구성된 호흡계, C는 심장과 같은 순환기관으로 구성된 순환계, D는 콩팥과 같은 배설기관으로 구성된 배설계이다. 기관계는 식물 몸의 구성 단계에는 없다.

05 기본조직계는 울타리조직, 해면조직 등으로 구성되며, 관다발조직계를 구성하는 조직에는 물관 조직과 체관 조직이 있다. 표피조직계는 여러 표피조직과 공변세포로 구성된다.

 서술형 문제

1권 042쪽~043쪽

1 (가)는 양파의 비늘잎 안쪽 표피를 안전면도로 자르는 과정이고, (나)는 벗겨낸 비늘잎 표피 조각을 받침 유리에 올려놓는 과정이다. 여기에 물을 한 방울 떨어뜨리고 덮개 유리를 덮은 뒤, (다)와 같은 염색 과정을 거친다. 이렇게 만들어진 현미경표본을 현미경으로 관찰하면 붉게 염색된 핵이 관찰된다.

모범 답안 ⑴ 물을 한 방울 떨어뜨리고 덮개 유리를 비스듬히 기울여 천천히 덮는다.
⑵ 붉게 염색된 핵이 관찰된다. 세포벽이 있어 모양이 일정하고 배열이 규칙적이다.

채점 기준	배점
⑴, ⑵를 모두 옳게 설명한 경우	100 %
⑴, ⑵ 중 한 가지만 옳게 설명한 경우	50 %

2 공장을 구성하는 각 구조의 기능을 세포소기관의 기능과 관련지어 생각할 수 있다.

모범 답안 에너지를 생산하는 발전기는 세포 안에서 영양분을 분해하여 에너지를 만드는 마이토콘드리아에 비유할 수 있으며, 공장의 시스템을 통제하는 중앙 통제실은 세포의 생명활동을 조절하는 핵에 비유할 수 있다. 또 생산에 필요한 재료와 생산한 제품이 드나드는 출입문은 세포막에 비유할 수 있다.

채점 기준	배점
발전기, 중앙 통제실, 출입문에 비유할 수 있는 세포 구조를 모두 옳게 쓰고 그 까닭을 옳게 설명한 경우	100 %
발전기, 중앙 통제실, 출입문에 비유할 수 있는 세포 구조 중 두 가지만 옳게 쓰고 그 까닭을 옳게 설명한 경우	60 %
발전기, 중앙 통제실, 출입문에 비유할 수 있는 세포 구조를 모두 옳게 썼으나 그 까닭에 대한 설명이 다소 정확하지 않은 경우	50 %
발전기, 중앙 통제실, 출입문에 비유할 수 있는 세포 구조를 모두 옳게 썼으나 그 까닭을 옳게 설명하지 못한 경우 또는 발전기, 중앙 통제실, 출입문에 비유할 수 있는 세포 구조 중 한 가지만 옳게 쓰고 그 까닭을 옳게 설명한 경우	30 %

3 신경세포는 신호를 전달하기 위해 가늘고 긴 모양이다. 몸의 표면이나 기관의 내벽을 덮고 있는 상피조직은 세포가 빽빽하게 모여 있다. 산소를 운반하는 적혈구는 원반 모양으로 각 세포가 분리되어 있다.

모범 답안 (가)는 신경세포, (나)는 상피세포, (다)는 적혈구이다. 가늘고 길게 뻗어 있는 신경세포는 신호를 전달하며, 촘촘하게 붙어 있는 상피세포는 몸의 표면이나 기관의 내벽을 덮어 보호한다. 가운데가 움푹 파인 원반 모양의 적혈구는 산소를 운반한다.

채점 기준	배점
(가)~(다)의 이름과 기능을 모두 옳게 설명한 경우	100 %
(가)~(다) 중 두 가지의 이름과 기능만 옳게 설명한 경우	60 %
(가)~(다)의 이름만 옳게 썼거나 기능만 옳게 설명한 경우	40 %

4 동물인 벌새는 세포, 조직, 기관, 기관계, 개체로 구성되고, 식물인 백일홍은 세포, 조직, 조직계, 기관, 개체로 구성된다.

모범 답안 벌새의 몸과 백일홍의 몸에서 나타나는 공통적인 구성 단계는 세포, 조직, 기관, 개체이다. 세포는 생물의 몸을 구성하는 기본 단위이며, 비슷한 모양과 기능의 세포들이 모여 조직을 이루고, 다양한 조직들이 모여 기관을 이룬다. 그리고 여러 기관이 모여 독립된 생명활동을 하는 개체를 이룬다.

채점 기준	배점
공통적인 구성 단계로 세포, 조직, 기관, 개체를 옳게 제시하고 각 단계의 특징을 옳게 설명한 경우	100 %
공통적인 구성 단계로 세포, 조직, 기관, 개체만을 옳게 제시한 경우	50 %

5 식물의 몸은 세포, 조직, 조직계, 기관, 개체로 구성되며, 동물의 몸은 세포, 조직, 기관, 기관계, 개체로 구성된다.

모범 답안 식물 몸의 구성 단계에는 조직계가 있고 기관계가 없다. 동물 몸의 구성 단계에는 조직계가 없고 기관계가 있다.

채점 기준	배점
조직계와 기관계를 모두 포함하여 식물 몸과 동물 몸의 구성 단계의 차이를 옳게 설명한 경우	100 %
조직계와 기관계 중 한 가지만 포함하여 옳게 설명한 경우	50 %

6 사람의 몸은 여러 기관계가 유기적으로 연결되어 통합적으로 작용한다. 순환계는 온몸에 영양분과 산소를 공급하는 기능을 하며, 뇌는 온몸의 기능을 통제하는 신경계에 속한다. 심정지로 뇌에 산소가 공급되지 않으면 짧은 시간 안에 치명적인 뇌 손상을 입을 수 있다.

모범 답안 심장을 포함한 순환계와 뇌를 포함한 신경계는 유기적으로 연결되어 있으며, 뇌는 순환계를 통해 산소를 공급받아 온몸의 기능을 통제한다. 심장이 정지되면 혈액 순환이 멈추어 뇌를 비롯한 각 기관에 필요한 산소와 영양분을 공급하지 못하게 되는데, 심폐 소생술을 시행하면 심장이 하던 혈액 순환 기능을 도와서 뇌로 산소를 전달하여 뇌 손상을 막을 수 있다.

채점 기준	배점
심폐 소생술로 뇌 손상을 막을 수 있는 까닭을 순환계와 신경계의 유기적 관계를 근거로 옳게 설명한 경우	100 %
심폐 소생술로 뇌에 산소를 공급할 수 있기 때문이라고만 설명한 경우	50 %

7 (가)는 식물 세포인 검정말잎 세포를 관찰한 것이고, (나)는 동물 세포인 사람의 입안 상피세포를 관찰한 것이다.

모범 답안 (1) 핵을 제외하고 (가)와 (나)에서 공통적으로 관찰되는 구조로는 세포막이 있다. 식물 세포인 (가)에서만 관찰되는 구조로는 엽록체와 세포벽이 있다.

(2) (가)는 세포를 보호하고 세포의 모양을 일정하게 유지하는 세포벽이 있어 세포의 모양과 배열이 규칙적이다. (나)는 세포벽이 없으므로 세포의 모양이 다양하며 배열이 불규칙하다.

(3) 식물 세포와 동물 세포에는 공통적으로 핵과 세포막이 있다. 반면, 식물 세포에서는 엽록체, 세포벽이 관찰되지만, 동물 세포에서는 엽록체와 세포벽이 관찰되지 않는다는 차이점이 있다. 식물 세포는 세포벽이 있어 세포의 모양이 일정하고 배열이 규칙적인 반면, 동물 세포는 세포벽이 없어 세포의 모양이 다양하고 배열이 불규칙하다.

(4) A는 핵이다. 핵을 관찰하기 위해서는 핵을 염색해야 하며, 핵을 뚜렷하게 관찰하기 위해서는 다른 색소를 제거해야 한다. 뜨거운 에탄올에 검정말의 잎을 담가 탈색하고 아세트올세인 용액으로 핵을 염색하면 (가)에서도 핵을 뚜렷하게 관찰할 수 있다.

	채점 기준	배점
(1)	공통적으로 관찰되는 세포 구조와 (가)에서만 관찰되는 세포 구조를 모두 옳게 쓴 경우	20 %
	공통적으로 관찰되는 세포 구조와 (가)에서만 관찰되는 세포 구조 중 한 가지만 옳게 쓴 경우	10 %
(2)	세포벽의 유무를 근거로 식물 세포와 동물 세포의 모양과 배열의 차이를 옳게 설명한 경우	30 %
	세포벽의 유무를 근거로 세포의 모양과 배열의 차이 중 한 가지만 옳게 설명한 경우	15 %
(3)	식물 세포와 동물 세포의 공통점과 차이점을 모두 옳게 설명한 경우	30 %
	식물 세포와 동물 세포의 공통점과 차이점 중 한 가지만 옳게 설명한 경우	15 %
(4)	색소를 제거하는 방법과 핵을 염색하는 방법을 모두 옳게 설명한 경우	20 %
	핵을 염색하는 방법만 옳게 설명한 경우	10 %

2 생물의 다양성

개념 빌드업

1권 046쪽	**1** 종다양성	**2** 변이	**3** 낮다(낮아진다)
1권 048쪽	**1** 생물분류	**2** 분류체계	**3** 종
1권 051쪽	**1** 원핵생물, 원생생물		**2** 원핵생물
	3 식물	**4** 동물	

탐구 확인 문제

1 ② **2** 광합성을 한다. 세포벽이 있다. 핵막이 있다. 엽록체가 있다. 중 두 가지 **3** ② **4** ①

1 세포에 핵막과 세포벽이 있으며 기관이 발달해 있는 생물은 식물계에 속한다. 동물계에 속하는 생물은 핵막이 있고 세포벽이 없으며, 원핵생물계에 속하는 생물은 세포벽이 있고 핵막이 없다.

2 진달래는 식물계에 속하는 생물이고, 파래는 원생생물계에 속하는 생물이다. 진달래와 파래를 구성하는 세포에는 엽록체가 있어 광합성이 일어나며, 둘 다 세포벽이 있고 유전 물질이 핵막에 싸여 있다.

3 생물의 5계는 세포에 핵막이 없는 원핵생물계와 핵막이 있는 원생생물계, 균계, 식물계, 동물계로 구분된다. 원생생물계, 균계, 식물계, 동물계는 기관 분화가 뚜렷하지 않은 원생생물계와 균계, 기관 분화가 뚜렷한 식물계와 동물계로 구분되며, 원생생물계와 균계는 몸이 균사로 되어 있는지의 여부로, 식물계와 동물계는 광합성 여부에 따라 각각 구분할 수 있다.

4 동물 세포에는 핵막이 있고 세포벽이 없다. 동물은 다양한 세포로 구성된 다세포생물이며, 대부분 생식세포의 수정으로 번식한다. 동물은 스스로 영양분을 합성하지 못하며, 다른 생물을 먹이로 섭취하여 영양분을 얻는다.

개념 확인 문제

01 ④ **02** ③ **03** ② **04** ④ **05** 변이 **06** ①
07 ㉠ **08** ⑤ **09** ⑤ **10** ④ **11** ㉠ 문, ㉡ 목, ㉢ 종
12 ⑤ **13** 계 **14** ③ **15** ④ **16** 원핵생물계
17 A: 원핵생물계, B: 원생생물계, C: 식물계, D: 균계, E: 동물계 **18** ⑤ **19** ① **20** ③ **21** ⑤

01 ㄱ. 생태계다양성이 높다는 것은 그만큼 서식 환경이 다양하다는 것을 의미하므로 생태계다양성이 높으면 각각의 서식 환경에 적합한 다양한 생물이 살게 되어 종다양성도 높게 나타난다.

ㄴ. 한 생태계에서 살아가는 생물 종류의 다양한 정도를 나타내는 것은 종다양성이다.

ㄷ. 같은 종류의 생물로 이루어진 무리에서 서로 다른 다양한 특징이 나타나는 것을 유전적 다양성이라고 한다.

02 ㄱ. 식물의 종류는 (가)와 (나) 둘 다 4종류이다.
ㄴ. A의 개체수는 (가)에서가 4이고 (나)에서가 10으로, (가)가 (나)보다 적다.
ㄷ. 종다양성은 여러 종류의 생물이 고르게 분포할수록 높으므로 (가)가 (나)보다 높다.

생태계	(가)				(나)			
식물	A	B	C	D	A	B	C	D
개체수	4	5	3	3	10	1	1	3

03 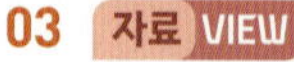 자료 VIEW

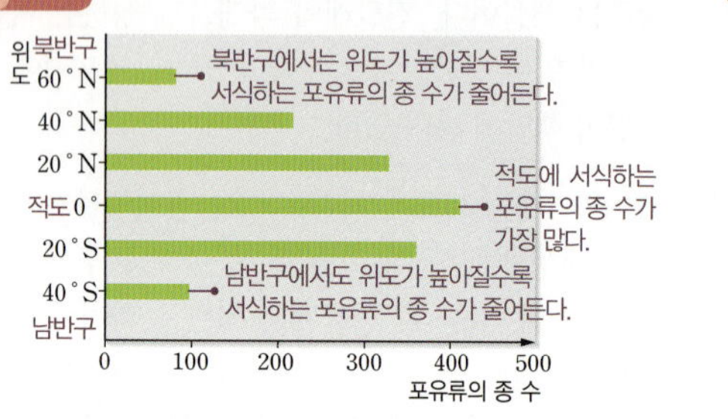

ㄱ. 멸종 가능성은 종 수가 많을수록 낮아진다. 따라서 포유류의 멸종 가능성은 종 수가 많은 적도가 종 수가 적은 극지방보다 낮다.
ㄴ. 포유류에 속하는 종의 수는 적도가 410여 종이고 북위 20°가 320여 종으로 적도가 북위 20°보다 많다.
ㄷ. 종다양성은 종의 수가 많을수록 높아진다. 북반구에서 위도가 낮을수록 포유류의 종 수가 증가하므로 포유류의 종다양성은 북반구에서 위도가 낮을수록 높아진다.

04 ㄱ. 변이는 동물, 식물, 균류, 원생생물, 세균 등 모든 생물에서 나타난다.
ㄴ. 변이가 다양할수록 환경이 급격하게 변하거나 전염병이 유행할 때 각 조건에 적응할 수 있는 개체가 있을 확률이 높으므로 생물이 멸종할 확률은 낮아진다.
ㄷ. 한 종류의 생물 사이에서 조금씩 서로 다른 특징을 나타내는 것을 변이라고 한다.

05 같은 종류의 무당벌레에서도 겉날개의 무늬가 다양하게 나타나는 특징을 변이라고 한다.

06 ㄱ. 바다로 분리된 두 집단에서는 각각 돌연변이와 자연선택이 일어나 (나)와 같이 서로 다른 변이가 나타나게 되었다.
ㄴ. (가)에서는 나비 날개 색의 변이가 나타나지 않았고, (나)에서 변이가 나타났다.

ㄷ. (나)에서 (다)로 될 때 A가 사라진 것은 A의 특징이 환경에 적합하지 않았기 때문이다.

07 ㉠은 유전적으로 다양하게 형성된 씨를 통해 번식하는 방법이므로 자손에게서 변이가 다양하게 나타난다. ㉡은 줄기를 이용해 번식하는 영양생식이므로 줄기를 제공한 식물과 유전적으로 동일한 자손이 만들어진다. 생물의 변이가 다양하면 환경이 급격하게 변하더라도 그 변화에 적응할 수 있는 생물이 있어 살아남을 가능성이 높다.

08 핵막 유무, 세포벽 유무, 광합성 여부, 유전적 특징을 기준으로 분류하는 것은 자연분류에 해당하고, 식용 가능 여부로 분류하는 것은 사람의 편의에 따른 기준이므로 인위분류에 해당한다.

09 ㄱ. 생물의 서식지를 기준으로 생물을 분류하는 (가)는 인위분류에 해당한다.
ㄴ. (나)는 척추의 유무와 같은 생물 고유의 특징을 기준으로 생물을 분류하는 자연분류에 해당한다.
ㄷ. 잠자리, 오리, 송어는 모두 동물계에 속하는 생물로 세포에 핵이 있다.

10 생물분류의 주된 목적은 생물 사이의 유연관계를 밝히는 데 있다.

11 생물의 분류 단위를 가장 큰 단위에서부터 가장 작은 단위까지 나열하면 계>문>강>목>과>속>종이다.

12 ㄱ. 계는 가장 큰 분류 단위이고, 종은 가장 작은 분류 단위이다.
ㄴ. 종은 생물을 분류하는 기본 단위이다.
ㄷ. 자연 상태에서 짝짓기를 하여 번식 능력이 있는 자손을 낳을 수 있는 생물 무리를 종이라고 한다.

13 문보다 큰 분류 단위는 계다. 생물의 5계 분류체계에 따르면 지구상의 모든 생물을 원핵생물계, 원생생물계, 식물계, 균계, 동물계의 다섯 종류로 분류할 수 있다.

14 ① 대장균을 제외한 나머지 생물의 세포에는 핵막이 있다.
② 동물인 개미의 세포에는 세포벽이 없고, 나머지 생물의 세포에는 세포벽이 있다.
③ 대장균, 개미, 능이버섯은 스스로 영양분을 합성하지 못해 다른 생물을 먹이로 먹거나 다른 생물의 사체나 배설물에 포함된 영양분을 이용한다. 백합, 참나무, 우산이끼는 세포에 엽록체가 있어 스스로 영양분을 합성하는 광합성을 한다. 따라서 (가)와 (나)의 분류 기준은 엽록체의 유무라고 할 수 있다.

④ 기관이 발달한 것은 식물계와 동물계이다. 개미는 동물계에 속하고, 백합, 참나무, 우산이끼는 식물계에 속한다. 대장균, 능이버섯은 기관이 발달하지 않았다.

⑤ 대장균은 세포 하나로만 이루어진 단세포생물이고, 나머지 생물은 다세포생물이다.

15 ㄱ. 동물계에 속하는 생물은 모두 몸이 여러 개의 세포로 이루어진 다세포생물이다.

ㄴ. 동물의 세포에는 세포벽이 없다.

ㄷ. 동물은 광합성을 하지 않고, 먹이를 먹어 영양분을 얻는다.

16 세포에 핵막이 없는 대장균과 젖산균은 원핵생물계에 속한다. 원핵생물을 구성하는 원핵세포에는 핵막이 없어 유전물질이 세포질에 있고 다른 세포소기관도 없다.

17 자료 VIEW

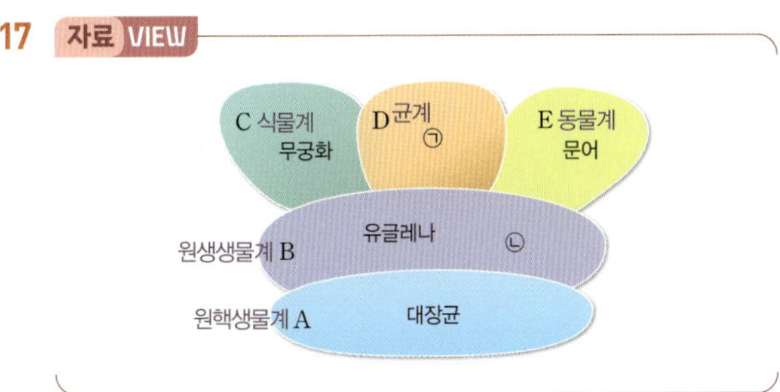

A는 대장균이 속하는 원핵생물계, B는 유글레나가 속하는 원생생물계, C는 무궁화가 속하는 식물계, E는 문어가 속하는 동물계이다. D는 5계 중 남은 하나인 균계이다.

18 ㄱ. 송이버섯은 균계인 D에 속한다. 따라서 송이버섯은 ㉠에 해당한다.

ㄴ. 원핵생물계에 속하는 대장균과 식물계에 속하는 무궁화는 세포벽을 가지고 있다.

ㄷ. 유글레나와 ㉡은 같은 계에 속하고 문어와 ㉡은 서로 다른 계에 속하므로 유글레나와 ㉡의 유연관계는 문어와 ㉡의 유연관계보다 가깝다.

19 동물계, 균계, 식물계에 속하지 않는 생물 무리로는 원핵생물계와 원생생물계가 있으며, 원핵생물계의 생물은 세포에 핵막이 없다. 따라서 제시된 생물은 원생생물계에 속한다. 개구리는 동물계, 충치균은 원핵생물계, 우산이끼는 식물계에 속한다. 해캄과 짚신벌레는 원생생물계에 속하는데 이중 광합성을 하는 것은 해캄이다.

20 무당거미는 동물계에 속하고, 느타리버섯은 균계에 속한다. 소나무와 참나무는 식물계, 송이버섯과 푸른곰팡이는

균계, 유글레나는 원생생물계, 사자, 해파리, 잠자리, 불가사리는 동물계, 대장균은 원핵생물계에 속한다.

21 벼와 은행나무는 식물계에 속한다. 따라서 벼와 은행나무는 세포에 엽록체가 있으며, 여러 개의 세포로 이루어진 다세포생물이다. 또 잎, 줄기, 뿌리 등 기관이 분화되어 있다.

실력 강화 문제

1권 060쪽~061쪽

01 ㄴ, ㄷ **02** ㄴ, ㄷ **03** ④ **04** ⑤ **05** ④ **06** ③
07 ⑤ **08** ⑤

01 ㄱ. t_1일 때 (가)에는 항생제에 죽는 세균만 있고, (나)에는 항생제에 죽는 세균과 항생제에 죽지 않는 세균이 모두 있으므로 변이는 (나)에서가 (가)에서보다 다양하다.

ㄴ. (나)의 t_2에서 항생제에 죽지 않는 세균만 살아남았고, 이후 t_2에서 t_3이 될 때 번식이 일어났다. 그런데 t_3에서 항생제에 죽는 세균이 나타났으므로 t_2에서 t_3으로 될 때 (나)에서 돌연변이가 일어났다.

ㄷ. 변이가 다양한 집단은 급격한 환경 변화에서 새로운 환경에 적응하는 개체가 있을 확률이 높으므로 멸종할 확률이 낮다.

02 갈라파고스제도의 여러 섬에는 핀치가 먹을 수 있는 먹이가 나뭇잎, 곤충, 선인장, 씨, 열매 등으로 다양하다. 원래 핀치의 부리 모양에는 다양한 변이가 있었고, 어떤 원인에 의해 여러 섬에 흩어져 살게 되었다. 특정한 먹이가 풍부한 환경에서는 그 먹이를 잘 먹을 수 있는 부리를 갖고 있는 핀치가 생존에 유리하고 이러한 특징이 자손에게 유전될 확률도 높다. 이와 같은 자연선택에 따라 갈라파고스제도의 섬마다 다양한 먹이 환경에 적응한 핀치의 부리 모양도 다양하다.

03 ㄱ. 감자의 유전적 다양성은 다양한 품종이 있는 A에서가 단일 품종만 있는 B에서보다 높다.

ㄴ. 감자마름병이 유행하였을 때 A에서는 일부 품종이 살아남았고, B에서는 모두 죽었다. 따라서 A에는 감자마름병이 유행할 때 살아남기에 적합한 감자 품종이 있다고 판단할 수 있다.

ㄷ. 단일 품종 재배 방식은 재배하는 생물의 유전적 다양성이 낮아 전염병이 유행할 때 개체수가 크게 감소하고 이로 인해 수확량이 크게 감소할 수 있다.

04 ㄱ. (가)의 토끼 집단에서는 다양한 털색이 나타나므로 (가)의 토끼는 털색에 대한 변이가 있다.
ㄴ. 생물의 종 수는 (가)에서 한 가지, (나)에서 세 가지로 (나)의 종다양성이 (가)보다 높다.
ㄷ. 오소리와 까치는 모두 동물계에 속한다.

05 ㄱ. 들쥐와 부엉이는 모두 척삭동물문에 속한다.
ㄴ. 소나무는 엽록체가 있어 광합성을 하지만, 버섯은 엽록체가 없어 광합성을 하지 않는다.
ㄷ. 서식하는 생물의 종 수는 (가)에서 네 가지이고 (나)에서 두 가지로, 생태계 (가)에서의 종다양성이 (나)에서보다 높다.

도움이 되는 배경 지식 ▶ 척삭동물문
척삭은 동물의 등 쪽에 길게 뻗어 있는 막대 모양의 유연성 있는 조직으로, 발생 과정 중 한 시기 또는 일생 동안 척삭이 나타나는 동물을 척삭동물로 분류한다. 척삭동물의 대부분을 차지하는 척추동물은 발생 초기에 척삭이 나타났다가 성체가 되면서 퇴화하고 대신 척추가 발달하여 등뼈를 이룬다. 어류, 양서류, 파충류, 조류, 포유류가 척추동물에 속한다. 척추동물 외의 척삭동물로는 우렁쉥이(멍게), 창고기 등이 있다. 우렁쉥이와 같은 미삭동물은 성체가 되면서 척삭이 사라지고, 창고기와 같은 두삭동물은 일생 동안 척삭이 있다.

06 ① 풀은 식물계에, 들쥐는 동물계에 속한다.
② 토끼와 개구리는 둘 다 동물계에 속한다. 동물계에 속하는 생물의 세포에는 핵막이 있다.
③ (가)는 생물의 종 수가 많고 먹이 관계가 복잡하게 형성되어 있는 생태계이고, (나)는 생물의 종 수가 적고 먹이 관계가 단순하게 형성되어 있는 생태계이다. 따라서 생물다양성은 (가)에서가 (나)에서보다 높다.
④ (가)에서는 뱀이 개구리, 들쥐, 토끼를 먹지만 (나)에서는 뱀이 개구리만 먹는다.
⑤ 개구리와 들쥐는 모두 척추가 있는 척추동물로 척삭동물문에 속하고, 메뚜기는 척추가 없는 무척추동물로 절지동물문에 속한다. 따라서 개구리와 메뚜기의 유연관계는 개구리와 들쥐의 유연관계보다 멀다.

07 

ㄱ. 동물계, 식물계, 원핵생물계, 균계 중 핵막이 있는 생물이 속하는 계는 동물계, 식물계, 균계이다. 따라서 ㉠은 '아니요'이고 (가)는 원핵생물계이다.
ㄴ. (가)가 원핵생물계이므로 (나)와 (다)는 동물계와 식물계 중 하나이다. 식물계에 속하는 생물은 광합성을 하고 동물계에 속하는 생물은 광합성을 하지 않으므로 (나)는 식물계, (다)는 동물계이다.
ㄷ. 지렁이는 환형동물이므로 동물계인 (다)에 속한다.

08 ㄱ. 목은 강보다 작은 분류 단위이다. 바지락은 이매패강, 고양이는 포유동물강으로 서로 다른 강에 속하므로 바지락과 고양이는 서로 다른 목에 속한다.
ㄴ. 오징어, 바지락, 고양이는 모두 동물계에 속한다.
ㄷ. 오징어와 바지락은 연체동물문에 속하고 고양이는 척삭동물문에 속하므로 같은 문에 속하는 오징어와 바지락의 유연관계는 서로 다른 문에 속하는 오징어와 고양이의 유연관계보다 가깝다.

서술형 문제

1권 062쪽~063쪽

1 (가)는 몸 색이 어두운 나방이고, (나)는 몸 색이 밝은 나방이다. 주변 환경과 몸 색이 비슷한 나방은 포식자의 눈에 잘 띄지 않지만, 주변 환경과 몸 색이 구분되는 나방은 포식자의 눈에 잘 띈다.

모범답안 어두운 환경에서 밝은 환경으로 바뀌게 되면 (가)는 몸 색이 주변 환경과 구분되므로 포식자의 눈에 잘 띄고, (나)는 몸 색이 주변 환경과 비슷하므로 포식자의 눈에 잘 띄지 않는다. 따라서 몸 색이 생존에 더 적합한 나방은 (나)이다.

채점 기준	배점
몸 색과 주변 환경의 밝기를 근거로 들어 포식자의 눈에 잘 띄지 않는 (나)가 생존에 더 적합하다는 것을 옳게 설명한 경우	100 %
몸 색만으로 (나)가 더 생존에 적합하다고만 설명한 경우	50 %

도움이 되는 배경 지식 ▶ 나방의 몸 색과 환경 변화
밝은색 나방은 나무줄기에 서식하는 지의류에 몸을 숨기기 좋다. 그런데 공기가 오염되면 지의류가 죽고 나무줄기가 어두운색을 띠게 되므로 어두운색 나방이 더 눈에 띄지 않아 살아남기 쉽다.

2 어떤 생물의 개체수가 적을수록, 유전적 다양성이 낮을수록 그 생물이 멸종할 가능성은 높아진다. 땅속줄기의 마디에서 새로운 순이 올라와 번식하는 방법은 영양생식으로, 이는 유전물질의 교환 없이 일어나는 무성생식이기 때문에 모체와 자손이 유전적으로 동일하다.

모범답안 기생꽃이 멸종 위기에 놓인 까닭은 개체수가 적고, 땅속줄기로 번식하는 특징 때문에 유전적 다양성이 낮아서이다.

채점 기준	배점
개체수가 적다는 점과 유전적 다양성이 낮다는 점을 모두 포함하여 옳게 설명한 경우	100 %
개체수가 적다는 점과 유전적 다양성이 낮다는 점 중 한 가지만 포함하여 옳게 설명한 경우	50 %

3 종은 자연 상태에서 짝짓기를 하여 번식 능력이 있는 자손을 낳을 수 있는 생물 무리로 정의한다.

모범답안 말과 당나귀는 각각 자연 상태에서 짝짓기를 하여 번식 능력이 있는 자손을 낳을 수 있으므로 각각 종으로 정의하지만, 말과 당나귀 사이에서 태어난 노새는 번식 능력이 없다. 따라서 노새는 종으로 정의하지 않는다.

채점 기준	배점
종의 개념을 옳게 설명하고 이를 근거로 노새가 종이 아니라는 점을 옳게 설명한 경우	100 %
노새가 번식 능력이 없어 자손을 만들지 못하기 때문이라고만 설명한 경우	50 %

4 과는 속보다 큰 분류 단위이다. 같은 속에 속한 두 생물의 유연관계는 다른 속에 속한 두 생물의 유연관계보다 가깝다.

모범답안 (1) (가)는 (나)보다 작은 분류 단위이다. 따라서 (가)는 속이고, (나)는 과이다.
(2) 회색늑대와 코요테는 같은 속에 속하고 붉은여우와 코요테는 서로 다른 속에 속한다. 따라서 코요테와 회색늑대 사이의 유연관계는 코요테와 붉은여우 사이의 유연관계보다 가깝다.

	채점 기준	배점
(1)	(가)와 (나) 모두 근거를 들어 옳게 설명한 경우	50 %
	(가)와 (나)를 모두 옳게 썼으나 타당한 근거를 들어 설명하지 못한 경우	25 %
(2)	코요테와 회색늑대의 유연관계가 코요테와 붉은여우의 유연관계보다 가까운 까닭을 분류 단위를 활용하여 옳게 설명한 경우	50 %
	코요테와 회색늑대의 유연관계가 코요테와 붉은여우의 유연관계보다 가깝다는 점만 설명한 경우	25 %

5 달팽이, 대장균, 벼는 핵막의 유무, 세포벽의 유무, 엽록체의 유무, 기관의 유무로 구분할 수 있다.

모범답안 (1) A는 핵막, 세포벽, 엽록체, 기관이 모두 있으므로 식물계에 속하는 벼이다. B는 핵막과 기관이 있고 세포벽과 엽록체가 없으므로 동물계에 속하는 달팽이다. C는 핵막, 엽록체, 기관이 없고 세포벽이 있으므로 원핵생물계에 속하는 대장균이다.
(2) A와 B는 공통적으로 핵막이 있고, 기관이 형성되므로 두 가지 특징을 공유한다. A와 C는 세포벽이 있다는 한 가지 특징을 공유한다. 공유하는 특징의 수가 많은 A와 B가 공유하는 특징의 수가 적은 A와 C보다 유연관계가 가깝다.

	채점 기준	배점
(1)	A~C를 근거를 들어 모두 옳게 설명한 경우	50 %
	A~C를 모두 옳게 썼으나 타당한 근거를 들어 설명하지 못한 경우	25 %
(2)	공유하는 특징의 수를 근거로 유연관계를 옳게 비교한 경우	50 %
	핵막의 유무만을 근거로 유연관계를 비교한 경우	25 %

6 생물은 핵막의 유무, 광합성 여부, 한 개체를 구성하는 세포의 수 등을 기준으로 분류할 수 있다. (가)는 핵막이 없는 원핵생물계, (다)는 균계, (라)는 식물계이다.

모범답안 (1) (가)의 생물은 개체가 하나의 세포로 이루어져 있으며, 세포에 핵막이 없다. (나)의 생물은 개체가 여러 개의 세포로 이루어져 있으며, 각 세포에는 핵막이 있다.
(2) (다)의 생물은 다른 생물의 사체나 배설물을 분해하여 영양분을 얻는 반면, (라)의 생물은 광합성을 하여 스스로 영양분을 얻는다. (다)의 생물은 기관이 발달되지 않았고, (라)의 생물은 기관이 발달되어 있다.

	채점 기준	배점
(1)	핵막의 유무와 개체를 이루는 세포의 수를 분류 기준으로 들어 모두 옳게 설명한 경우	50 %
	핵막의 유무와 개체를 이루는 세포의 수 중 하나만 분류 기준으로 들어 옳게 설명한 경우	25 %
(2)	광합성 여부와 기관 발달 여부 또는 균사의 유무를 분류 기준으로 들어 모두 옳게 설명한 경우	50 %
	광합성 여부와 기관 발달 여부 또는 균사의 유무 중 하나만 분류 기준으로 들어 옳게 설명한 경우	25 %

7 변이가 있는 한 종류의 생물집단이 서로 다른 먹이 환경에 오랜 기간 적응하면 서로 다른 종류의 생물로 나누어질 수 있다.

모범답안 (1) ㉠에서 개체수 비율이 가장 높은 새는 벌레를 먹는 A이고, ㉡에서 개체수 비율이 가장 높은 새는 선인장을 먹는 B이다.
(2) 부리의 크기와 모양에 대한 변이가 있는 새 집단이 서로 다른 먹이 환경에 놓이면 특정 먹이를 먹는 데 적합한 부리를 갖는 새가 생존과 번식에 유리하며 그 비율이 증가한다. 따라서 A~C의 부리 모양이 서로 다른 까닭은 서로 다른 먹이 환경에 적응하였기 때문이다.

(3) ㉠에서는 벌레를 먹기에 적합한 부리를 가진 A의 개체수 비율이 높은 반면, ㉡에서는 A의 개체수 비율이 낮다. 이것은 섬 ㉠은 벌레, 선인장, 씨 중 A가 먹이로 삼는 벌레가 상대적으로 풍부한 환경이고, 섬 ㉡은 벌레가 상대적으로 부족한 환경이기 때문이다.

(4) 선인장의 개체수가 감소하면 선인장을 먹기에 적합한 부리를 가진 B의 개체수도 감소할 것이므로 ㉡에서 B의 개체수 비율은 감소할 것이다.

	채점 기준	배점
(1)	㉠과 ㉡에서 개체수 비율이 가장 높은 새를 모두 옳게 쓴 경우	20 %
	㉠과 ㉡ 중 하나에서만 개체수 비율이 가장 높은 새를 옳게 쓴 경우	10 %
(2)	서로 다른 먹이 환경에 적응한 과정을 근거로 부리의 모양이 다른 까닭을 옳게 설명한 경우	20 %
	적응 과정에 대한 설명 없이 먹이 환경이 다른 것만을 근거로 부리 모양이 다른 까닭을 설명한 경우	10 %
(3)	A의 개체수 비율을 근거로 각 섬의 먹이 환경 차이를 옳게 설명한 경우	40 %
	각 섬의 먹이 환경이 다른 것만 설명한 경우	20 %
(4)	선인장의 개체수 감소로 선인장을 먹는 B의 개체수가 감소할 것이라고 옳게 설명한 경우	20 %
	B의 개체수가 감소할 것이라고만 설명한 경우	10 %

❸ 생물다양성보전

개념 빌드업

1권 065쪽	**1** 생태계평형	**2** 평형, 생물자원
1권 067쪽	**1** 사람	**2** 외래종 **3** 생태통로

개념 확인 문제

1권 070쪽~071쪽

01 ⑤   **02** ②   **03** 식량 자원   **04** ①   **05** ⑤
06 ⑤   **07** ①   **08** 서식지단편화   **09** ⑤   **10** ①
11 ④

01 ㄱ. 생태계를 구성하는 생물의 종류, 개체수, 물질의 양 등이 일정하게 유지되어 생태계가 안정한 상태를 생태계평형이라고 한다.

ㄴ. 생물의 종류가 다양하고 각 생물의 개체수가 많은 생태계는 먹이 관계가 복잡하게 형성되어 생태계평형이 안정적으로 유지된다.

ㄷ. 사람은 생물로부터 많은 자원을 얻어 살아가므로 생물다양성이 높은 생태계에서는 사람이 얻을 수 있는 생물자원의 다양성과 풍부함도 높다.

02 생물로부터 얻는 여러 자원을 통틀어 생물자원이라고 한다. 생물자원에는 식량과 의복 재료, 목재, 의약품의 원료, 숲과 같은 휴식 공간 등이 포함된다.

② 플라스틱은 나프타를 이용해 만든다. 나프타는 석유를 증류할 때 나오는 액체 탄화 수소로, 생물자원이 아니다.

03 그림은 여러 가지 곡물을 나타낸 것이다. 사람은 곡물을 재배하여 주식으로 이용한다. 의복 자원에는 목화, 양, 누에 등이 있고, 의약품 자원에는 버드나무, 푸른곰팡이 등이 있으며, 주택 자원에는 편백, 소나무 등이 있다.

04 생물다양성을 보전하여 생물이 풍부하더라도 지나치게 많이 채취하는 남획을 해서는 안된다.

05 생물의 특징을 모방하여 일상생활에 유용한 물건을 개발할 수 있다. 우엉 열매 표면의 고리 모양 가시를 모방하여 붙였다 떼었다 할 수 있는 벨크로 테이프를 개발한 것이나 연잎의 표면 돌기를 모방하여 방수와 발수가 뛰어난 섬유 소재를 만든 것은 생물의 특징에서 아이디어를 얻은 대표적인 사례이다. ①~④는 생물로부터 목재, 의약품 원료, 산업 재료, 유전자를 얻은 사례이다.

06 생물다양성이 높은 지역을 보호구역으로 지정하는 것은 생물다양성을 보전하기 위한 노력이다.

07 ㄱ. 생물다양성은 먹이 관계가 복잡하게 형성되어 있는 (나)가 먹이 관계가 단순하게 형성되어 있는 (가)보다 높다.

ㄴ. 생태계평형은 생물다양성이 높을수록 안정적으로 유지된다. 따라서 생태계평형이 잘 유지되는 생태계는 (나)이다.

ㄷ. (가)에서 뱀은 개구리만 먹고 살고, (나)에서 뱀은 개구리와 쥐를 먹고 산다. 따라서 개구리가 멸종될 때 뱀도 멸종될 확률은 (가)에서가 (나)에서보다 높다.

08 도로 건설, 택지 개발 등으로 서식지가 작은 규모로 나누어지는 현상을 서식지단편화라고 한다. 서식지단편화가 일어나면 서식지의 면적이 줄어들고 생물의 이동이 제한된다. 특히 가장자리에서 깊숙이 들어간 곳에 서식하는 생물이 큰 타격을 입게 된다.

도움이 되는 배경 지식 ▶ 로드킬(roadkill)
도로가 만들어져 서식지가 분할되면 주변에 서식하는 동물들이 도로를 건너 이동하다가 차에 치여 다치거나 죽는 사고가 종종 발생하는데, 이와 같은 사고를 '로드킬'이라고 한다. 동물에게나 운전자에게나 치명적인 로드킬을 예방하기 위해 야생 동물이 자주 출몰하는 곳에 주의 표지판을 세우거나 생태통로를 마련하는 노력을 기울이고 있다.

09 생태통로는 서식지단편화로 생물다양성이 감소하는 문제를 해결하기 위한 노력이다.

10 외래종의 일부는 천적이 거의 없고 이로 인해 개체수가 급격하게 증가한다. 외래종의 개체수 증가는 토종 생물의 생존을 위협하여 생물다양성을 감소시키는 원인 중 하나이다. 따라서 무분별한 외래종 도입은 생물다양성보전에 도움이 되지 않는다.

11 ㄱ. 큰입배스는 과거 우리나라에 살지 않았고, 외국에서 들어온 이후 우리나라에 살고 있는 외래종이다.
ㄴ. 가시박의 유입으로 토종 생물의 생존이 위협받고 있으며, 생물다양성이 감소하였다.
ㄷ. 외래종인 큰입배스와 가시박은 천적이 거의 없어 개체수가 빠르게 증가하였다.

ㄴ. 생물다양성은 종의 수와 개체수가 더 많은 서식지 분할 전이 분할 후보다 높다.
ㄷ. E는 서식지 중앙에 서식하던 생물이므로 서식지 분할 후 내부 면적의 감소가 멸종의 원인이라고 할 수 있다.

04 자료 **VIEW**

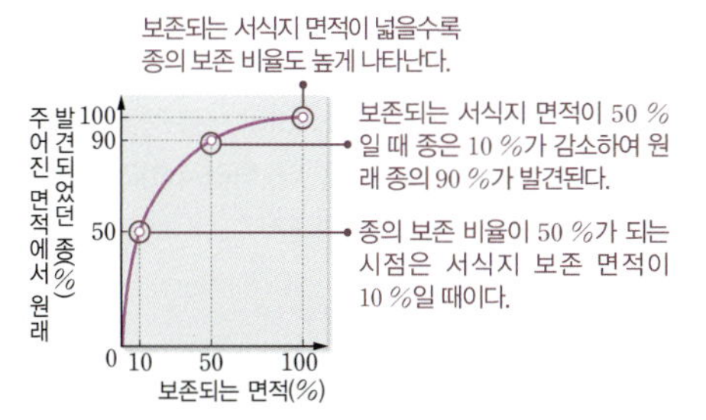

ㄱ. 서식지파괴는 생물다양성 감소의 주요 원인이다.
ㄴ. 보호되는 구역의 넓이가 넓을수록 보호구역에서 서식하는 생물의 종 수가 유지될 확률이 높다. 따라서 보호구역을 지정할 때에는 넓은 면적을 지정하는 것이 효과적이다.
ㄷ. 서식지 면적이 50 %로 줄었을 때 원래 발견되었던 종의 비율은 90 %이므로 절반으로 줄어들지는 않았다.

실력 **강화 문제**

1권 072쪽

01 ⑤　　**02** ⑤　　**03** ⑤　　**04** ④

01 ㄱ. (가)에서 토끼가 사라져도 뱀은 쥐를 먹을 수 있으므로 사라지지 않는다.
ㄴ. (나)에서 뱀이 사라져도 독수리는 토끼를 먹을 수 있으므로 사라지지 않는다.
ㄷ. 생태계평형은 먹이 관계가 복잡하게 형성된 (가)에서가 먹이 관계가 단순하게 형성된 (나)에서보다 안정하게 유지된다.

02 ㄱ. 아름다운 경관으로 사람들에게 휴식 공간을 제공하는 것은 생물자원 중 휴식 공간과 관광자원에 해당하며, 의약품 자원에는 의약품의 원료가 되는 여러 가지 식물과 균류 등이 있다.
ㄴ. 사람이 조개나 낙지 등을 잡는 것은 식량으로 활용하기 위한 것이므로 ⓒ은 생물자원 중 식량 자원에 해당한다.
ㄷ. 생물다양성이 높은 갯벌이 간척 사업으로 줄어들면 생물다양성은 감소하게 된다.

03 ㄱ. 서식지 분할로 내부 면적은 감소하였지만 가장자리 면적은 증가하였다.

서술형 **문제**

1권 073쪽

1 식물의 씨는 매우 긴 시간 동안 휴면할 수 있으며, 적당한 조건이 되면 발아하여 완전한 개체로 자란다. 씨는 식물의 유전자를 담고 있으며, 크기가 작고 보관이 어렵지 않으므로 종자은행은 유용한 유전자 보관소인 셈이다. 식물은 주요 식량 자원이며, 의복 재료와 목재를 제공할 뿐만 아니라 다양한 의약품의 원료 또한 제공하므로 식물의 유전자를 보존하는 것은 천재지변이나 세계대전, 우주적 재앙에 대비하여 인류의 생존을 돕기 위한 매우 중요한 일이다.

모범답안 식물은 인류에게 매우 중요한 생물자원이다. 식물의 씨는 매우 긴 시간 동안 휴면 상태로 보관할 수 있고, 발아할 수 있는 조건이 되면 발아하여 다시 번식할 수 있다. 종자은행을 운영하면 지구에 큰 위기가 발생하여 특정 식물의 개체수가 크게 감소하거나 멸종할 때 종자은행에 보관한 씨를 활용하여 사라진 식물을 복원하거나 감소한 식물의 개체수를 회복시킬 수 있다.

채점 기준	배점
씨의 특징과 종자은행에 보관된 씨의 활용 가능성을 모두 옳게 설명한 경우	100 %
종자은행에 보관된 씨의 활용 가능성만 옳게 설명한 경우	50 %

2 외래종 중 일부는 천적이 거의 없어 개체수가 빠르게 증가하고 이로 인해 토종 생물의 생존에 위협이 된다. 토종 생물의 개체수 감소 또는 멸종은 생물다양성 감소의 원인이 되므로 이와 같은 외래종은 생태계 교란 생물로 지정하여 관리하고 있다.

[모범 답안] 미국가재는 외래종으로 천적이 거의 없어 유입된 생태계에서 개체수가 빠르게 증가한다. 개체수가 증가한 미국가재는 토종 생물의 먹이와 서식지를 차지하여 토종 생물의 생존을 위협하고 이로 인해 생물다양성이 감소한다. 따라서 이러한 외래종의 퇴치는 생물다양성보전을 위해 중요하다.

채점 기준	배점
외래종이 생태계를 교란하는 까닭과 외래종을 퇴치해야 하는 까닭을 모두 옳게 설명한 경우	100 %
외래종이 생태계를 교란하는 까닭과 외래종을 퇴치해야 하는 까닭 중 한 가지만 옳게 설명한 경우	50 %

3 아마존 열대우림은 울창한 숲이 광활하게 펼쳐져 있어 왕성한 광합성으로 산소가 뿜어져 나오는 곳이며 수많은 생물이 서식하고 있어 생물자원이 풍부한 곳이다. 그런데 광범위한 개발과 벌목, 산불 등으로 크게 파괴되고 있다. 아마존 열대우림을 보전하기 위한 노력은 기후 변화를 완화하는 데에도 의미가 있으므로 세계 모든 나라가 관심을 가져야 한다.

[모범 답안] (1) 도시 건설, 농경지 개간 등 사람의 활동으로 숲이 파괴되어 열대우림이 점차 감소하고 있다.
(2) 숲은 다양한 생물이 살아가는 곳으로 생물다양성이 높은 생태계이고, 도시나 농경지 등의 개발 구역은 숲에 비해 생물다양성이 낮다. 숲이 감소하고 개발 구역이 증가하면 많은 생물의 서식지가 파괴되어 생물다양성이 감소하게 된다.
(3) 국제적으로 생물다양성협약을 맺어 아마존 열대우림의 과도한 개발을 제한하고 숲을 보전하여 생물다양성을 보전하기 위해 협력해야 한다.
(4) 광활한 아마존 열대우림은 다양한 생물이 서식하고 있는 생물자원의 보고이며 활발한 광합성으로 기후 변화를 완화하는 데에도 크게 기여하고 있으므로 열대우림을 보전하여 생물다양성을 보전하고 지구 환경을 보호해야 한다.

	채점 기준	배점
(1)	사람의 활동으로 열대우림이 감소하였음을 옳게 설명한 경우	20 %
	벌목으로 숲이 감소하였다고만 설명한 경우	10 %
(2)	숲과 개발 구역의 생물다양성을 비교하고 이를 근거로 생물다양성이 감소하였다는 것을 옳게 설명한 경우	20 %
	원인에 대한 설명 없이 생물다양성이 감소하였다고만 설명한 경우	10 %
(3)	국가 간 협약이 필요함을 옳게 설명한 경우	30 %
	숲을 보전해야 한다고만 설명한 경우	15 %
(4)	생물자원 확보, 기후 변화 완화, 생물다양성보전을 근거로 옳게 설명한 경우	30 %
	생물자원 확보, 기후 변화 완화, 생물다양성보전 중 두 가지만 근거로 들어 옳게 설명한 경우	15 %

사고력을 키우는 최상위권 도전 문제
1권 074쪽~077쪽

1 ⑤   **2** ④   **3** ⑤   **4** ④   **5** ①   **6** ①
7 ③   **8** ④

1 **[단계별 문제 해결]**

Step 1 자료 분석하기

A는 핵, B는 마이토콘드리아, C는 세포막이다.

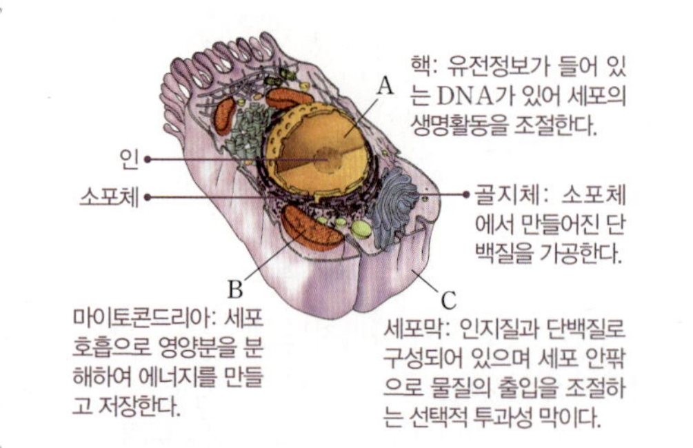

Step 2 보기 분석하기

ㄱ. 핵(A)에 있는 DNA에는 단백질합성에 필요한 유전정보가 들어 있다.
ㄴ. 마이토콘드리아(B)에서는 세포호흡으로 영양분을 분해하여 생명활동에 필요한 에너지를 만든다. 만들어진 에너지는 ATP에 저장되어 필요한 곳에 사용된다.
ㄷ. 소포체에서는 DNA의 유전정보에 따라 합성된 단백질을 가공하여 골지체에 전달하고, 골지체에서는 단백질을 변형하여 소낭에 담아서 세포막(C)에 전달한다. 세포막은 골지체에서 받은 소낭과 융합하여 단백질을 세포 밖으로 분비한다.

2 **[단계별 문제 해결]**

Step 1 자료 분석하기

그림은 잎을 구성하는 조직을 나타낸 것이다.

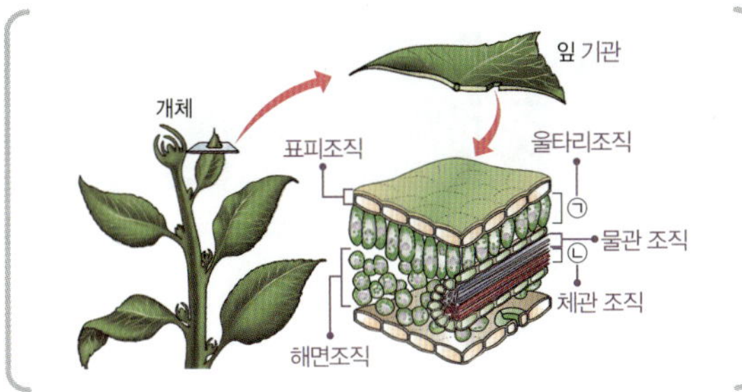

◆ 식물 개체는 잎, 줄기, 뿌리 등의 기관으로 구성된다.
◆ 잎은 표피조직계, 기본조직계, 관다발조직계 등으로 구성된다.
◆ 잎의 기본조직계에는 광합성이 활발히 일어나는 울타리 조직과 해면조직이 속하며, 관다발조직계에는 영양분의 이동 통로인 체관 조직과 물의 이동 통로인 물관 조직이 속한다.

Step 2 보기 분석하기

ㄱ. 잎은 식물 몸의 구성 단계 중 기관에 해당한다.

ㄴ. ㉠은 잎살세포로 구성된 울타리조직이다. 울타리조직 은 햇빛을 많이 받을 수 있는 잎의 윗면에 촘촘하게 배열 하고 있으며, 울타리조직을 구성하는 잎살세포에는 엽록체 가 있어 광합성이 활발하게 일어난다.

ㄷ. 식물에는 세포분열이 일어나는 분열조직과 분열이 완 료되어 고유의 기능을 수행하는 영구 조직이 있다. 체관 조 직은 영구 조직에 해당한다.

영구 조직의 예	분열조직의 예
울타리조직, 해면조직, 체관 조직, 물관 조직, 표피조직	형성층, 성장점

3 단계별 문제 해결

Step 1 자료 분석하기

그림은 사람의 기관계를 모식적으로 나타낸 것이다.

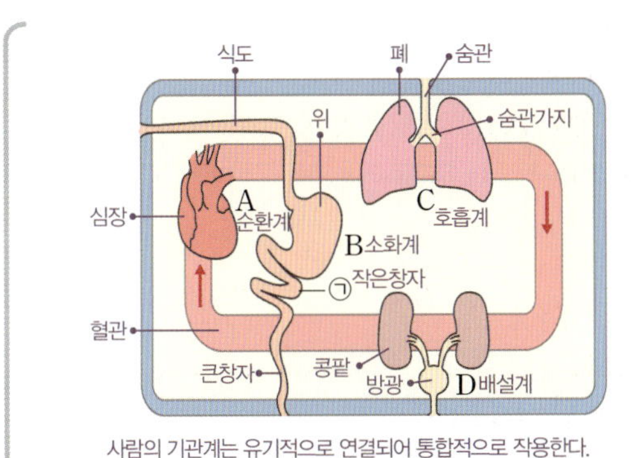

사람의 기관계는 유기적으로 연결되어 통합적으로 작용한다.

◆ A: 심장과 혈관으로 구성된 A는 순환계이다.

◆ B: 식도, 위, 작은창자, 큰창자 등으로 구성된 B는 소화 계이다.
◆ C: 숨관, 숨관가지, 폐 등으로 구성된 C는 호흡계이다.
◆ D: 콩팥, 방광 등으로 구성된 D는 배설계이다.

Step 2 보기 분석하기

ㄱ. 소화계(B)를 구성하는 기관인 작은창자(㉠)에는 상피 조직과 근육조직이 모두 있다.

ㄴ. 호흡계로는 산소가 들어오고 이산화 탄소가 나가며, 호흡계(C)로 들어온 산소는 순환계(A)를 통해 온몸의 조 직 세포로 운반된다.

ㄷ. 혈액에 포함된 노폐물을 걸러 오줌을 만드는 콩팥과 오줌을 저장하는 방광은 배설계인 D에 속한다.

4 단계별 문제 해결

Step 1 자료 분석하기

식물 몸에서는 여러 조직이 모여 조직계를 구성하고, 여러 조직계가 모여 기관을 구성한다.

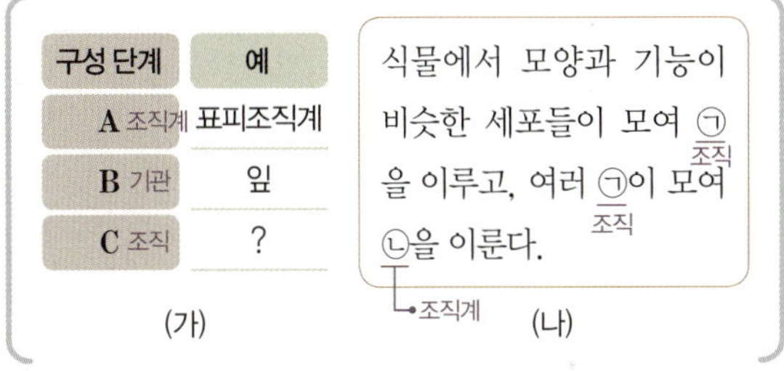

◆ 표피조직계는 조직계의 예이므로 A는 조직계이다.
◆ 잎은 기관의 예이므로 B는 기관이다. 따라서 나머지 C 는 조직이다.
◆ 모양과 기능이 비슷한 세포들이 모여 ㉠을 이루므로 ㉠ 은 조직이다. 여러 ㉠이 모여 ㉡을 이루므로 식물에서 ㉡ 은 조직계이다.

Step 2 보기 분석하기

ㄱ. ㉠은 조직이고, A는 조직계이다.

ㄴ. C는 조직이다. 조직의 예로는 울타리조직, 해면조직, 표피조직 등이 있다.

ㄷ. B는 기관이다. 기관의 예로는 뿌리, 열매, 잎, 줄기, 꽃 등이 있다.

5 단계별 문제 해결

Step 1 자료 분석하기

그림은 주변 환경의 밝기에 따른 흰색 나방과 검은색 나방 의 포획 빈도 변화를 나타낸 것이다.

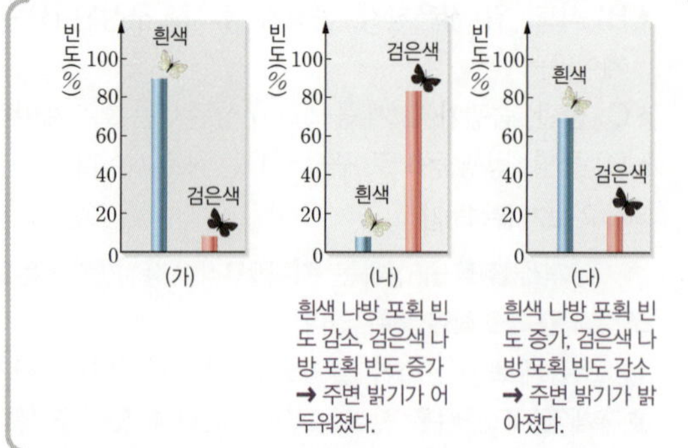

흰색 나방 포획 빈도 감소, 검은색 나방 포획 빈도 증가 ➡ 주변 밝기가 어두워졌다.

흰색 나방 포획 빈도 증가, 검은색 나방 포획 빈도 감소 ➡ 주변 밝기가 밝아졌다.

◆ 포획 빈도가 높을수록 개체수가 많다는 것을 뜻한다.

◆ 몸 색이 환경과 비슷한 개체는 포식자에게 발견될 확률이 낮고, 몸 색이 환경과 다른 개체는 포식자에게 발견될 확률이 높다.

◆ (가)에서 (나)로 될 때 흰색 나방의 포획 빈도가 감소하고 검은색 나방의 포획 빈도가 증가하였으므로, 검은색 나방의 비율이 증가한 것이다. 이 기간에 주변 환경이 어두워져서 눈에 잘 띄는 흰색 나방이 더 많이 잡아먹혔음을 알 수 있다.

◆ (나)에서 (다)로 될 때 흰색 나방의 포획 빈도가 증가하고 검은색 나방의 포획 빈도가 감소하였으므로, 흰색 나방의 비율이 증가한 것이다. 이 기간에 주변 환경이 밝아져서 눈에 잘 띄는 검은색 나방이 더 많이 잡아먹혔음을 알 수 있다.

Step 2 보기 분석하기

ㄱ. 제시된 자료에서 포획된 나방 중에 몸 색이 흰색인 개체와 검은색인 개체가 있다. 따라서 나방 집단에는 몸 색에 대한 변이가 있다.

ㄴ. (가)에서 (나)로 될 때 흰색 나방의 포획 빈도가 감소하고 검은색 나방의 포획 빈도가 증가한 것은 주변 환경이 어두워져서 검은색 나방이 흰색 나방보다 포식자에게 덜 먹혔기 때문이다.

ㄷ. (나)에서 (다)로 될 때 흰색 나방의 포획 빈도가 증가하고 검은색 나방의 포획 빈도가 감소한 것은 이 기간에 주변 환경이 밝아져서 검은색 나방이 포식자에게 더 잘 발견되었기 때문이다.

6 단계별 문제 해결

Step 1 자료 분석하기

젖산균은 원핵생물계, 오징어는 동물계, 민들레는 식물계, 송이버섯은 균계에 속한다. 젖산균은 세포에 핵막이 없는 원핵생물이고, 오징어, 민들레, 송이버섯은 세포에 핵막이 있는 진핵생물이다.

젖산균 원핵생물계 **오징어** 동물계 **민들레** 식물계 **송이버섯** 균계

◆ 원핵생물계에 속하는 생물을 구성하는 원핵세포에는 핵막이 없고, 펩티도글리칸 성분의 세포벽이 있다.

◆ 동물계에 속하는 생물은 핵막이 있는 진핵세포로 구성되며, 세포에 세포벽이 없고, 다세포생물이다.

◆ 식물계에 속하는 생물은 세포에 엽록체와 셀룰로스 성분의 세포벽이 있고, 광합성을 하는 독립영양생물이다.

◆ 균계에 속하는 생물은 다른 생물의 사체나 배설물을 분해하여 영양분을 얻는 종속영양생물이다.

Step 2 보기 분석하기

ㄱ. 젖산균과 민들레를 구성하는 세포에는 성분은 다르지만 세포막을 감싸는 세포벽이 있다. 동물계를 제외한 나머지 생물은 대부분 세포벽이 있다.

ㄴ. 민들레는 식물계에 속하는 독립영양생물이고, 송이버섯은 균계에 속하는 종속영양생물이다.

ㄷ. 젖산균은 세포에 핵막이 없는 원핵생물이고, 오징어, 민들레, 송이버섯은 세포에 핵막이 있는 진핵생물이므로, 젖산균과 오징어의 유연관계보다는 민들레와 송이버섯의 유연관계가 더 가깝다.

7 단계별 문제 해결

Step 1 자료 분석하기

그림은 생물의 5계 사이의 유연관계를 나타낸 계통수이다. 계통수는 생물의 진화 과정과 유연관계를 나뭇가지 모양으로 나타낸 것으로, 아래쪽이 공통조상을 나타낸다. 가지가 갈라지면서 계통이 나뉘기 때문에 최근에 갈라진 생물의 유연관계가 더 가깝고 가지가 가까울수록 공통 특징이 많다.

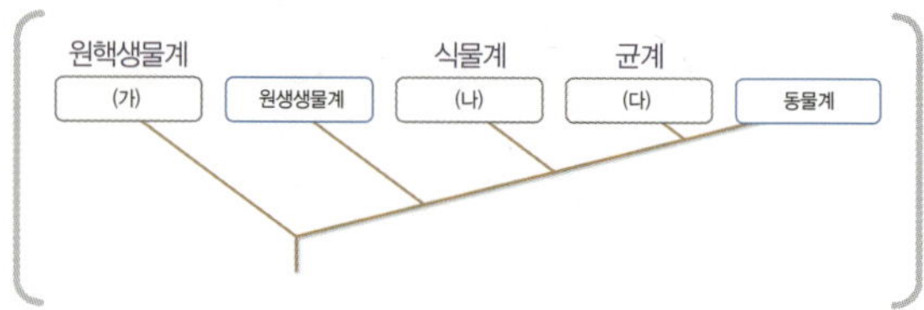

◆ (다)에 속하는 생물은 몸이 균사로 이루어져 있으므로 (다)는 균계이다.

◆ 원핵생물계를 제외한 나머지 계에 속하는 생물은 모두 세포에 핵막이 있으므로 원핵생물계와의 유연관계보다

는 나머지 계에 속하는 생물들 사이의 유연관계가 더 가깝다. 따라서 계통수에서 가장 먼저 갈라진 (가)가 원핵생물계, (나)가 식물계이다.

Step 2 보기 분석하기

ㄱ. 대장균은 핵막이 없는 원핵생물이므로 원핵생물계인 (가)에 속한다.

ㄴ. (나)는 식물계이다. 식물계에 속하는 생물은 세포에 셀룰로스가 주성분인 세포벽이 있다.

ㄷ. (가)는 원핵생물계이므로 3역 6계 분류체계에 따르면 세균역 또는 고균역에 속한다. 3역 6계 분류체계에서는 계보다 큰 분류 단위로 역을 두었다. 5계 분류체계의 원핵생물계는 3역 6계 분류체계에서 세균계와 고균계로 분리되어 각각 세균역, 고균역의 다른 역으로 구분된다. (다)는 균계이므로 3역 6계 분류체계에 따르면 원생생물계, 식물계, 동물계와 함께 진핵생물역에 속한다. 따라서 (가)와 (다)는 다른 역에 속한다.

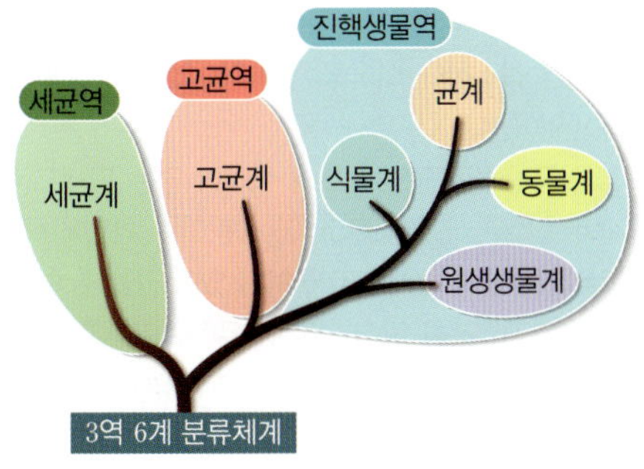

8 단계별 문제 해결

Step 1 자료 분석하기

제시된 그림과 표는 이끼에 서식하는 소형 절지동물을 이용하여 서식지단편화가 생물다양성에 미치는 영향을 알아보기 위한 실험 자료이다.

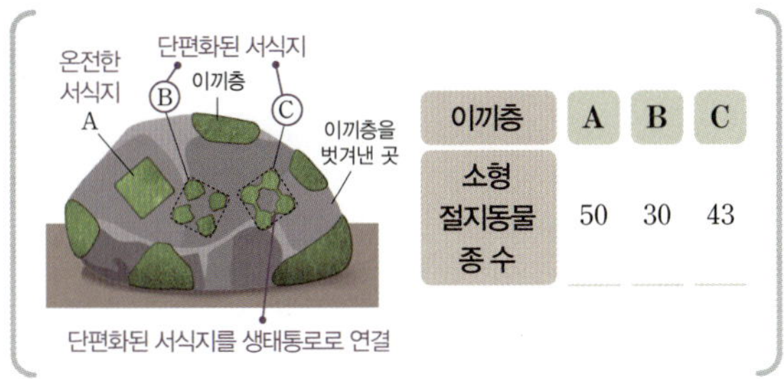

이끼층	A	B	C
소형 절지동물 종 수	50	30	43

◆ 단편화되지 않은 서식지 A에서는 소형 절지동물의 종수가 변하지 않았다.

◆ 네 개로 단편화된 서식지 B에서는 소형 절지동물의 종수가 가장 많이 감소하였다.

◆ 네 개로 단편화된 서식지가 연결된 C에서는 감소한 소형 절지동물의 종 수가 B에서보다 적다. 이는 생태통로가 생물다양성보전을 위해 필요함을 보여 준다.

Step 2 보기 분석하기

ㄱ. A~C 중 사라진 소형 절지동물의 종 수는 단편화된 서식지인 B에서가 가장 많다.

ㄴ. A는 파괴되지 않은 서식지이고, B는 서식지가 파괴되어 단편화된 서식지이다. 따라서 A와 B에 서식하는 소형 절지동물의 종 수를 비교하면 서식지파괴가 생물다양성에 미치는 영향을 알 수 있다.

ㄷ. B는 단편화된 서식지에 생태통로가 설치되지 않은 조건이고, C는 단편화된 서식지에 생태통로가 설치된 조건이다. 따라서 B와 C를 비교하면 생태통로가 생물다양성에 미치는 영향을 알 수 있다.

ㄹ. 제시된 실험의 결과로 서식지파괴가 생물다양성을 감소시키는 원인이라는 것을 알 수 있다. 도로 개통, 도시 개발 등 사람의 활동이 서식지를 파괴하고 분할하므로 생물다양성보전을 위해 무분별한 개발을 제한하고 서식지를 보호하기 위한 노력이 반드시 필요하다는 결론을 내릴 수 있다.

과학 역량을 기르는 논술형 문제

1권 079쪽~081쪽

1 문제 해결 가이드 생태계마다 적응해서 살아가는 고유의 종이 있다는 점을 활용하여 생태계다양성이 높을수록 종다양성이 높다는 점을 설명한다.

▶ 아프리카 초원에 살고 있는 생물은 사하라 사막에 없고, 사하라 사막에 살고 있는 생물은 아프리카 초원에 없다는 점 ≫ 각 생태계에는 그 생태계에 적응하여 살아가는 고유한 종이 있어 생태계다양성이 높을수록 종다양성이 높다는 점을 설명한다.

모범답안 아프리카 초원에는 사하라 사막에 살지 않는 생물이 살고 있고, 사하라 사막에는 아프리카 초원에 살지 않는 생물이 살고 있다. 이것은 생태계마다 환경이 다르고 서로 다른 환경에 적응하여 살아가는 고유의 종이 있다는 것을 보여 준다. 따라서 생태계다양성이 높을수록 각 생태계에 적응해 살아가는 생물의 종류가 다양하므로 종다양성도 높게 나타난다.

채점 기준	배점
아프리카 초원과 사하라 사막에 살아가는 생물의 종류가 다르다는 점을 근거로 생태계다양성이 높을수록 종다양성이 높다는 것을 옳게 설명한 경우	100 %
생태계다양성이 높을수록 종다양성이 높다고만 설명한 경우	50 %

2 「문제 해결 가이드」 다양한 생물이 살아가는 숲과 특정 작물을 재배하는 밭의 생물다양성을 비교하고 환경이 변할 때 생물다양성이 낮은 생태계에서 발생할 수 있는 문제점을 설명한다.

▶ 생태계에 살아가는 생물의 종류가 숲보다는 밭에서 적다는 점 ≫ 생태계에 살아가는 생물의 종류가 적을수록 생물다양성이 낮다는 점 ≫≫ 생물다양성이 낮아지면 생태계의 안정성이 낮아지고 환경 변화에 취약해질 수 있다는 점을 설명한다.

모범 답안 특정 작물을 재배하는 밭은 다양한 생물이 살아가는 숲보다 살아가는 생물의 종류가 적기 때문에 생물다양성이 낮다. 따라서 숲을 개간하여 밭을 만들면 그 지역의 생물다양성이 감소하고 생태계의 안정성이 크게 감소한다. 생태계의 안정성이 감소하면 홍수나 산사태, 전염병과 같은 환경 변화에 취약한 문제가 발생할 수 있다.

채점 기준	배점
숲과 밭의 생물다양성을 비교하고 생물다양성이 낮아질 때 생길 수 있는 문제점을 옳게 설명한 경우	100 %
생물다양성이 낮아지는 문제점만을 설명한 경우	50 %

3 「문제 해결 가이드」 새로운 종의 출현이 다윈이 제안한 자연선택이 아닌 다른 과정을 통해서도 가능함을 우장춘 박사의 사례를 들어 설명하고, 배추를 이루는 식물 세포와 새우를 이루는 동물 세포의 차이를 세포소기관의 유무를 들어 설명한다. 김치를 담글 때 일어나는 환경 변화를 들어 김치 속 세균의 자연선택을 설명하고, 젖산균, 스클레로티니아 곰팡이, 방선균을 5계 생물의 분류 기준에 따라 원핵생물계와 균계로 분류할 수 있음을 설명한다.

(1) ▶ 다윈은 자연선택을 통해 다양한 종이 출현하였다고 주장한 점 ≫ 우장춘 박사는 배추와 양배추의 교잡으로 새로운 종인 유채를 만들었다는 점 ≫≫ 새로운 종의 출현은 한 가지 요인이 아닌 다양한 요인에 의해 가능하다는 점으로 진화 이론을 확장하였다는 점을 설명한다.

(2) ▶ 배추를 이루는 세포는 식물 세포이고, 새우를 이루는 세포는 동물 세포라는 점 ≫ 식물 세포와 동물 세포에는 핵막, 세포막, 세포질, 마이토콘드리아가 공통으로 있다는 점 ≫≫ 동물 세포에는 없고 식물 세포에는 있는 세포소기관이 엽록체, 세포벽이라는 점을 설명한다.

(3) ▶ 김치를 담근 직후에는 배추를 비롯한 여러 재료에 다양한 세균이 있다는 점 ≫ 김치를 담그면서 염도가 높아지고 산소가 부족해지는 환경 변화가 일어난다는 점 ≫≫ 새로운 환경에 적응하는 젖산균의 비율은 증가하고 적응하지 못하는 다른 세균의 비율은 감소한다는 점을 들어 자연선택을 설명한다.

(4) ▶ 젖산균과 방선균은 세균이므로 원핵생물계에 속하고,

스클레로티니아 곰팡이는 곰팡이이므로 균계에 속한다는 점 ≫ 원핵생물계의 세균과 균계의 곰팡이를 구분할 수 있는 분류 기준으로는 핵막의 유무, 개체를 이루는 세포 수 등이 있다는 점을 설명한다.

모범 답안 (1) 다윈은 자연선택을 통해 다양한 생물이 출현하였다는 진화 이론을 제안하였다. 우장춘 박사가 배추와 양배추를 교잡해 유채를 만든 것은 자연선택 과정이 없어도 새로운 종이 출현할 수 있다는 것을 보여 주었다. 따라서 유채를 만든 연구 성과는 기존에 자연선택으로 설명하던 진화 이론을 확장하였다고 할 수 있다.

(2) 배추는 식물이므로 배추를 구성하는 세포는 식물 세포이고, 새우는 동물이므로 새우를 구성하는 세포는 동물 세포이다. 식물 세포와 동물 세포에는 공통적으로 핵, 세포막, 세포질, 마이토콘드리아가 있다. 반면에 엽록체와 세포벽은 식물 세포에는 있고, 동물 세포에는 없다.

(3) 배추를 비롯해 김치를 만들기 위해 사용하는 무, 마늘, 고춧가루 등 여러 재료에는 다양한 세균이 있다. 이 재료에 소금을 뿌리고 김치통을 밀봉하여 염도가 높고 산소가 없는 환경을 만들어 주면 이 환경에 적응한 젖산균의 비율은 증가하고 적응하지 못한 다른 세균의 비율은 감소한다. 이와 같은 과정으로 김치 속에서 세균의 자연선택이 일어난다.

(4) 젖산균과 방선균은 세포에 핵막이 없는 단세포생물로 원핵생물계에 속하고, 스클레로티니아 곰팡이는 세포에 핵막이 있는 다세포생물로 몸이 균사로 이루어져 있어 균계에 속한다. 그러므로 ⓒ~ⓔ를 자연분류 방식으로 두 무리로 분류할 때에는 ⓒ, ⓔ와 ⓓ로 분류한다. 이때의 분류 기준은 핵막의 유무, 개체를 이루는 세포 수 등으로 할 수 있다.

	채점 기준	배점
(1)	다윈의 이론을 옳게 설명하고 유채를 만든 성과가 다윈의 이론이 아닌 다른 과정을 통해서도 진화가 일어나는 것을 보여 주었다는 점을 옳게 설명한 경우	20 %
	유채를 만든 성과가 자연선택이 아닌 과정을 통해서도 진화가 일어날 수 있다는 것을 보여 주었다는 점만 설명한 경우	10 %
(2)	식물 세포와 동물 세포의 공통점과 차이점을 옳게 설명한 경우	30 %
	식물 세포와 동물 세포의 공통점과 차이점 중 한 가지만 옳게 설명한 경우	15 %
(3)	김치를 만들기 전후 환경 조건의 변화를 근거로 세균의 종류 변화를 자연선택의 관점에서 옳게 설명한 경우	30 %
	젖산균의 비율이 증가한 사실만 설명한 경우	15 %
(4)	세 가지 생물을 원핵생물과 균류로 옳게 분류하고 핵막의 유무, 개체를 구성하는 세포 수 등 분류 기준을 옳게 제시한 경우	20 %
	세 가지 생물을 두 무리로 옳게 분류하였으나 분류 기준을 옳게 제시하지 못한 경우	10 %

4 「**문제 해결 가이드**」 털색이 환경과 비슷한 생물은 포식자에게 발견될 확률이 낮고, 털색이 환경과 구분되는 생물은 포식자에게 발견될 확률이 높다는 점을 근거로 각각의 환경에서 포식자로부터 더 많은 공격을 받는 모형은 무엇일지 설명한다.

▶ 밝은 모래 지대에서는 털색이 어두운 (가)가 털색이 밝은 (나)보다 포식자에게 발견될 확률이 높다는 점 ▶▶ 어두운 암석 지대에서는 털색이 밝은 (나)가 털색이 어두운 (가)보다 포식자에게 발견될 확률이 높다는 점 ▶▶▶ 포식자는 눈에 잘 띄는 모형을 공격한다는 점을 설명한다.

「**모범 답안**」 밝은 모래 지대에서는 (가)를 본떠 만든 모형이 (나)를 본떠 만든 모형보다 포식자의 눈에 띌 확률이 높다. 따라서 모래 지대에서는 (가)를 본떠 만든 모형이 (나)를 본떠 만든 모형보다 더 많은 공격을 받을 것이다. 반면에 어두운 암석 지대에서는 (나)를 본떠 만든 모형이 (가)를 본떠 만든 모형보다 포식자의 눈에 띌 확률이 높다. 따라서 암석 지대에서는 (나)를 본떠 만든 모형이 (가)를 본떠 만든 모형보다 더 많은 공격을 받을 것이다.

채점 기준	배점
포식자에게 더 잘 발견되는 조건을 제시하고 이를 근거로 모래 지대와 암석 지대에서 더 많이 공격 받는 모형을 옳게 설명한 경우	100 %
근거를 제시하지 않고 모래 지대와 암석 지대에서 더 많은 공격을 받는 모형만 옳게 설명한 경우	50 %

5 「**문제 해결 가이드**」 사람, 포도상구균, 푸른곰팡이를 생물의 5계에 따라 분류할 수 있는 기준을 제시하고, 환경이 변하면 그 환경에 생물이 적응하는 과정을 항생제의 사용과 항생제 효과 감소로 설명한다. 또 이를 근거로 항생제 오남용을 경계해야 하는 까닭을 설명한다.

(1) ▶ 사람은 동물계에 속하고, 포도상구균은 원핵생물계에 속하며, 푸른곰팡이는 균계에 속한다는 점 ▶▶ 원핵생물계에 속하는 생물은 핵막이 없지만 동물계와 균계에 속하는 생물은 핵막이 있다는 점 ▶▶▶ 동물계에 속하는 생물은 기관이 형성되지만 균계에 속하는 생물은 기관이 형성되지 않는다는 점을 설명한다.

(2) ▶ 페니실린과 메티실린을 사용하면 할수록 페니실린과 메티실린에 죽는 세균의 비율은 감소하고 페니실린 분해효소가 있는 포도상구균과 세포벽을 만드는 데 항생제에 의해 기능이 억제되지 않는 효소를 활용하는 포도상구균의 비율이 증가한다는 점 ▶▶ 이로 인해 포도상구균에 의한 질병을 치료할 때 페니실린과 메티실린의 효과가 지속적으로 감소한다는 점을 설명한다.

(3) ▶ 항생제를 사용하면 세균의 자연선택이 일어나 항생제에 죽지 않는 세균이 증가한다는 점 ▶▶ 기존의 항생제 효과가 떨어지면 새로운 항생제가 개발되어야 한다는 점 ▶▶▶ 새로운 항생제도 사용하면 할수록 효과가 감소한다는 점을 설명한다.

「**모범 답안**」 (1) 사람은 동물계, 포도상구균은 원핵생물계, 푸른곰팡이는 균계에 속한다. 이를 자연분류 방식으로 분류할 때에는 세포에 핵막이 없는 포도상구균, 세포에 핵막이 있는 사람과 푸른곰팡이로 분류할 수 있다. 사람은 간이나 심장과 같은 기관이 형성되지만 푸른곰팡이는 기관이 형성되지 않고 몸이 균사로 이루어져 있으므로 기관의 형성 여부 또는 균사 유무를 분류 기준으로 하여 사람과 푸른곰팡이를 분류할 수 있다.

(2) 포도상구균 중에는 페니실린 분해효소 유전자를 가진 것이 있고, 페니실린을 사용하면 페니실린 분해효소 유전자가 있는 포도상구균이 살아남아 자손을 남기게 되므로 페니실린을 사용할수록 페니실린에 죽는 포도상구균의 비율은 감소하고 페니실린에 죽지 않는 포도상구균의 비율은 증가한다. 마찬가지로 메티실린을 사용하면 효소 X가 아닌 효소 Y를 이용하여 세포벽을 만드는 포도상구균이 살아남아 자손을 남기게 되므로 메티실린에 죽는 포도상구균의 비율은 감소하고 메티실린에 죽지 않는 포도상구균의 비율은 증가한다. 따라서 페니실린과 메티실린의 효과는 지속적으로 감소한다.

(3) 항생제를 사용하면 항생제에 죽는 세균의 비율은 감소하고 항생제에 죽지 않는 세균의 비율은 증가하는 자연선택이 일어난다. 특정 항생제에 대한 효과가 감소하면 새로운 항생제를 개발해야 하고 새로운 항생제도 사용할수록 자연선택에 의해 항생제에 죽지 않는 세균의 비율이 증가하므로 항생제 효과는 감소하게 된다. 따라서 항생제는 필요할 때 적절하게 사용해야 하며 오남용을 하면 항생제 효과 감소는 더 크게 일어날 수 있다.

	채점 기준	배점
(1)	포도상구균과 나머지 생물의 분류 기준을 핵막의 유무로 제시하고, 사람과 푸른곰팡이의 분류 기준을 기관의 형성 여부 또는 균사 유무로 제시한 경우	30 %
	핵막의 유무를 기준으로 포도상구균과 나머지 생물로만 분류한 경우	15 %
(2)	페니실린의 사용으로 페니실린 분해효소 유전자를 갖는 포도상구균의 비율이 증가하고, 메티실린의 사용으로 세포벽 합성에 효소 X 대신 효소 Y를 이용하는 포도상구균의 비율이 증가하였음을 근거로 포도상구균에 의한 질병을 치료할 때 페니실린과 메티실린의 효과가 떨어진다는 점을 옳게 설명한 경우	30 %
	페니실린과 메티실린을 사용할수록 항생제 내성 세균의 비율이 증가하여 항생제 효과가 떨어진다고만 설명한 경우	15 %
(3)	항생제의 오남용으로 항생제 내성 세균의 비율이 증가하고 이로 인해 항생제 효과가 감소하여 새로운 항생제가 개발되어야 한다는 점을 옳게 설명한 경우	40 %
	항생제의 오남용으로 항생제 내성 세균의 비율이 증가한다는 점만 설명한 경우	20 %

III 열

01 열의 이동

개념 빌드업

1권 088쪽	**1** 입자 운동 **2** 온도 **3** 섭씨온도
	4 높을수록
1권 090쪽	**1** 열평형 **2** 높은, 낮은 **3** 낮아, 높아
1권 091쪽	**1** 전도 **2** 대류 **3** 복사

탐구 확인 문제

1권 092쪽

1 ④ **2** D **3** ⑤

1 ① 열은 뜨거운 물에서 찬물로 이동한다.
② 그래프에서 처음에는 물의 온도 변화가 크다가 시간이 지날수록 온도 변화가 작아진다.
③ 뜨거운 물은 시간이 지날수록 온도가 낮아지므로 입자의 운동이 둔해진다.
⑤ 열평형 상태일 때 두 물의 온도는 같고, 더 이상 변하지 않는다.

2 자료 VIEW

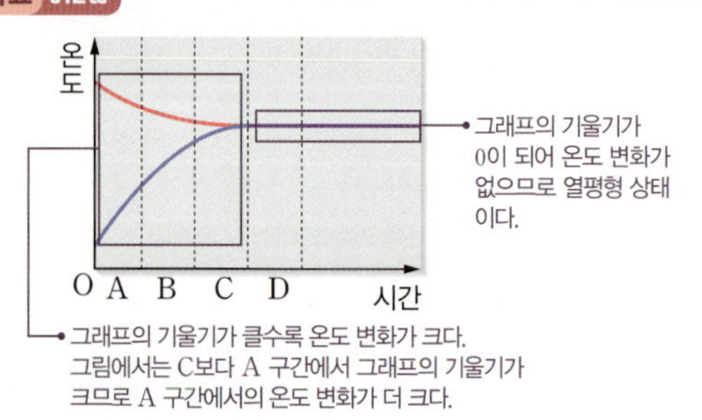

열평형 상태에서는 두 물의 온도 변화가 없으므로 온도 변화가 없는 D 구간이 열평형 상태이다.

3 ㄱ. 열은 온도가 높은 물체에서 온도가 낮은 물체로 이동하므로 온도가 높은 A에서 온도가 낮은 B로 이동한다.
ㄴ. A는 온도가 점점 낮아지므로 입자의 운동이 둔해진다.
ㄷ. 약 10분 후부터 A와 B의 온도가 변하지 않으므로 열평형 상태이다.

개념 확인 문제

1권 096쪽~098쪽

01 ② **02** ④ **03** ④ **04** ⑤ **05** ② **06** ⑤
07 ④ **08** ④ **09** ④ **10** ① **11** ① **12** (가) 대류, (나) 복사, (다) 전도 **13** ③ **14** ②

01 ① 입자 운동이 느려졌으므로 물의 온도가 낮아졌다는 것을 알 수 있다.
③ 입자의 이동이 없으므로 입자의 개수는 변화가 없다.
④ 물의 입자 운동이 둔해졌다.
⑤ 입자 운동이 변하는 동안 열이 이동하므로 열평형 상태가 아니다.

02 ㄱ. 온도가 높은 A와 온도가 낮은 B가 접촉해 있으므로 온도가 높은 A의 온도는 내려간다.
ㄴ. 온도가 높은 물체에서 온도가 낮은 물체로 열이 이동하므로 온도가 낮은 B는 열을 얻어 입자의 운동이 활발해진다.
ㄷ. 시간이 지나면서 B는 열을 얻으므로 온도가 높아진다. 그러나 열평형 상태보다 더 높은 온도가 되지는 못하므로 온도가 A보다 높아질 수 없다.

03 열은 온도가 높은 물체에서 온도가 낮은 물체로 이동하므로 열의 이동 C→B에서 온도는 C>B, A→C에서 온도는 A>C, D→A에서 온도는 D>A이다. 따라서 A~D의 온도를 비교하면 D>A>C>B가 되어 온도가 가장 높은 물체는 D, 온도가 가장 낮은 물체는 B이다.

04 ① 따뜻한 차가 외부 공기와 접촉하면 따뜻한 차에서 외부 공기로 열이 이동하고 차와 공기가 열평형을 이루게 된다.
② 알코올 온도계가 물체에 접촉하면 온도계가 접촉한 물체와 열평형을 이루어 접촉한 물체의 온도를 측정할 수 있다.
③ 차가운 계곡물에 수박을 담그면 계곡물과 수박이 열평형을 이루어 수박이 시원해진다.
④ 뜨거운 달걀을 찬물에 담그면 달걀의 온도가 낮아지고 찬물의 온도가 높아져 열평형을 이룬다.
⑤ 식용유가 물보다 더 빨리 데워지는 것은 물체마다 온도가 변하는 정도가 다르기 때문이다.

05 ① 2분일 때 B의 온도는 높아지므로 열을 얻는다.
② A는 열을 잃으므로 입자 운동은 둔해진다.
③ 열은 온도가 높은 물체에서 온도가 낮은 물체로 이동하므로 열평형 상태가 되기 전까지 온도가 높은 A에서 온도가 낮은 B로 이동한다.

④ 6분 이후 온도 변화가 없으므로 열평형 상태이다.

⑤ 열평형 상태일 때 두 물체의 온도가 같아져 온도 변화가 없으므로 A와 B의 온도는 30 ℃이다.

06 ㄱ. 뜨거운 물에서 찬물로 열이 이동하므로 뜨거운 물의 입자 운동이 느려진다.

ㄴ. 온도 센서와 물 사이에 열평형이 일어나 온도를 측정할 수 있다.

ㄷ. 열은 항상 온도가 높은 물체에서 온도가 낮은 물체로 이동한다.

07 ①, ② 뜨거운 물에서 찬물로 열이 이동해 뜨거운 물은 열을 잃는다.

③ 금속 컵에 뜨거운 물이 담겨 있으므로 ㉠은 금속 컵에 담긴 뜨거운 물의 온도 변화이다.

④ 찬물의 온도 변화는 20 ℃이고 뜨거운 물의 온도 변화는 30 ℃이므로 뜨거운 물의 온도 변화가 더 크다.

⑤ 10분 후 두 물의 온도 변화가 없으므로 열평형 상태에 도달한다. 따라서 입자 운동의 활발한 정도는 같다.

08 ㄱ. 수조의 물은 비커의 뜨거운 물에서 열을 얻어 온도가 높아진다.

ㄴ. 열은 온도가 높은 물체에서 온도가 낮은 물체로 이동하므로 비커의 물에서 수조의 물로 이동한다.

ㄷ. 시간이 지나면서 비커의 물은 열을 잃으므로 입자 운동이 둔해진다.

도움이 되는 배경 지식 ▶ 열평형에서 에너지 보존

열평형에 도달하는 과정에서 외부와의 열출입이 없다는 가정이 없을 경우 열은 주변으로 전도, 복사, 대류 등을 통해 이동한다. 따라서 일반적인 열평형 문제에서는 외부와의 열출입이 없다는 가정을 해야 비커의 물이 잃은 열의 양과 수조의 물이 얻은 열의 양이 같다고 할 수 있다.

09 ㄱ. 이웃한 입자에 차례로 열이 전달되는 것을 전도라고 한다.

ㄴ. 시간이 지나면 B 부분에 있는 입자의 운동까지 활발해져 열이 전달되므로 B의 온도가 높아진다.

ㄷ. 전도는 입자가 직접 이동하는 것이 아니라 입자의 운동이 이웃한 입자에 전달되는 것이다.

10 ① (가)는 전도에 의한 열의 이동이므로 입자의 운동이 이웃한 입자에 전달되며 열이 이동한다.

② 물질마다 입자의 구조가 다르므로 열이 전도되는 빠르기는 물질의 종류에 따라 다르다.

③ 입자가 직접 이동하여 열이 전달되는 대류에 의해 물 전체가 따뜻해진다.

④ 대류에 의한 열의 이동에서는 따뜻해진 물이 위로 올라가고 상대적으로 차가운 물이 아래로 내려가면서 물 전체가 따뜻해진다.

⑤ (가)는 전도에 의해 열이 이동하고, (나)는 대류에 의해 열이 이동한다.

11 백열전구에 손을 가까이 했을 때 따뜻한 것은 열이 직접 이동하는 복사로 열이 전달되기 때문이다.

① 손잡이를 만질 때 뜨거운 것은 전도에 의한 현상이다.

② 사람의 몸에서 열이 방출되는 것이므로 복사에 의한 현상이다.

③ 빛에 의해 열이 전달되는 것은 복사에 의한 현상이다.

④ 화로 옆에 가면 따뜻함을 느끼는 것은 화로에서 발생한 열이 빛에 의해 전달되는 복사에 의한 현상이다.

⑤ 태양 에너지는 복사에 의해 지구까지 전달된다.

12 (가) 바닥만 가열해도 대류에 의해 물 전체가 가열된다.

(나) 햇볕을 쬐면 복사에 의해 열이 전달되어 따뜻하다.

(다) 숟가락의 손잡이가 따뜻해지는 것은 열이 전도에 의해 전달되기 때문이다.

13 **자료 VIEW**

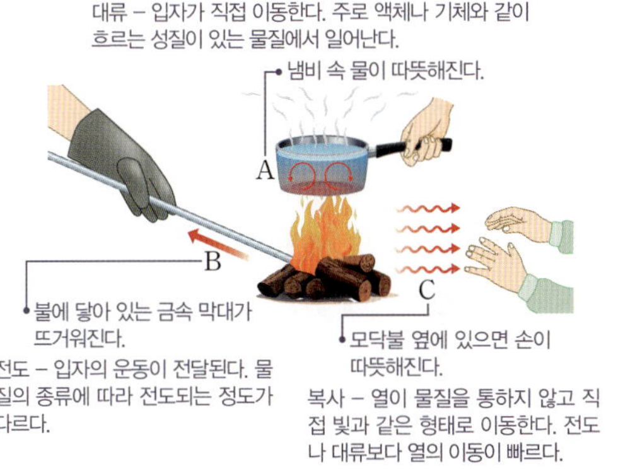

A. 대류에 의해 열이 전달된다.

B. 전도에 의해 열이 전달된다.

C. 복사에 의해 열이 전달된다.

14 그림에서 1번은 학생이 책을 던져 책이 직접 이동하므로 복사에 비유할 수 있다. 2번은 학생이 책을 이웃한 학생에게 전달하므로 전도에 비유할 수 있다. 3번은 학생이 책을 직접 들고 이동하므로 대류에 비유할 수 있다. 보기에서 ㄱ은 에어컨을 틀면 공기가 직접 이동하여 열이 전달되므로 대류, ㄴ은 햇볕의 열이 직접 전달되므로 복사, ㄷ은 뜨거운 국의 열이 국자 손잡이에 전달되므로 전도에 의한 현상이다.

 **도움이 되는 배경 지식** ▶ **열의 이동 모형**

열의 이동 모형으로 열의 전달을 완벽하게 설명할 수 없지만, 특징을 잘 알아 두면 열의 전달을 이동 모형에 비유할 수 있다. 책을 던지는 것과 책을 들고 직접 이동하는 것은 열의 전달 속도 차이를 의미한다. 그리고 사람이 직접 책을 들고 전달하는지와 책을 던져 책이 직접 이동하게 하여 책이 전달되는지에 따라 대류와 복사로 비유할 수 있다. 열의 이동을 모형으로 비유할 때 책이나 공을 전달하는 것에 비유하는데, 실제로 열은 특별한 물질의 개념이 아니라 에너지이므로 완벽한 설명이 되지는 못한다. 따라서 모형은 열전달 방법의 특징을 비유한 것으로 이해하는 것이 좋다.

실력 **강화 문제**

1권 099쪽

01 ①　　**02** ⑤　　**03** ⑤　　**04** ④

01 ㄱ. 8분까지 A와 B 모두 온도 변화가 작아지므로 열이 전달되는 속도는 느려진다.
ㄴ. 열평형 온도는 두 물체의 온도가 변하지 않을 때의 온도이므로 30 ℃이다.
ㄷ. 온도 변화의 크기와 관계없이 A의 온도는 낮아지므로 A의 입자 운동은 둔해진다.

02 ① 절대 온도의 단위는 K(켈빈)을 사용한다.
② 0 K은 섭씨온도로 −273 ℃에 해당한다.
③ 섭씨온도에서 물의 어는점은 0 ℃이다.
④ 온도계로 온도를 정확하게 측정할 수 있다.
⑤ 절대 영도(0 K)는 입자의 운동이 완전히 멈출 때이다.

03 ㄱ. 금속 막대에서 촛농이 붙은 부분이 뜨거워지면 촛농이 녹아 나무 막대가 떨어진다. 따라서 열이 잘 전도될수록 나무 막대가 먼저 떨어진다.
ㄴ. 이 실험에서 금속의 종류에 따라 열이 전도되는 시간이 달라 나무 막대가 먼저 떨어지기도 하고 나중에 떨어지기도 한다. 따라서 물질마다 열이 전도되는 빠르기가 다르다는 사실을 알 수 있다.
ㄷ. 열의 전달이 빠를수록 촛농으로 붙인 나무 막대가 먼저 떨어진다. 따라서 열의 전달이 가장 빠른 것은 나무 막대가 가장 먼저 떨어진 구리이다.

04 시험관에 담긴 물을 아래쪽에서 가열하면 가열된 물이 위쪽으로 이동하면서 대류에 의해 물 전체가 따뜻해진다. 그러나 시험관 위쪽 부분을 가열하면 물의 대류가 위쪽에서만 일어난다.
ㄱ. 에어컨은 천장에 설치해야 찬 공기가 아래로 내려가면서 대류에 의해 실내 전체 공기가 차가워진다.

ㄴ. 복사에 의해 열이 전달되어 그늘보다 햇볕이 더 따뜻하다.
ㄷ. 난방기를 아래쪽에 설치하면 대류에 의해 공기가 이동하여 방 안 전체 공기가 따뜻해진다.

서술형 **문제**

1권 100쪽~101쪽

1 열은 항상 온도가 높은 물체에서 온도가 낮은 물체로 이동한다.

모범 답안 (가) 열이 온도가 높은 생선에서 온도가 낮은 얼음으로 이동한다.
(나) 열이 온도가 높은 주스에서 온도가 낮은 얼음으로 이동한다.
(다) 열이 온도가 높은 삶은 달걀에서 온도가 낮은 찬물로 이동한다.

채점 기준	배점
(가), (나), (다) 세 가지 모두 옳게 설명한 경우	100 %
(가), (나), (다) 중 두 가지만 옳게 설명한 경우	70 %
(가), (나), (다) 중 한 가지만 옳게 설명한 경우	30 %

2 보온병을 흔들면 물의 입자 운동이 활발해져 물의 온도가 높아진다.

모범 답안 (1)

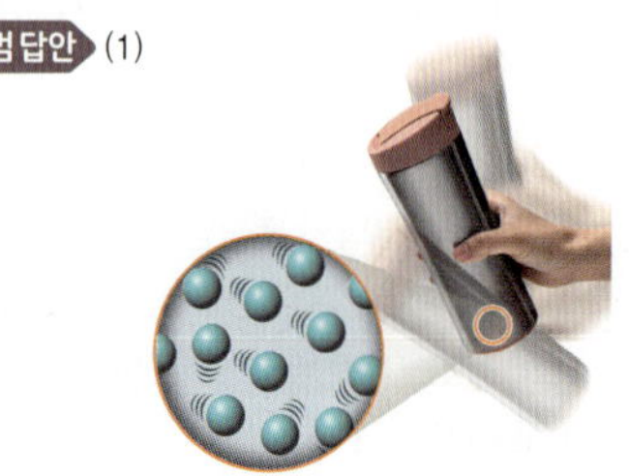

(2) 물의 온도가 높아지고 물의 입자 운동이 활발해진다.

	채점 기준	배점
(1)	입자 운동이 활발한 정도를 옳게 나타낸 경우	50 %
(2)	물의 온도가 올라가고 물의 입자 운동이 활발해짐을 설명한 경우	50 %
	입자 운동만 활발해진다고 설명한 경우	25 %

3 열은 항상 온도가 높은 물체에서 온도가 낮은 물체로 이동하며 입자의 운동이 활발한 정도를 온도로 표현한다.

모범 답안 (1)

물체	A	B
온도 변화	낮아진다.	높아진다.
입자 운동 변화	둔해진다.	활발해진다.
열의 이동 방향	A → B	

(2) 냄비 손잡이를 만지면 뜨겁다. 그 까닭은 열이 냄비에서 손으로 이동하기 때문이다. 이때 냄비의 온도는 낮아지고 손의 온도는 높아진다.

	채점 기준	배점
(1)	빈칸을 모두 옳게 채운 경우	50 %
	빈칸을 네 개만 옳게 채운 경우	30 %
	빈칸을 세 개만 옳게 채운 경우	15 %
(2)	예와 온도 변화, 이동 방향을 모두 옳게 설명한 경우	50 %
	예와 온도 변화, 이동 방향 중 두 가지만 옳게 설명한 경우	30 %
	예만 옳게 설명한 경우	15 %

4 에어컨의 경우 찬 공기를 내보내고, 난로의 경우 따뜻한 공기를 내보낸다.

모범답안 공기가 대류할 때 따뜻한 공기는 위로 올라가고 차가운 공기는 아래로 내려간다. 따라서 에어컨은 찬 공기를 내보내므로 위쪽에 설치하여 찬 공기가 위에서 아래로 내려와 대류에 의해 방안 공기가 시원해지도록 한다. 난로는 따뜻한 공기가 나오므로 바닥에 설치하여 따뜻한 공기가 위로 올라가게 해서 대류에 의해 방안 공기가 따뜻해지도록 한다.

채점 기준	배점
냉방기와 난로의 설치 위치를 대류와 관련지어 모두 옳게 설명한 경우	100 %
냉방기와 난로의 설치 위치를 대류와 관련지어 한 가지만 옳게 설명한 경우	50 %

5 전기난로의 반사판은 빛을 반사한다.

모범답안 전기난로 안쪽에 설치된 반사판은 전기난로에서 나오는 빛을 반사한다. 따라서 복사에 의한 열을 더 효과적으로 이용하도록 하기 위해서이다.

채점 기준	배점
반사판을 설치한 까닭을 복사와 전기난로에서 빛의 반사를 모두 언급하여 옳게 설명한 경우	100 %
반사판을 설치한 까닭을 복사와 전기난로에서 빛의 반사 중 한 가지만 언급하여 설명한 경우	50 %

6 유리 건물이 냉방에 효율적이지 못한 까닭은 빛이 유리를 통과해서 열이 전달되는 복사 때문이다. 따라서 냉방의 효율을 높이기 위해 유리에 필름을 붙여 빛이 통과하는 양을 줄이기도 한다.

모범답안 (1) 건물 외벽이 유리로 되어 있으면 빛이 유리를 통과하여 복사에 의해 열이 전달되기 때문에 실내 온도가 높아진다.
(2) 유리에 어두운 필름을 붙이면 복사에 의해 실내로 들어오는 빛의 양을 줄여 실내 온도를 낮출 수 있기 때문이다.

	채점 기준	배점
(1)	실내 온도가 높아지는 까닭을 복사를 언급하여 옳게 설명한 경우	50 %
	복사를 언급하지 않고 빛이 유리를 통과한다고 설명한 경우	20 %
(2)	어두운 필름을 붙이는 까닭을 복사를 언급하여 옳게 설명한 경우	50 %
	복사를 언급하지 않고 빛의 양이 줄어든다고만 설명한 경우	20 %

7 온도가 다른 두 물체가 접촉한 후 시간이 충분히 지나면 열평형 상태를 이룬다. 이때 두 물체의 온도는 같아지고, 온도는 변하지 않는다.

모범답안 (1)

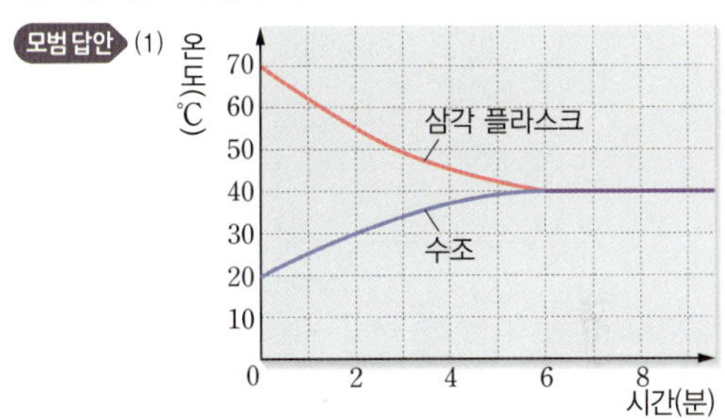

(2) 온도가 다른 두 물체가 접촉하면 열이 온도가 높은 물체에서 온도가 낮은 물체로 이동하면서 두 물체의 온도가 변하는데 열평형 상태가 되면 더 이상 온도가 변하지 않는다. 따라서 6분 후 열평형 상태가 된다.
(3) 삼각 플라스크에 담긴 물은 온도가 낮아지므로 입자 운동이 둔해지고, 수조에 담긴 물은 온도가 높아지므로 입자 운동이 활발해진다.

	채점 기준	배점
(1)	그래프를 옳게 그린 경우	35 %
(2)	열평형 상태가 되는 시간을 그 까닭과 함께 옳게 설명한 경우	35 %
	열평형 상태가 되는 시간만 옳게 쓴 경우	20 %
(3)	두 물의 입자 운동을 모두 옳게 설명한 경우	30 %
	두 물의 입자 운동 중 한 가지만 옳게 설명한 경우	15 %

○2 비열과 열팽창

개념 빌드업

1권 103쪽   **1** 작다   **2** 1 ℃, 열량   **3** 작고, 크다   **4** 커서
1권 105쪽   **1** 열팽창   **2** 활발, 멀어   **3** 작다

1 (1) 1　(2) 크다　　**2** ①　　**3** ②

2 ㄱ. 같은 가열 장치로 가열하므로 같은 시간 동안 받은 열량은 같다.

ㄴ. 비열이 큰 물이 같은 온도만큼 올리는 데 더 많은 열량이 필요하다.

ㄷ. 실온에 액체를 두면 비열이 작은 식용유가 물보다 빨리 식는다.

3 자료 VIEW

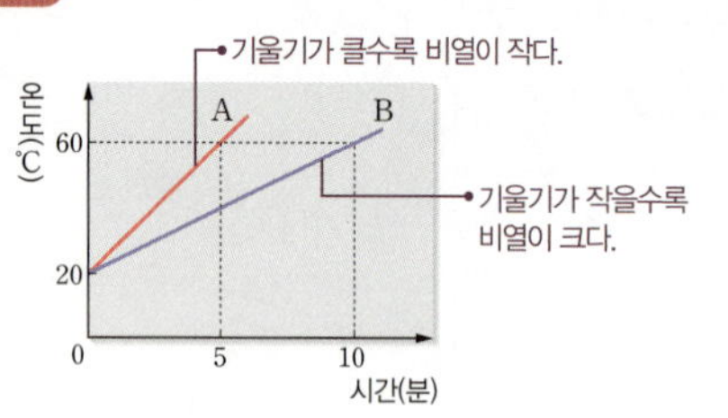

같은 질량의 물질 A와 B를 같은 세기로 가열한 그래프에서 온도 변화가 클수록 기울기가 크고 비열이 작으며, 온도 변화가 작을수록 기울기가 작고 비열이 크다.

ㄱ. 같은 시간 동안 온도 변화가 작은 B의 비열이 A보다 크다.

ㄴ. 같은 가열 장치를 사용하므로 같은 시간 동안 A와 B가 받은 열량은 같다.

ㄷ. 비열이 작은 물질의 온도 변화가 더 크다.

1 A>B　　**2** 3 : 2　　**3** 콩기름: 12 kcal, 물: 12 kcal

1 그래프의 기울기는 B가 A보다 크다. 따라서 온도 변화는 B가 A보다 크므로 A의 비열이 B보다 크다.

2 받은 열량과 비열이 같을 때 온도 변화는 질량에 반비례한다. 4분이 지났을 때 E의 온도 변화가 20 ℃, F의 온도 변화가 30 ℃이므로 질량의 비 $E : F = \frac{1}{20} : \frac{1}{30} = 3 : 2$이다.

3 콩기름의 비열은 0.5 kcal/(kg·℃), 질량은 0.2 kg, 온도 변화는 140 ℃−20 ℃=120 ℃이므로 열량은 $0.5 \times 0.2 \times 120 = 12$(kcal)이다. 물의 비열은 1 kcal/(kg·℃), 질량은 0.2 kg, 온도 변화는 80 ℃−20 ℃=60 ℃이므로 열량은 $1 \times 0.2 \times 60 = 12$(kcal)이다.

01 ③	02 ⑤	03 ⑤	04 ③	05 ②	06 ④
07 ④	08 ①	09 ⑤	10 ④	11 ⑤	12 ④
13 ①	14 ③	15 ④	16 ③		

01 ㄱ. 비열의 단위는 kcal/(kg·℃)이다.

ㄴ. 비열은 물질의 특성으로 물질마다 고유한 값을 가지므로 물질의 질량과 비열은 관계가 없다.

ㄷ. 물질의 비열이 클수록 가열하는 데 열이 많이 필요하므로 같은 열량을 가할 때 온도 변화가 작다.

02 ㄱ. 비열이 다르면 서로 다른 물질이다.

ㄴ. 열량과 질량이 같을 때 비열은 온도 변화에 반비례한다.

ㄷ. 온도 변화가 가장 큰 것은 비열이 가장 작은 C이다.

03 ① 바다와 육지의 비열 차에 의해 낮에는 해풍이 불고 밤에는 육풍이 분다.

② 해안 지역은 물의 비열이 커서 일교차가 작다.

③ 인체의 많은 부분이 물로 되어 있고 물은 비열이 큰 편이므로 체온은 잘 변하지 않는다.

④ 뚝배기의 비열이 금속 냄비의 비열보다 커서 데우는 데 시간이 오래 걸린다.

⑤ 유리보다 금속의 열팽창 정도가 크므로 뜨거운 물을 부으면 금속 뚜껑이 쉽게 열린다.

04 ㄱ. 기울기가 작을수록 비열이 크다. 따라서 B의 비열이 A의 비열보다 크다.

ㄴ. 같은 가열 장치로 가열했으므로 같은 시간 동안 A와 B에 가해진 열량은 같다.

ㄷ. 6분 동안 A의 온도 변화는 40 ℃, B의 온도 변화는 20 ℃이므로 A의 온도 변화는 B의 2배이다.

05 액체 A와 액체 B의 질량이 같으므로 온도 변화와 비열이 반비례한다. A의 온도 변화가 B의 온도 변화의 2배이므로 A의 비열은 B의 비열의 $\frac{1}{2}$이다. 따라서 A와 B의 비열의 비 $A : B = \frac{1}{2} : 1 = 1 : 2$이다.

06 ① 물의 비열이 모래나 흙의 비열보다 크다.

② 밤에는 반대 방향의 육풍이 분다.

③ 바다에서 불어오므로 해풍이다.

④ 낮에는 태양의 열에 의해 비열이 작은 육지가 바다보다 빨리 데워져 해풍이 분다.

⑤ 비열이 작은 내륙 지방의 일교차가 해안 지방보다 크다.

07 ① 물의 비열이 더 크므로 B가 물, A가 콩기름이다.

② 물질의 질량이 같고 받은 열량도 같을 때 물질의 온도 변화는 비열에 반비례한다. A(콩기름)의 온도 변화가 B(물)의 온도 변화의 2배이므로 B의 비열이 A의 비열의 2배이다.

③ 같은 가열 장치를 사용하므로 같은 시간 동안 A와 B가 받은 열량은 같다.

④ 5분 동안 A는 100 ℃−20 ℃=80 ℃만큼 온도가 변하였고 같은 시간 동안 B는 60 ℃−20 ℃=40 ℃만큼 온도가 변하였으므로 온도 변화는 A가 B의 2배이다.

⑤ 질량만 2배로 늘려 같은 실험을 하면 A와 B 모두 온도 변화는 작아진다.

08 ㄱ, ㄴ. 모래의 비열이 물보다 작아 모래의 온도 변화가 물의 온도 변화보다 크다.

ㄷ. 해안 지역의 일교차는 내륙 지역의 일교차보다 작다.

09 ㄱ. 기체는 입자 사이의 거리가 매우 멀어 물질에 관계없이 열팽창 정도가 같다.

ㄴ. 열팽창은 온도에 따라 물체의 길이와 부피가 변하는 현상으로 열을 받은 물체는 길이와 부피가 팽창하고 열을 잃은 물체는 길이와 부피가 수축한다.

ㄷ. 일반적으로 열팽창 정도는 기체가 가장 크고 고체가 가장 작다.

10 ㄱ. 냉각했을 때 놋쇠 쪽으로 휘어졌으므로 냉각했을 때 더 많이 줄어든 것은 놋쇠이다. 열팽창 정도가 큰 물질일수록 냉각했을 때 더 많이 줄어들고, 가열했을 때 더 많이 늘어난다. 따라서 열팽창 정도는 놋쇠가 철보다 크다.

ㄴ. 가열하면 놋쇠가 더 잘 늘어나므로 철 쪽으로 휘어진다.

ㄷ. 놋쇠의 열팽창 정도가 철보다 크므로 놋쇠의 입자 사이의 멀어진 거리가 철보다 크다.

11 물체가 열을 받으면 입자의 운동이 활발해져 입자 사이의 거리가 멀어진다.

12 ① 철도 레일이 열팽창으로 휘어지는 것을 막기 위해 틈을 둔다.

② 가스관이 열팽창으로 휘어지면서 사고가 나는 것을 방지하기 위해 ㄷ자형 관을 이어 만든다.

③ 겨울에는 온도가 낮아 전선의 길이가 줄어들어 팽팽해진다.

④ 계곡물에 수박을 넣어 두면 시원해지는 것은 계곡물과 수박이 열평형을 이루기 때문이다.

⑤ 금속으로 만든 가스 수송관이 열을 받으면 열팽창으로 길이가 늘어난다.

13 ㄱ. 열팽창 정도는 물질에 따라 다르다.

ㄴ, ㄷ. 뜨거운 물을 담은 수조에 물과 콩기름을 담은 둥근 플라스크를 넣었으므로 물과 콩기름의 온도가 높아진다. 따라서 입자 운동이 처음보다 활발해지고, 입자 사이의 거리가 처음보다 멀어진다.

14 바이메탈은 금속의 열팽창 정도가 다른 것을 이용한다. 바이메탈이 열을 받으면 열팽창 정도가 작은 금속 쪽으로 휘어진다. A~E를 열팽창 정도가 큰 순서대로 나열하면 A>E>C>B>D이다.

① A보다 B의 열팽창 정도가 작으므로 위쪽으로 휘어진다.

② E보다 B의 열팽창 정도가 작으므로 위쪽으로 휘어진다.

③ C보다 D의 열팽창 정도가 작으므로 아래쪽으로 휘어진다.

④ B보다 D의 열팽창 정도가 작으므로 위쪽으로 휘어진다.

⑤ A보다 C의 열팽창 정도가 작으므로 위쪽으로 휘어진다.

따라서 ③을 제외한 다른 경우는 모두 위쪽으로 휘어진다.

15 ㄱ. 세 막대 모두 입자 운동이 활발해졌다.

ㄴ. 늘어난 길이가 알루미늄이 가장 크므로 알루미늄의 열팽창 정도가 가장 크다.

ㄷ. 철보다 구리의 열팽창 정도가 더 크므로 구리를 이루는 입자 사이의 멀어진 거리가 더 크다.

16 ㄱ. 차가워진 안쪽 그릇은 수축한다.

ㄴ. 뜨거워진 바깥쪽 그릇은 팽창한다.

ㄷ. 안쪽 그릇에 뜨거운 물을 담으면 안쪽 그릇은 팽창하고, 수조에 차가운 얼음물을 넣어 그릇을 담그면 바깥쪽 그릇은 수축하므로 더 빼기 어렵게 된다.

실력 강화 문제

1권 113쪽

01 ④　　**02** ③　　**03** ③　　**04** ③

01 ㄱ, ㄷ. 질량이 같으므로 같은 열량을 받았다면 비열은 온도 변화에 반비례한다. 60 kcal의 열량을 받는 동안 A의 온도 변화는 40 ℃−10 ℃=30 ℃이고 B의 온도 변화는 30 ℃−20 ℃=10 ℃이므로 A의 온도 변화가 B의 온도 변화의 3배이다. 따라서 B의 비열이 A의 3배이다.

ㄴ. 그래프에서 15 kcal의 열량을 받았을 때 A의 온도는 B의 온도보다 낮다.

02 처음 높이에 비해 늘어난 부피가 큰 액체가 열팽창 정도가 크다. 따라서 에탄올>식용유>물 순으로 열팽창 정도가 크다.

ㄱ. 뜨거운 물이 담긴 수조에 넣었을 때 물이 늘어나는 부피가 가장 작으므로 물의 열팽창 정도가 가장 작다.

ㄴ. 뜨거운 물이 담긴 수조에 넣었을 때 늘어나는 부피가 가장 큰 것은 에탄올이므로 입자와 입자 사이의 거리가 가장 많이 멀어진 것은 에탄올이다.

ㄷ. 열팽창 정도가 클수록 열을 받았을 때 부피가 더 많이 늘어나고 열을 잃었을 때 부피가 더 많이 줄어든다. 따라서 얼음물에 넣으면 액체의 부피가 줄어드는데 열팽창 정도가 가장 큰 물질이 가장 많이 줄어들기 때문에 에탄올이 가장 많이 줄어든다.

03 (가)에서 1000 m 길이인 납의 온도가 1 ℃ 높아지면 29 mm의 길이가 늘어나므로 길이를 $\frac{1}{1000}$인 1 m, 온도 변화를 20배인 20 ℃ 높이면 늘어난 납의 길이는 $29 \times \frac{1}{1000} \times 20 = 0.58(\text{mm})$이다.

04 ㄱ. 콘크리트와 강철의 열팽창 정도가 같으므로 여름철에 다리가 늘어나는 정도는 비슷하다.

ㄴ. 알루미늄으로 레일을 만들면 겨울에 강철 레일에 비해 길이가 더 많이 줄어들어 틈이 더 많이 벌어진다.

ㄷ. 알루미늄의 열팽창 정도가 강철보다 크므로 가열하면 알루미늄이 더 많이 늘어나 바이메탈은 강철 쪽으로 구부러진다.

문제

1권 114쪽~115쪽

1 다른 조건이 동일할 때, 가열한 물체의 온도 변화는 물질의 종류에 따라 다르다. 물과 콩기름의 질량이 모두 100 g이고 동시에 같은 가열 장치로 가열하므로 물과 콩기름의 질량과 받은 열량은 동일하다.

모범답안 물질의 고유한 특성인 비열이 다르기 때문에 질량과 받은 열량이 같아도 온도 변화는 다르다.

채점 기준	배점
질량과 받은 열량이 동일함을 언급하고 비열이 달라 온도 변화가 다름을 설명한 경우	100 %
비열이 달라 온도 변화가 다르다고만 설명한 경우	70 %

2 질량이 같은 두 물체를 접촉시켰을 때 온도 변화가 클수록 비열이 작다.

모범답안 두 물체 A, B가 접촉한 후 열평형 상태가 될 때까지 A의 온도 변화는 80 ℃−30 ℃=50 ℃이고 B의 온도 변화는 30 ℃−10 ℃=20 ℃이다. 온도가 다르고 질량이 같은 두 물체가 접촉하면 두 물체가 서로 주고받은 열량은 같다. 그리고 열량은 비열, 온도 변화, 질량의 곱과 같으므로 열량이 같고 질량이 같은 물체의 온도 변화는 비열에 반비례한다. 따라서 A와 B의 온도 변화의 비는 5 : 2이므로 비열의 비 A : B=2 : 5이다.

채점 기준	배점
온도 변화와 비열의 관계를 관련지어 비열의 비를 옳게 구한 경우	100 %
온도 변화에 대한 비교 없이 비열의 비만 옳게 구한 경우	70 %

3 물체의 비열이 클수록 물체의 온도 변화가 작다.

모범답안 찜질팩 안에는 온도 변화가 작은 물질을 넣어야 찜질팩의 열을 오래 유지할 수 있으므로 비열이 큰 물을 넣어야 한다.

채점 기준	배점
온도 변화가 작아야 열을 오래 유지할 수 있다는 것을 언급하고 물의 비열이 크다는 것과 관련지어 설명한 경우	100 %
물의 비열이 크기 때문이라고만 설명한 경우	70 %

4 온도에 따라 물체의 길이와 부피가 변하는 현상을 열팽창이라고 한다. 온도가 낮아지면 물질의 입자 운동이 둔해지면서 입자 사이의 거리가 가까워져 물체의 부피가 작아진다. 렌즈를 차갑게 하면 부피가 줄어들어 안경테에 손쉽게 끼울 수 있다.

모범답안 렌즈를 차갑게 하면 열팽창 때문에 렌즈의 부피가 줄어들어 안경테에 쉽게 끼울 수 있기 때문이다.

채점 기준	배점
렌즈를 차갑게 하면 부피가 줄어들어 끼우기 쉽다고 설명한 경우	100 %
렌즈의 부피가 줄어든다는 것만 설명한 경우	50 %

5 바이메탈을 가열하면 열팽창이 작은 금속 쪽으로 구부러진다.

모범답안 가열하면 A 쪽으로 구부러져야 하므로 놋쇠보다 열팽창 정도가 작은 금속을 써야 한다. 따라서 백금, 강철을 쓰면 된다.

채점 기준	배점
열팽창 정도가 작은 금속을 써야 한다는 것을 언급하고 백금과 강철을 모두 고른 경우	100 %
열팽창 정도가 작은 금속을 써야 한다는 것을 언급하지 않고 백금과 강철만 고른 경우	50 %

6 계절에 따라 열팽창으로 전선의 길이가 늘어나거나 줄어드는 것을 감안하여 전선을 설치해야 한다.

모범 답안 여름이나 겨울에는 열팽창으로 전선의 길이가 늘어나거나 줄어든다. 여름에 전선을 설치할 때는 전선의 길이가 겨울에 줄어들 것을 고려해 전선의 길이를 조금 여유있게 늘어뜨려 설치해야 한다. 반면, 겨울에 전선을 설치할 때는 여름에 늘어나는 것을 고려해 전선의 길이를 조금 더 팽팽하게 설치해야 한다.

채점 기준	배점
계절에 따라 전선의 길이가 줄어들거나 늘어나는 것을 언급하여 여름과 겨울에 설치되는 전선의 길이를 옳게 설명한 경우	100 %
계절에 따라 전선의 길이가 줄어들거나 늘어나는 것을 언급하지 않고 여름과 겨울에 설치되는 전선의 길이만 옳게 설명한 경우	50 %
그 외의 경우	0 %

7 금속 구만 가열하면 금속 구의 부피가 커져 금속 고리를 통과하기 어려워지며, 금속 고리만 가열하면 금속 고리의 부피가 커져 고리의 지름이 커지므로 통과하기 어렵던 금속 구가 금속 고리를 통과하기도 한다.

모범 답안 (1) 금속 구를 가열하면 금속 구가 열팽창하여 부피가 늘어나기 때문에 금속 고리를 통과하지 못한다.

(2) 고리를 가열하면 입자 사이의 거리가 멀어지므로 고리의 지름도 늘어나게 된다. 금속 구를 식히면 늘어났던 금속 구의 부피가 원래대로 돌아오는 반면 금속 고리를 가열하였으므로 금속 고리 A와 B가 열팽창하여 부피가 늘어나면서 고리의 지름도 커져 금속 구가 고리 A와 B를 통과할 수 있다.

(3)

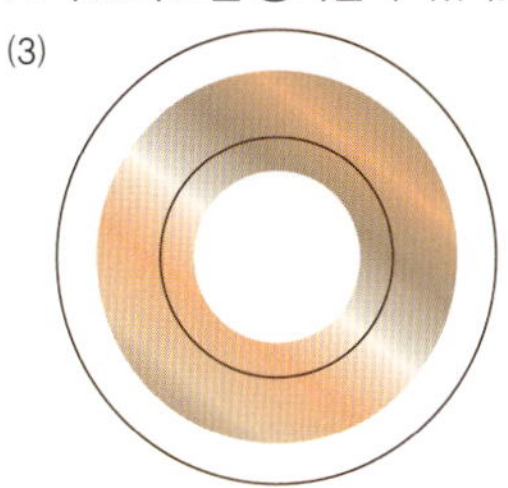

채점 기준		배점
(1)	열팽창을 언급하여 금속 구의 부피가 늘어났다고 옳게 설명한 경우	40 %
	열팽창을 언급하지 않고 금속 구의 부피가 늘어났다고만 설명한 경우	20 %
(2)	금속 구의 부피는 원래대로 돌아오고 금속 고리가 열팽창하여 고리의 부피가 늘어났다고 옳게 설명한 경우	40 %
	금속 고리가 열팽창하여 고리의 부피가 늘어났다고만 설명한 경우	20 %
(3)	금속 고리의 크기 변화를 옳게 그린 경우	20 %
	그 외의 경우	0 %

1 ⑤	**2** ③	**3** ⑤	**4** ④	**5** 해설 참조
6 ①	**7** 해설 참조			

1 〔단계별 문제 해결〕

Step 1 자료 분석하기

질량이 같은 물과 콩기름을 같은 가열 장치로 가열했을 때, 두 액체의 온도 변화는 액체의 비열에 반비례한다.

Step 2 보기 분석하기

ㄱ. 가열 장치로 $100\ g(=0.1\ kg)$의 물을 5분 동안 가열했을 때 물의 온도 변화는 $40\ ℃-10\ ℃=30\ ℃$이다. 물의 비열이 $1\ kcal/(kg·℃)$이고, 물에 가열 장치로 공급한 열량은 비열×질량×(온도 변화)이므로 $1×0.1×30=3(kcal)$이다. 즉, 가열 장치는 물에 5분 동안 3 kcal의 열량을 공급한다.

ㄴ. 콩기름은 물과 같은 시간 동안 같은 열량을 받으므로 5분 동안 3 kcal의 열량을 받는다. 따라서 분당 0.6 kcal의 열량을 공급한다.

ㄷ. 콩기름의 비열을 c라고 하면 5분 동안 3 kcal의 열량을 받았고 콩기름의 질량은 $100\ g(=0.1\ kg)$, 콩기름의 온도 변화는 $73\ ℃-10\ ℃=63\ ℃$이므로 $3\ kcal=c×0.1\ kg×63\ ℃$에서 c는 약 $0.48\ kcal/(kg·℃)$이다.

2 〔단계별 문제 해결〕

Step 1 자료 분석하기

온도가 서로 다른 물체 A, B가 접촉한 후 열평형이 될 때까지 온도가 높은 물체가 잃은 열량과 온도가 낮은 물체가 얻은 열량은 같다. 따라서 온도가 높은 A가 2분 동안 잃은 열량과 온도가 낮은 B가 2분 동안 얻은 열량은 같다.

Step 2 문제 해석하기

열량은 물체의 비열, 질량, 온도 변화의 곱과 같다.
열량=비열×질량×온도 변화
이때 A의 질량은 $100\ g(=0.1\ kg)$, 온도 변화는 $80\ ℃-30\ ℃=50\ ℃$이고 B의 질량은 $200\ g(=0.2\ kg)$, 온도 변화는 $30\ ℃-10\ ℃=20\ ℃$이다.
따라서 A의 비열을 c_A, B의 비열을 c_B라고 하면 $c_A×0.1×50=c_B×0.2×20$이다.

Step 3 정답 찾아내기

$c_A×5=c_B×4$이므로 $\dfrac{c_A}{c_B}=\dfrac{4}{5}$이다.

3 단계별 문제 해결

Step 1 자료 분석하기

(가)와 (나)를 비교하면 찬물보다 뜨거운 물에서 잉크가 더 빨리 퍼진다.

Step 2 보기 분석하기

ㄱ. 잉크를 찬물과 뜨거운 물에 떨어뜨리면 찬물보다 뜨거운 물에서 물 입자의 운동이 활발하여 잉크가 더 빨리 퍼진다.

ㄴ, ㄷ 시간이 충분히 지나면 찬물과 뜨거운 물에 떨어뜨린 잉크는 물과 열평형 상태를 이루어 물 입자 운동과 잉크 입자의 운동의 활발한 정도가 같아진다.

4 단계별 문제 해결

Step 1 자료 분석하기

(가)와 (나)를 비교해 보면 망치로 철사를 두드린 후의 철사의 모습을 열화상 카메라로 촬영했을 때 철사의 온도가 높아졌다.

Step 2 보기 분석하기

ㄱ. (가)보다 (나)에서 철사의 온도가 높다.

ㄴ. 망치로 철사를 두드린 후 철사의 온도가 높아졌으므로 망치로 철사를 두드릴 때 철사를 이루는 입자의 운동이 활발해졌다.

ㄷ. 고체에서는 열이 전도에 의해 전달되므로 철사에서 망치로 두드린 부분의 입자 운동은 이웃한 입자에 차례로 전달된다.

5 단계별 문제 해결

Step 1 자료 분석하기

질량이 다른 두 액체를 같은 가열 장치로 가열하면 같은 시간 동안 두 액체가 받은 열량은 같다. 그러나 두 액체의 비열과 질량이 다르므로, 두 액체의 온도 변화는 다르게 나타난다.

Step 2 문제 해석하기

(1) 열량은 물체의 비열, 질량, 온도 변화의 곱과 같다.

(2) 가열 장치가 같으므로 400 g의 액체 A가 받은 열량은 200 g의 물이 받은 열량과 같다. 열량을 액체의 질량과 온도 변화로 나누면 액체의 비열을 구할 수 있다.

(3) 온도가 다른 두 물체가 접촉하면 두 물체 사이에서 열이 이동하고, 시간이 충분히 지나면 열평형을 이룬다.

모범 답안 (1) 물의 비열은 $1\ \mathrm{kcal/(kg \cdot ℃)}$, 물의 질량은 $200\ \mathrm{g}=0.2\ \mathrm{kg}$, 4분 동안 물의 온도 변화는 $40\ ℃-10\ ℃=30\ ℃$이므로 4분 동안 물이 받은 열량은 $1 \times 0.2 \times 30 = 6(\mathrm{kcal})$이다.

(2) 액체 A도 4분 동안 물이 받은 열량과 같은 열량을 받는다. 액체 A의 비열을 c_A라 하면 A의 질량은 $400\ \mathrm{g}=0.4\ \mathrm{kg}$, 4분 동안 A의 온도 변화는 $30\ ℃-10\ ℃=20\ ℃$이므로 $6=c_\mathrm{A} \times 0.4 \times 20$에서 $c_\mathrm{A}=\dfrac{3}{4}=0.75(\mathrm{kcal/(kg \cdot ℃)})$이다.

(3) 열평형을 이루었을 때의 온도를 T라고 하면 $40\ ℃$인 물의 온도가 T가 될 때까지 물이 잃은 열량과 $30\ ℃$인 A의 온도가 T가 될 때까지 A가 얻은 열량은 같다.

따라서 $1 \times 0.2 \times (40-T)=0.75 \times 0.4 \times (T-30)$에서 $0.5T=17$이므로 $T=34(℃)$이다.

	채점 기준	배점
(1)	물이 받은 열량을 그 과정과 함께 옳게 구한 경우	30 %
	물이 받은 열량만 옳게 구한 경우	15 %
(2)	A의 비열을 그 과정과 함께 옳게 구한 경우	30 %
	A의 비열만 옳게 구한 경우	15 %
(3)	열평형 온도를 그 과정과 함께 옳게 구한 경우	40 %
	열평형 온도만 옳게 구한 경우	20 %

6 단계별 문제 해결

Step 1 자료 분석하기

한쪽의 양이나 수가 증가하는 만큼 이와 관련 있는 다른 쪽의 양이나 수도 증가하면 비례 관계이고, 한쪽의 양이 커질 때 다른 쪽 양이 그와 같은 비로 작아지면 반비례 관계이다.

Step 2 문제 해석하기

전도되는 열량은 막대의 길이(l)와는 반비례 관계이고 막대의 단면(A), 온도 차(T_1-T_2), 접촉한 시간(t)과는 비례 관계이다.

7 단계별 문제 해결

Step 1 자료 분석하기

불이 켜진 촛불에서는 열이 전달된다.

Step 2 문제 해석하기

촛불 주위로는 복사에 의해 열이 전달된다. 그리고 촛불 위쪽으로는 촛불에 의해 따뜻해진 공기가 위로 올라가므로 대류와 복사에 의해 열이 전달된다.

모범 답안 (1) 촛불에서 나오는 열이 복사에 의해 전달되기 때문이다.

(2) 촛불에서 나오는 열이 복사에 의해 전달되기도 하고 또 가열된 공기가 위로 올라가면서 대류에 의해서도 열이 전달되기 때문이다.

	채점 기준	배점
(1)	복사에 의한 열 전달을 옳게 설명한 경우	40 %
(2)	복사와 대류를 모두 언급하여 옳게 설명한 경우	60 %
	복사와 대류 중 한 가지만 언급한 경우	30 %

1 「문제 해결 가이드」 은박 담요가 복사열을 반사하고, 공기가 통하는 이중창에서 열이 복사로 공기를 가열하는 원리를 열의 이동으로 설명한다.

(1) ▶ 복사는 열이 직접 이동하여 전달되는 방법이라는 점 ▶▶ 사람의 몸에서는 복사에 의해 열이 방출된다는 점 ▶▶▶ 빛으로 방출된 열이 은박 담요에서 반사된다는 점을 설명한다.

(2) ▶ 열의 이동 방법에는 세 가지가 있다는 점 ▶▶ 열고 닫는 이중창은 대류에 의해 이동한 공기가 복사에 의해 가열된다는 점 ▶▶▶ 이중창에서 전도에 의한 열전달은 없다는 점을 설명한다.

모범 답안 (1) 사람의 몸에서 빛의 형태로 복사되어 나온 열이 은박 재질인 비상 생존 담요에서 반사되어 열이 외부로 나가지 않도록 막아 체온을 유지해 준다.
(2) 햇빛의 복사에 의해 실내 공기와 이중창 사이의 공기가 가열된다. 이중창 하단의 틈으로 들어온 공기는 가열되고 대류에 의해 위로 올라가 실내에 들어올 때 가열된 상태로 들어온다. 또 이중창은 전도에 의해 실내의 열이 실외로 전달되는 것을 막아 준다.

채점 기준		배점
(1)	복사에 의한 결과 반사를 언급하여 설명한 경우	50 %
	복사에 의한 결과 반사 중 한 가지만 언급하여 설명한 경우	25 %
	그 외의 경우	0 %
(2)	전도, 대류, 복사를 모두 언급하여 옳게 설명한 경우	50 %
	전도, 대류, 복사 중 두 가지만 언급하여 설명한 경우	30 %
	전도, 대류, 복사 중 한 가지만 언급하여 설명한 경우	15 %
	그 외의 경우	0 %

2 「문제 해결 가이드」 샌드위치를 만드는 과정에서 열의 이동을 설명한다.

(1) ▶ 열의 이동 방법에는 전도, 대류, 복사 세 가지가 있다는 점 ▶▶ 고체에서는 주로 전도, 액체에서는 주로 대류, 빛을 통해 열이 전달되면 복사라는 점을 설명한다.

(2) ▶ 온도가 다른 두 물체가 접촉하면 두 물체 사이에서 열이 이동한다는 점 ▶▶ 두 물체가 접촉하고 시간이 충분히 지나면 두 물체의 온도가 같아지는 열평형 상태가 된다는 점을 설명한다.

모범 답안 (1) (가) 열이 프라이팬에서 소시지로 전도에 의해 이동한다. (나) 열이 물의 대류에 의해 이동한다. (라) 열이 토스터에서 빵으로 복사에 의해 이동한다.

(2) 끓는 물에 감자를 넣으면 끓는 물에서 감자로 열이 이동한다. 시간이 충분히 지나면 물과 감자의 온도가 같아지고 열평형 상태가 된다.

채점 기준		배점
(1)	세 가지 열의 이동 방법을 모두 설명한 경우	50 %
	세 가지 중 두 가지만 설명한 경우	30 %
	세 가지 중 한 가지만 설명한 경우	15 %
(2)	열의 이동 방향과 열평형을 모두 설명한 경우	50 %
	열의 이동 방향과 열평형 중 한 가지만 설명한 경우	25 %
	그 외의 경우	0 %

3 「문제 해결 가이드」 물질의 질량과 가열한 열량이 달라져도 비열이 같다는 것을 통해 비열이 물질의 특성임을 설명한다.

(1) ▶ 열량은 물질의 비열, 질량, 온도 변화의 곱과 같다는 점 ▶▶ 열량의 단위는 kcal, 질량의 단위는 kg, 온도의 단위는 ℃를 사용한다는 점을 설명한다.

(2) ▶ 열량, 물질의 질량, 온도 변화가 있으면 비열을 구할 수 있다는 점 ▶▶ 물질이 모두 물로 같다는 점을 설명한다.

모범 답안 (1) 비열은 어떤 물질 1 kg의 온도를 1 ℃만큼 변화시키는 데 필요한 열량이므로 비열은 물질에 가한 열량을 질량과 온도 변화로 나누어 구한다. 따라서 비열의 단위는 열량의 단위(kcal)를 질량의 단위(kg)와 온도의 단위(℃)로 나눈 kcal/(kg·℃)이다.
(2) (가)의 경우 물이 받은 열량은 1 kcal, 질량이 1 kg, 온도 변화가 1 ℃이므로 비열이 $\frac{1}{1\times1}=1(\text{kcal/(kg·℃)})$이다.

(나)의 경우 물이 받은 열량은 2 kcal, 질량이 1 kg, 온도 변화가 2 ℃이므로 비열이 $\frac{2}{1\times2}=1(\text{kcal/(kg·℃)})$이다.

(다)의 경우 물이 받은 열량은 2 kcal, 질량이 2 kg, 온도 변화가 1 ℃이므로 비열이 $\frac{2}{2\times1}=1(\text{kcal/(kg·℃)})$이다.

즉, 열량과 질량을 다르게 하여 실험을 해도 물의 비열은 항상 같게 측정되므로 비열은 물질의 특성이 될 수 있다.

채점 기준		배점
(1)	비열의 정의를 언급하여 비열의 단위를 추론한 경우	40 %
	비열의 단위만 옳게 쓴 경우	15 %
	그 외의 경우	0 %
(2)	(가)~(다) 세 경우에서 물의 비열을 직접 구해 비열이 같음을 언급하여 물질의 특성임을 설명한 경우	60 %
	물의 비열을 구하지 않고 비열이 같으므로 물질의 특성이라고만 설명한 경우	20 %
	그 외의 경우	0 %

4

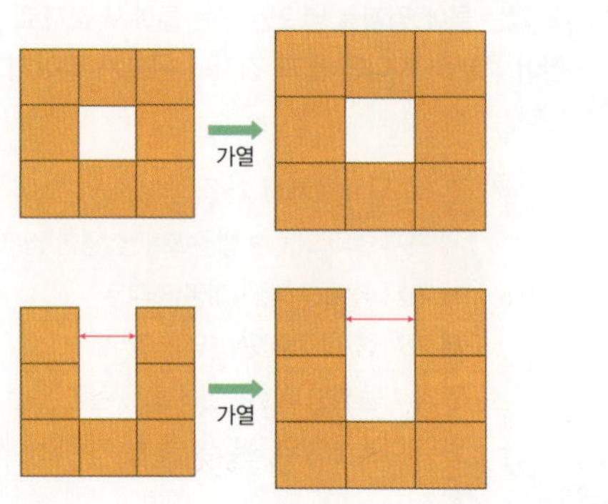

금속 고리를 여러 개의 작은 사각형이 모인 것으로 생각하면, 고리를 가열했을 때 고리가 열팽창하여 커지므로 각각의 사각형의 넓이가 커지면서 가운데 빈 공간도 커지는 효과가 난다. 마찬가지로 일부분이 없는 끊어진 고리의 경우도 한 부분이 빠진 작은 사각형이 모인 것이라고 생각하면 끊어진 부분이 원래보다 커지므로 끊어진 부분이 더 넓어진다.

「문제 해결 가이드」 물질이 열팽창할 경우 길이만 늘어나는 것이 아니라 부피도 늘어나 가로, 세로, 높이 방향으로 모두 팽창하는 것을 고려한다.

(1) ▶ 가열하면 열팽창한다는 점 ≫ 열팽창할 때 가로, 세로 모든 방향으로 늘어난다는 점을 고려한다.

(2) ▶ 가열하면 열팽창한다는 점 ≫ 금속마다 열팽창이 다르다는 점 ≫≫ 두 금속을 붙인 바이메탈은 가열할 때 열팽창이 작은 물질 쪽으로 휘어진다는 점을 고려한다.

모범답안 (1)

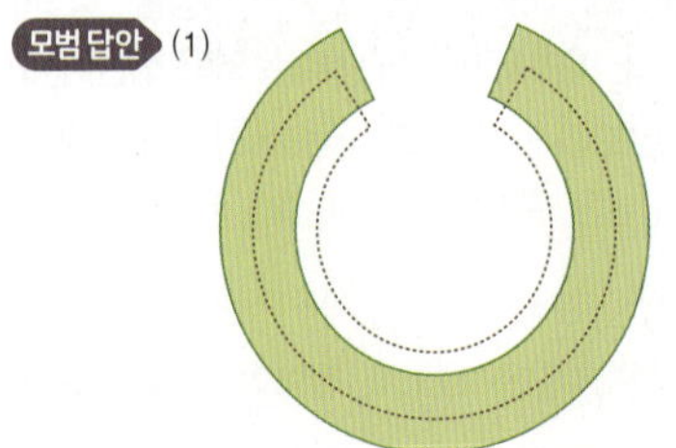

고리를 가열하면 열팽창하므로 굵기가 더 두꺼워지고 끊긴 부분도 더 길어진다. 고리의 안쪽 지름과 바깥쪽 지름도 모두 더 커진다.

(2)

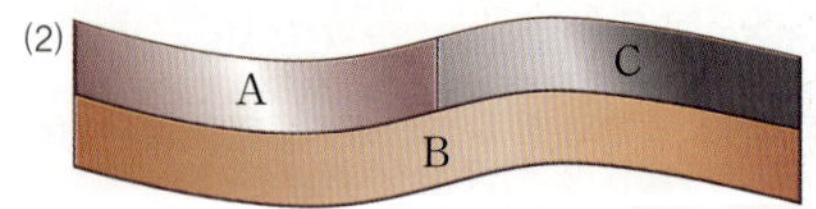

열팽창 정도가 A<B<C 순이므로 A와 B가 붙은 부분에서는 A보다 B가 더 늘어나 A 쪽으로 휘어진다. 반면, B와 C가 붙은 부분에서는 B보다 C가 더 늘어나므로 B 쪽으로 휘어진다.

	채점 기준	배점
(1)	열팽창을 언급하여 고리의 변화를 옳게 그리고 설명한 경우	50 %
	고리의 변화만 제대로 그린 경우	25 %
(2)	A 쪽으로 휘어지다가 B 쪽으로 휘어지는 모습을 그리고 그 까닭을 옳게 설명한 경우	50 %
	A 쪽으로 휘어지다가 B 쪽으로 휘어지는 모습만 옳게 그린 경우	25 %

IV 물질의 상태 변화

1 입자의 운동과 상태 변화

개념 빌드업

1권 133쪽	**1** 증발	**2** 확산	**3** 운동
1권 135쪽	**1** 액체	**2** 고체	**3** 공기
1권 139쪽	**1** ㉠ 기화, ㉡ 승화, ㉢ 융해		
	2 변하지 않고, 변한다	**3** 응고, 액화	

탐구 확인 문제　　　　　　　　　　　　1권 140쪽

1 (1) ◯ (2) ◯ (3) × (4) ×　　　　**2** ④

1 (1) 팝콘 냄새의 확산을 확인하는 실험이다.

(2), (3) 팝콘 냄새를 가진 입자는 스스로 운동하여 모든 방향으로 퍼져 나간다.

(4) 팝콘이 담긴 밀폐 용기의 뚜껑을 열면 팝콘 용기와 가까이 있는 학생들부터 팝콘 냄새를 맡고 손을 든다. 따라서 팝콘 용기의 뚜껑을 연 위치가 달라지면 팝콘 냄새를 맡고 손을 드는 학생들의 순서도 달라질 것이다.

2 증발과 확산은 물질을 구성하는 입자가 스스로 운동하기 때문에 나타나는 현상이다.

ㄱ. 젖은 우산이 마르는 것은 증발 현상이다.

ㄴ. 이른 아침 풀잎에 이슬이 맺히는 것은 공기 중의 수증기가 액체인 물로 되는 액화 현상이다.

ㄷ. 꽃 가게 앞을 지날 때 꽃향기가 나는 것은 물질을 구성하는 입자가 스스로 운동하여 퍼져 나가는 확산 현상이다.

ㄹ. 물에 설탕을 넣고 가만히 두어도 설탕이 물에 녹으면서 설탕 입자와 물 입자가 고르게 섞이기 때문에 물 전체에서 단맛이 난다. 이것은 물질을 구성하는 입자가 스스로 운동하여 퍼져 나가는 확산 현상이다.

탐구 확인 문제　　　　　　　　　　　　1권 141쪽

1 ③　　　　**2** ③, ④

1 시계 접시 윗면의 얼음은 융해하여 물이 된다. 시계 접시 아랫면에서는 물이 끓어 생긴 수증기가 액화하여 물방울이 맺힌다.

2 주어진 탐구는 물의 상태 변화가 일어날 때 성질의 변화를 알아보는 실험이다. 물의 상태가 변해도 푸른색 염화 코발트 종이가 붉은색으로 변하는 것으로 보아 물질의 상태 변화가 일어날 때 물질의 성질이 변하지 않음을 알 수 있다. 이때 물질의 성질이 변하지 않는 것은 물질을 구성하는 입자의 종류가 변하지 않기 때문이다.

1 ②　　　　　　　　**2** (1) ✕　(2) ○　(3) ✕

3 ②, ⑤　　　　　　　**4** 해설 참조

1 드라이아이스는 고체에서 액체 상태를 거치지 않고 바로 기체로 승화하는 상태 변화를 하였다.

2 (1) 비닐봉지 속 드라이아이스가 보이지 않게 되는 것은 드라이아이스가 기체로 승화하기 때문이다.
(2) 실험 결과 드라이아이스의 상태가 변하기 전과 변한 후에 측정한 질량이 같다. 따라서 드라이아이스의 상태가 변할 때 질량은 변하지 않는다는 것을 알 수 있다.
(3) 드라이아이스의 상태가 변할 때 비닐봉지가 팽팽하게 부풀어 오르는 것으로 보아 부피가 크게 늘어난다는 것을 알 수 있다.

3 드라이아이스의 상태가 변할 때 입자의 종류와 개수, 크기는 변하지 않으므로 물질의 질량은 변하지 않는다. 하지만 입자의 배열과 입자 사이의 거리가 달라지므로 물질의 부피는 변한다.

4 모범 답안

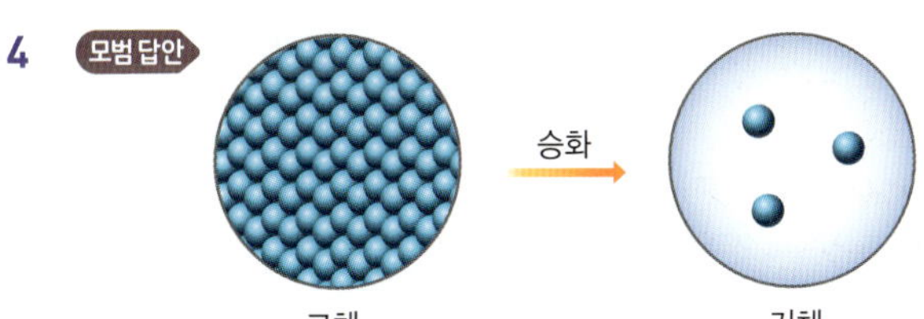

개념 확인 문제　　　　　　　1권 146쪽~149쪽

01 ①, ⑤	02 ②	03 ②	04 ③	05 ⑤	06 ④
07 ②	08 ㄴ, ㄷ	09 •증발: (가), (다)		•확산: (나), (라)	
10 ③, ⑤	11 ④	12 ⑤	13 ②	14 ①	15 ④
16 ②	17 ④	18 ②	19 ③	20 ㄱ, ㄷ, ㄹ, ㅁ	

01 자료 VIEW

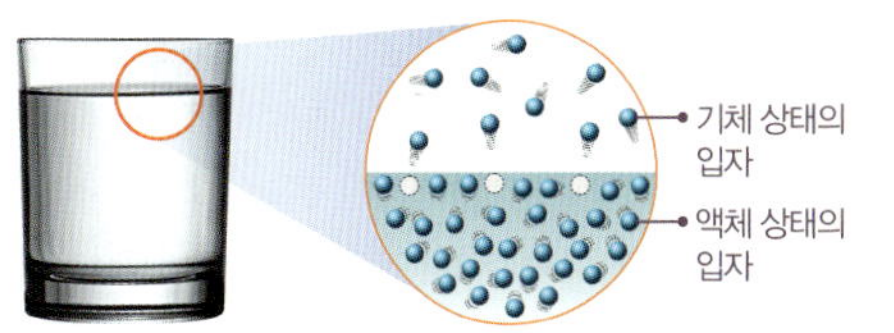

➡ 액체 표면의 입자가 스스로 운동하여 액체 표면에서 기체로 변하는 증발 현상을 나타낸 것이다.

① 증발은 액체가 기체로 변하는 현상이다.
② 증발은 액체 표면에서만 일어난다.
③ 액체 표면과 내부에서 입자는 모두 운동한다.
④ 증발이 일어날 때 액체 표면의 입자가 기체로 되어 공기 중으로 날아간다. 따라서 시간이 지나면 액체의 양이 줄어든다.
⑤ 액체 표면에서 운동이 활발한 입자가 떨어져 나와 기체로 변한다.

02 ㄱ. 시간이 지나면서 손 소독제가 증발하여 공기 중으로 날아가므로 저울의 숫자가 작아진다.
ㄴ. 거름종이에 묻어 있는 손 소독제 입자는 스스로 운동하여 액체에서 기체로 변하여 공기 중으로 날아간다.
ㄷ. 손 소독제가 증발하여 공기 중으로 날아가므로 거름종이에 남아 있는 손 소독제 입자의 개수는 감소한다.

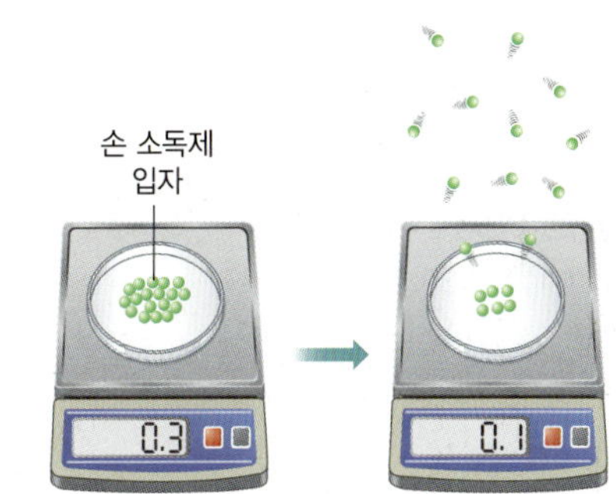

03 자료 VIEW

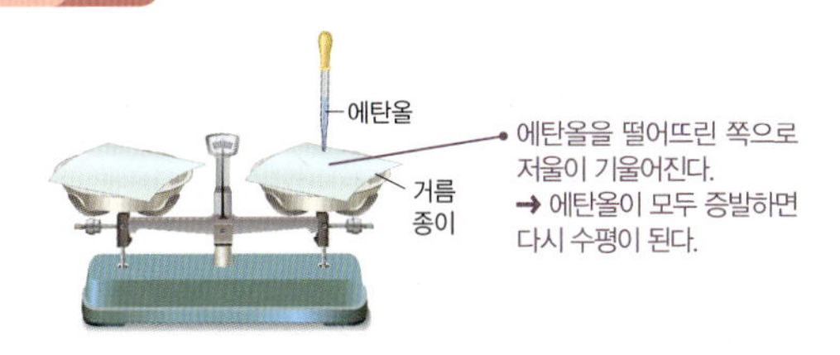

• 하준: 저울이 한쪽으로 기울어진 뒤, 그 상태가 계속 유지돼. ➡ 저울이 한쪽으로 기울어졌다가 시간이 충분히 지난 뒤 다시 수평이 된다.

• 연아: 시간이 지나면 거름종이에 묻은 에탄올의 흔적이
사라져. → 시간이 지나면서 에탄올이 증발하여 공기 중
으로 날아가므로 거름종이에 묻은 에탄올의 흔적이 사라
진다.
• 선우: 에탄올 입자는 거름종이 위에서 움직이지 않고 그
대로 있어. → 에탄올 입자는 거름종이 위에서 스스로 운
동하여 액체에서 기체로 변하여 공기 중으로 날아간다.

04 껍질을 벗긴 감을 말리는 과정에서 표면의 수분(물)이 증발
하여 곶감이 만들어진다.
①, ②, ④, ⑤ 물휴지로 닦은 책상이 마르는 것, 어항 속의
물이 줄어드는 것, 풀잎에 맺힌 이슬이 한낮이 되면 사라지
는 것, 비가 온 뒤 생긴 물웅덩이가 시간이 지나면서 물이
마르는 것은 모두 증발 현상이다.
③ 빵 가게 앞을 지날 때 빵 냄새가 나는 것은 빵 냄새를
가진 입자가 스스로 운동하여 퍼져 나가는 확산 현상이 일
어나기 때문이다.

05 ① 확산은 어느 한 방향으로만 일어나는 것이 아니라, 모
든 방향으로 일어난다.
② 확산은 바람이 부는 등 외부 자극에 의한 것이 아니라,
물질을 구성하는 입자가 스스로 운동하기 때문에 일어나
는 현상이다.
③ 온도가 높을수록 입자의 운동이 활발해지므로 확산이
빠르게 일어난다.
④ 공기가 없는 진공에서는 확산을 방해하는 입자가 없으
므로 확산이 빠르게 일어난다.
⑤ 확산은 물질을 구성하는 입자가 스스로 운동하기 때문
에 일어나는 현상이다.

06 ① 향수 입자는 스스로 운동하여 퍼져 나간다.
② 향수 입자가 증발하여 공기 중으로 확산되므로 시간이
지나면 향수의 양은 줄어든다.
③ 향수 입자는 스스로 운동하여 모든 방향으로 퍼져 나
간다.
④ 향수 입자가 퍼져 나갈 때 입자의 크기는 변하지 않는다.
⑤ 온도가 높을수록 입자의 운동이 활발해지므로 온도가
높아지면 향수 냄새가 더 빨리 퍼져 나간다.

07 ㄱ. 잉크 입자는 스스로 운동하여 모든 방향으로 퍼져 나
가므로, 잉크 입자는 물 표면과 내부에서 모두 운동한다.
ㄴ. 물속에 있는 잉크 입자의 개수는 변하지 않는다.
ㄷ. 잉크 입자가 스스로 운동하여 물속으로 퍼져 나가 물
과 고르게 섞이므로 시간이 지나면 물 전체가 잉크 색으로
변한다.

08 자료 VIEW

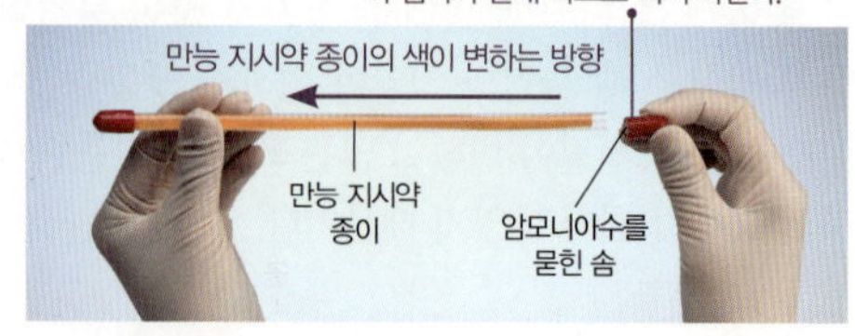

ㄱ, ㄴ. 염기성을 띠는 암모니아 입자는 만능 지시약 종이
의 색을 변화시킨다. 암모니아 입자가 스스로 운동하여 모
든 방향으로 퍼져 나가면서 암모니아수를 묻힌 솜과 가까
운 쪽부터 만능 지시약 종이의 색이 변한다.
ㄷ. 만능 지시약 종이의 색 변화를 통해 암모니아 입자의
확산을 확인할 수 있다. 마약 탐지견이 냄새를 맡아 마약
을 찾을 수 있는 것은 마약 냄새를 가진 입자가 스스로 운
동하여 퍼져 나가기 때문이다. 이것은 확산 현상으로 설명
할 수 있으므로, 주어진 실험과 같은 원리이다.

09 (가) 염전에서 바닷물을 가두어 놓으면 물이 증발하여 소
금을 얻을 수 있다.
(나) 전자 모기향을 피우면 모기향에 들어 있는 살충 성분
입자가 스스로 확산하여 퍼져 나가 모기를 쫓을 수 있다.
(다) 동물의 젖은 털을 바람으로 말리는 것은 증발을 이용
한 것이다.
(라) 뜨거운 물에 차 티백을 넣어 두면 차 성분 입자가 스스
로 확산하면서 차가 우러난다.

10 ① 고체는 흐르는 성질이 없다.
② 액체는 모양이 일정하지 않지만, 부피는 일정하다.
③ 기체는 스스로 운동하여 퍼져 나가 공간을 채우는 성질
이 있다.
④ 고체<액체<기체의 순으로 입자의 운동이 활발하므
로, 입자의 운동이 가장 활발한 상태는 기체이다.
⑤ 기체<액체<고체의 순으로 입자의 배열이 규칙적이므
로, 입자의 배열이 가장 규칙적인 상태는 고체이다.

11 주어진 그림은 물질의 상태 중 고체를 나타낸다.
① 고체는 입자의 운동이 자유롭지 않다.
② 고체는 입자 사이의 거리가 매우 가까우므로 압력을 가
해도 부피가 거의 변하지 않는다.
③, ④ 고체는 담는 용기에 관계없이 모양과 부피가 일정
하다.
⑤ 고체는 입자들이 매우 규칙적으로 배열되어 있다.

12 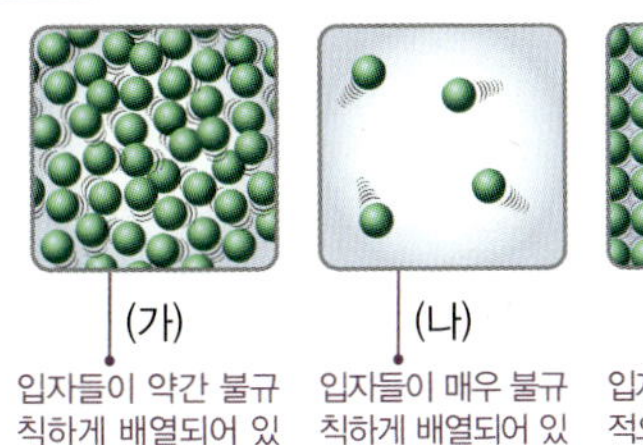

(가)~(다)는 각각 액체, 기체, 고체 상태의 입자 모형을 나타낸 것이다. 실온에서 암석은 고체, 공기는 기체, 에탄올은 액체 상태의 물질이다.

13 흘러내리던 촛농이 굳는 것은 액체인 촛농이 고체로 상태가 변하는 응고이다. 따라서 액체 상태인 (가)에서 고체 상태인 (다)로 변하는 과정에 해당한다.

14 상태 변화를 나타낸 그림에서 (가)는 액화, (나)는 기화, (다)는 응고, (라)는 융해, (마)는 승화(고체 → 기체), (바)는 승화(기체 → 고체)이다.
① 호수 주변에 안개가 생기는 것은 기체인 수증기가 액체인 물로 상태가 변하는 액화이다. ➡ (가)
② 아이스크림이 녹는 것은 고체가 액체로 상태가 변하는 융해이다. ➡ (라)
③ 젖은 우산이 마르는 것은 액체인 물이 기체인 수증기로 상태가 변하는 기화이다. ➡ (나)
④ 처마 끝에 고드름이 생기는 것은 액체인 물이 고체인 얼음으로 상태가 변하는 응고이다. ➡ (다)
⑤ 유리창에 성에가 생기는 것은 기체인 수증기가 고체인 얼음으로 상태가 변하는 승화(기체 → 고체)이다. ➡ (바)

15 융해, 기화, 승화(고체 → 기체)가 일어날 때 물질을 구성하는 입자의 배열이 불규칙해진다.

16 아이스크림 포장에 사용된 드라이아이스의 크기가 작아지는 것은 고체인 드라이아이스가 기체인 이산화 탄소로 승화(고체 → 기체)하기 때문이다.
ㄱ. 겨울철에 기온이 영하로 내려가면 공기 중의 수증기가 물체의 표면에 얼어붙는데, 이것을 서리라고 한다. 서리는 수증기가 얼음으로 승화(기체 → 고체)하여 생긴다.
ㄴ. 영하의 온도에서 얼어 있던 명태가 마르는 것은 명태의 얼음이 수증기로 변하는 현상으로, 이때 승화(고체 → 기체)가 일어난다.
ㄷ. 겨울철 실내로 들어가면 안경이 뿌옇게 흐려지는 것은

공기 중의 수증기가 차가운 안경에 닿으면 액화하여 작은 물방울로 되기 때문이다.
ㄹ. 냉동실에 넣어 둔 얼음의 크기가 조금씩 작아지는 것은 얼음이 수증기로 승화(고체 → 기체)하기 때문이다.

17 (가)는 용광로에서 철이 녹아 쇳물이 되는 것으로, 고체에서 액체로 변하는 융해가 일어난다. (나)는 점토로 빚은 도자기를 말리는 것으로, 점토에 포함된 수분(물)이 수증기로 변하는 기화가 일어난다.
ㄱ. (가)에서 일어나는 상태 변화는 융해이다.
ㄴ. (나)에서는 액체가 기체로 되는 상태 변화(기화)가 일어난다.
ㄷ. (가)에서 융해, (나)에서 기화가 일어날 때 모두 입자 사이의 거리가 멀어진다.

18

① A 과정은 액체가 기체로 되는 기화에 해당하고, B 과정은 기체가 액체로 되는 액화에 해당한다.
② B 과정에서 액화가 일어날 때 입자의 운동이 둔해진다.
③ A 과정에서 기화가 일어날 때 입자 사이의 거리가 멀어진다.
④ A와 B 과정에서 모두 입자의 종류는 변하지 않는다.
⑤ 겨울철 높은 산에서 나무에 상고대가 생기는 것은 공기 중의 수증기가 얼음으로 승화(기체 → 고체)하는 현상이다.

19 ① (가)에서 얼음이 융해하여 물로 변한다.
② (나)에서 드라이아이스가 승화하여 이산화 탄소 기체로 변한다.
③, ⑤ (가)와 (나)에서 물질의 상태 변화가 일어날 때 물질을 구성하는 입자의 종류, 개수, 크기 등은 변하지 않으므로 물질의 질량은 변하지 않는다.
④ (가)에서 얼음이 물로 융해할 때 육각형 모양을 이루고 있던 결합이 끊어지면서 빈 공간이 좁아지므로 부피가 줄어든다. (나)에서 드라이아이스가 기체로 승화할 때 입자 배열이 매우 불규칙해지고, 입자 사이의 거리가 매우 멀어지므로 부피가 크게 늘어난다.

20 상태 변화가 일어날 때 물질을 구성하는 입자의 종류, 개수, 크기 등은 변하지 않으므로 물질의 성질과 질량은 변하지 않는다. 그러나 물질을 구성하는 입자의 배열, 입자 사이의 거리 등이 달라지므로 물질의 부피가 변한다.

실력 강화 문제

1권 150쪽~151쪽

01 ④ **02** ④ **03** ② **04** ㄷ, ㄹ **05** (가) 융해, 액화
(나) 승화(고체 → 기체), 승화(기체 → 고체) **06** ②
07 ②, ③ **08** ①

01 자료 VIEW

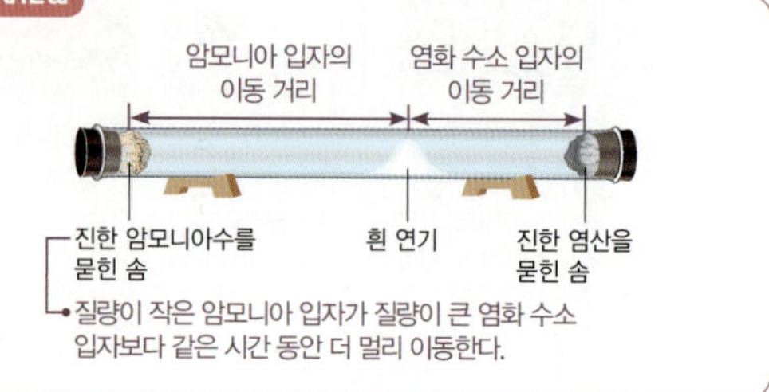

액체 표면에서 액체가 기체로 변하는 현상을 증발이라고 하고, 액체 표면과 내부에서 액체가 기체로 변하는 현상을 끓음이라고 한다. 따라서 (가)와 (나)는 증발, (다)는 끓음에 해당한다.
① 액체 표면에서 증발하는 입자의 개수는 (나)가 (가)보다 많으므로 온도는 (나)가 (가)보다 높다.
② (다)는 액체 표면과 내부에서 모두 기화가 일어나므로 (가)~(다) 중 온도가 가장 높다. 따라서 입자의 운동이 가장 활발한 것은 (다)이다.
③ (가)~(다)에서 모두 액체에서 기체로 변하는 기화가 일어난다.
④ (가)~(다)에서 모두 기화가 일어나므로 액체 X의 양이 줄어든다.
⑤ (가)와 (나)는 모든 온도에서 일어나고, (다)는 물질이 끓기 시작하는 온도 이상에서만 일어난다.

02 ① 향수 입자가 스스로 운동하여 증발한다.
② 시간이 지나면서 향수가 증발하여 공기 중으로 날아가므로 저울의 숫자가 점점 작아지다가 0이 된다.
③ 온도가 높을수록 증발이 잘 일어나므로 거름종이에 묻은 향수의 흔적이 빠르게 사라진다.
④ 습도가 낮을수록 증발이 잘 일어나므로 거름종이에 묻은 향수의 흔적이 빠르게 사라진다.

⑤ 향수 입자가 모든 방향으로 퍼져 나가 공기 중으로 확산되므로 주변에서 향수 냄새를 맡을 수 있다.

03 자료 VIEW

① 흰 연기는 암모니아 입자와 염화 수소 입자가 만나서 생성된 염화 암모늄이다.
②, ③ 흰 연기가 진한 염산을 묻힌 솜 가까이에 생긴 것으로 보아 기체의 확산 속도는 암모니아가 염화 수소보다 빠르다. 기체 입자의 질량이 작을수록 확산이 빠르게 일어나므로 기체 입자의 질량은 염화 수소가 암모니아보다 크다.
④ 유리관 안을 진공으로 만들면 확산을 방해하는 입자가 없으므로 흰 연기가 더 빨리 생길 것이다.
⑤ 유리관 안의 온도를 높이면 기체 입자가 더 빠르게 확산하므로 흰 연기가 더 빨리 생기지만, 흰 연기가 생기는 위치는 거의 변하지 않을 것이다.

04 ㄱ, ㄷ. 주사기의 피스톤을 눌러도 주사기 속 기체 입자의 종류와 크기는 변하지 않는다.
ㄴ. 주사기의 피스톤을 누르면 기체 입자 사이의 거리가 가까워지므로, 입자 사이의 거리는 (가) > (나)이다.
ㄹ. (가)와 (나)에서 기체 입자는 모두 끊임없이 운동한다.

05 (가) 비커 안에서는 얼음이 물로 융해하고, 비커 표면에서는 공기 중의 수증기가 액화하여 물방울이 맺힌다.
(나) 비커 안에서는 드라이아이스가 이산화 탄소 기체로 승화하고, 비커 표면에서는 공기 중의 수증기가 고체인 얼음으로 승화한다.

06 ① 눈은 고체, 비는 액체로 물질의 상태가 다르다.
② 바다에서 물이 증발할 때 액체가 기체로 되면서 입자 사이의 거리가 멀어진다.
③ 구름과 바다를 구성하고 있는 물은 같은 성질을 가진다.
④ 공기 중의 수증기가 액화하여 구름이 될 때 입자의 개수는 변하지 않는다.
⑤ 육지에서 바다로 물이 이동할 수 있는 까닭은 물이 흐르는 성질을 가진 액체 상태이기 때문이다.

07 ① ㉠에서 물이 얼음으로 응고한다.

② ㉡에서 얼음을 수증기로 승화시켜 수분을 제거한다.

③ ㉠에서 물이 응고할 때 내부에 빈 공간이 많은 육각형 구조로 입자들이 배열되므로 부피가 늘어난다.

④ ㉡에서 얼음이 수증기로 승화할 때 입자의 배열이 매우 불규칙하게 변한다.

⑤ ㉡에서 과일 속 수분(얼음)을 수증기로 승화시켜 제거하므로, 동결 건조 방법으로 만든 과일칩에는 수분(얼음)이 들어 있지 않다.

08 자료 VIEW

(가) 손에 바른 손 소독제가 사라졌다. → 액체 → 기체: 기화

(나) 갓 구운 빵 위에 올려놓은 버터가 녹았다. → 고체 → 액체: 융해

(다) 영하의 온도에서 그늘에 있던 눈사람의 크기가 작아졌다. → 고체 → 기체: 승화

ㄱ, ㄹ. (가)~(다)에서 물질의 상태 변화가 일어날 때 공통적으로 입자 사이의 거리가 멀어지므로 물질의 부피가 늘어난다.

ㄴ. (가)~(다)에서 물질의 상태 변화가 일어날 때 공통적으로 입자의 종류와 개수는 변하지 않으므로 물질의 질량이 일정하다.

ㄷ. (가)~(다)에서 물질의 상태 변화가 일어날 때 공통적으로 입자의 배열이 불규칙하게 변한다.

 **문제**

1권 152쪽~153쪽

1 (가)는 물 입자가 스스로 운동하여 물 표면에서 기체로 변하여 일어나는 현상이고, (나)는 기름 냄새를 가진 입자가 스스로 운동하여 공기 중으로 퍼져 나가면서 일어나는 현상이다. (다)는 식초에 들어 있는 아세트산 입자가 스스로 운동하여 국물 전체로 퍼져 나가 고르게 섞이는 현상이다.

모범답안 (가)는 증발, (나)와 (다)는 확산 현상으로, 증발과 확산은 모두 물질을 구성하는 입자가 스스로 운동하기 때문에 일어나는 현상이다.

채점 기준	배점
(가)는 증발, (나)와 (다)는 확산 현상이라는 것을 쓰고, 증발과 확산은 입자가 스스로 운동하기 때문에 일어난다고 설명한 경우	100 %
(가)는 증발, (나)와 (다)는 확산 현상이라는 것을 쓰지 못했으나, 공통적으로 입자가 스스로 운동하기 때문에 일어난다고 설명한 경우	50 %

2 자료 VIEW

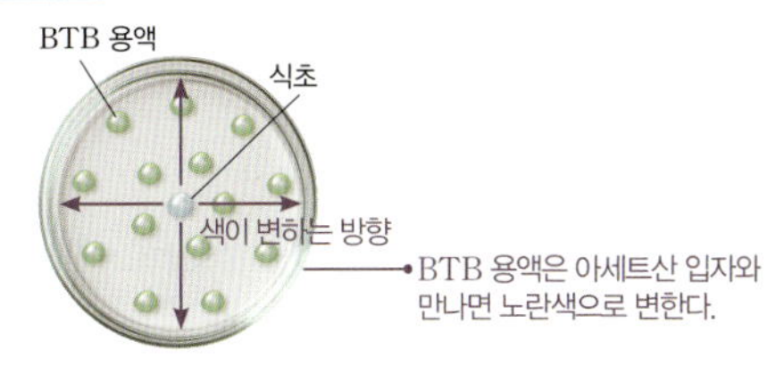

식초에 들어 있는 아세트산 입자가 스스로 운동하여 모든 방향으로 확산하므로, 식초 방울에서 가까운 곳에서부터 먼 곳으로 BTB 용액의 색이 노란색으로 변한다. 이때 식초 방울로부터 같은 거리에 있는 BTB 용액의 색이 거의 동시에 변한다.

모범답안 (1) 중앙의 식초 방울과 가까운 곳에서부터 먼 곳으로 BTB 용액의 색이 노란색으로 변한다. 이때 모든 방향으로 색 변화가 나타난다.
(2) 아세트산 입자가 스스로 운동하여 모든 방향으로 고르게 퍼져 나가기 때문이다.

	채점 기준	배점
(1)	식초 방울과 가까운 곳에서부터 먼 곳으로 BTB 용액의 색이 차례대로 변한다는 것과 모든 방향으로 색 변화가 나타난다는 것을 모두 설명한 경우	60 %
	식초 방울과 가까운 곳에서부터 먼 곳으로 BTB 용액의 색이 차례대로 변한다는 것과 모든 방향으로 색 변화가 나타난다는 것 중 한 가지만 설명한 경우	30 %
(2)	아세트산 입자가 모든 방향으로 스스로 운동하는 것을 설명한 경우	40 %
	아세트산 입자가 스스로 운동하는 것만 설명한 경우	20 %

3 액체 양초를 식히면 고체 상태로 응고하는데, 이때 양초를 구성하는 입자의 배열이 규칙적으로 변하고 입자 사이의 거리가 가까워지므로 양초의 부피가 줄어든다. 따라서 고체 양초의 가운데 부분이 약간 오목하게 들어간다. 하지만 양초를 구성하는 입자의 종류와 개수, 크기 등은 변하지 않으므로 양초의 질량은 변하지 않는다. 즉, 상태 변화가 일어날 때 물질을 구성하는 입자의 배열이 달라지므로 물질의 부피는 변하지만, 입자 자체는 변하지 않으므로 물질의 질량과 성질은 변하지 않는다.

모범답안 (1) 액체 양초가 고체로 응고할 때 양초의 질량은 변하지 않고, 양초의 부피는 줄어든다.
(2) 액체 양초가 고체로 응고할 때 양초를 구성하는 입자의 종류와 개수는 변하지 않지만, 입자의 배열이 규칙적으로 변하면서 입자 사이의 거리가 가까워지기 때문이다.

	채점 기준	배점
(1)	양초의 상태가 변할 때 질량과 부피의 변화를 모두 옳게 설명한 경우	40 %
	양초의 상태가 변할 때 질량과 부피의 변화 중 한 가지만 옳게 설명한 경우	20 %
(2)	입자의 종류와 개수, 입자의 배열(입자 사이의 거리)을 모두 이용하여 옳게 설명한 경우	60 %
	입자의 종류와 개수, 입자의 배열(입자 사이의 거리) 중 두 가지만 이용하여 옳게 설명한 경우	40 %

4 물은 일반적인 물질과 달리 응고할 때 부피가 늘어난다. 그 까닭은 물이 응고할 때 물 입자들이 육각형 모양의 결정을 이루어 내부에 빈 공간이 생기기 때문이다.

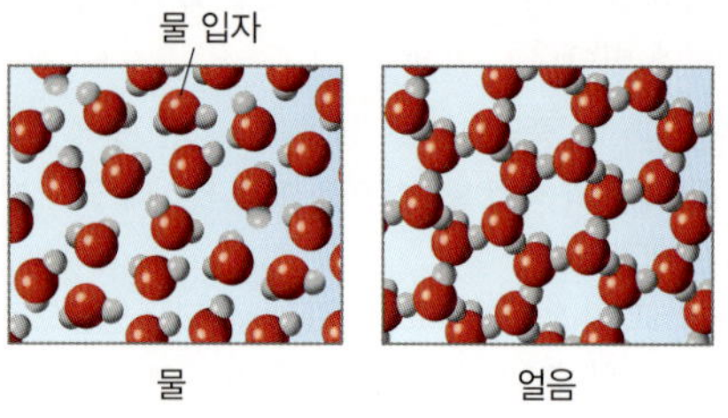

모범답안 물이 응고할 때 내부에 빈 공간이 많은 구조로 입자들이 배열되어 부피가 늘어나기 때문이다.

채점 기준	배점
물이 응고할 때 내부에 빈 공간이 많은 구조로 입자들이 배열되어 부피가 늘어난다고 설명한 경우	100 %
물이 응고할 때 빈 공간이 많은 구조로 입자들이 배열된다고만 설명한 경우	50 %
물이 응고할 때 부피가 늘어난다고만 설명한 경우	

5 삼각 플라스크를 가열하면 아세톤이 액체에서 기체로 기화한다. 이때 아세톤 입자들이 매우 불규칙하게 배열되고 입자 사이의 거리가 매우 멀어진다.

모범답안 (1)

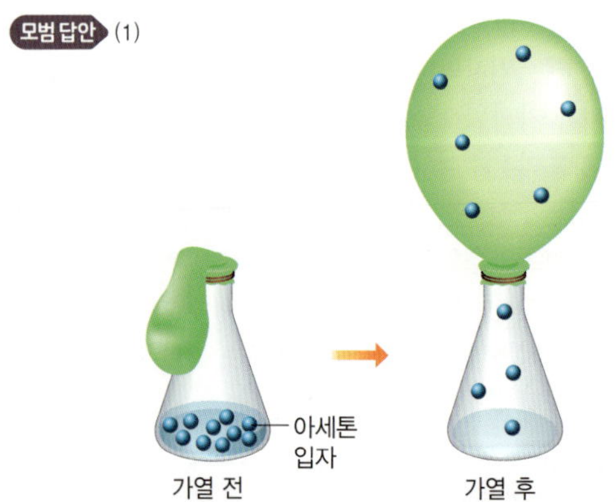

(2) 액체 아세톤이 기체로 기화할 때 아세톤 입자의 배열이 매우 불규칙해지고, 입자 사이의 거리가 매우 멀어지면서 부피가 크게 늘어나기 때문이다.

	채점 기준	배점
(1)	삼각 플라스크와 풍선 안에서 아세톤 입자 10개가 서로 멀리 떨어져 배열된 모습을 옳게 나타낸 경우	40 %
	삼각 플라스크와 풍선 안에서 아세톤 입자가 서로 멀리 떨어져 배열된 모습을 나타냈으나 입자의 개수가 10개가 아닌 경우	20 %
(2)	기화, 입자의 배열(입자 사이의 거리), 부피를 모두 이용하여 옳게 설명한 경우	60 %
	기화, 입자의 배열(입자 사이의 거리), 부피 중 두 가지만 이용하여 옳게 설명한 경우	40 %

6 **자료 VIEW**

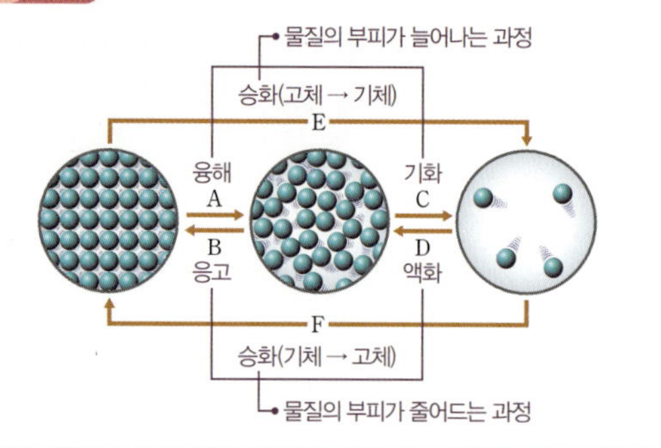

모범답안 B, D, F

응고, 액화, 승화(기체 → 고체)가 일어날 때는 입자의 배열이 규칙적으로 변하면서 입자 사이의 거리가 가까워지므로 물질의 부피가 줄어든다.

채점 기준	배점
B, D, F를 고르고, 그 까닭을 입자의 배열(입자 사이의 거리)과 관련지어 옳게 설명한 경우	100 %
B, D, F만 고른 경우	40 %

7 (가)에서 푸른색 염화 코발트 종이에 물을 묻히면 붉은색으로 변한다.

(나)에서 물을 가열하면 물이 기화하여 수증기가 되고, 이 수증기가 차가운 시계 접시의 아랫면에 닿으면 액화하여 물방울이 맺힌다.

(다)에서 시계 접시 아랫면에 맺힌 물방울에 푸른색 염화 코발트 종이를 대면 붉은색으로 변한다.

모범답안 (1) 물이 기화하여 생긴 수증기가 시계 접시 아랫면에서 액화하여 물방울이 맺힌 것이다.

(2) (가)와 (다)에서 푸른색 염화 코발트 종이가 모두 붉은색으로 변한다.

(3) 물의 상태 변화가 일어나도 물의 성질은 변하지 않는다는 것을 알 수 있다.

채점 기준		배점
(1)	물의 기화, 수증기의 액화를 모두 언급하여 옳게 설명한 경우	40 %
	수증기의 액화만 언급하여 설명한 경우	20 %
(2)	(가)와 (다)에서 푸른색 염화 코발트 종이의 색 변화를 모두 옳게 설명한 경우	20 %
	(가)와 (다) 중 한 가지만 푸른색 염화 코발트 종이의 색 변화를 옳게 설명한 경우	10 %
(3)	물의 상태 변화가 일어나도 물의 성질은 변하지 않는다고 설명한 경우	40 %
	물의 성질이 변하지 않는다고만 설명한 경우	20 %

◯2 상태 변화와 열에너지

개념 빌드업

1권 155쪽	**1** 일정하다	**2** 흡수, 불규칙적
1권 156쪽	**1** 방출	**2** 둔해, 규칙적
1권 158쪽	**1** 낮아, 높아	**2** 액화, 방출

탐구 확인 문제
1권 159쪽

1 (1) × (2) × (3) ◯ (4) ◯ **2** ③

1 (1) 얼음이 녹는 동안에는 온도가 일정하게 유지된다.

(2) 얼음이 물로 상태 변화 할 때 열에너지를 흡수한다.

(3) 얼음이 녹는 동안 흡수한 열에너지는 얼음의 온도를 높이는 데 사용되지 않고, 입자의 배열을 변화시키는 데 사용된다.

(4) 얼음이 모두 녹은 뒤에는 흡수한 열에너지가 물질의 온도를 높이는 데 사용되므로 온도가 다시 높아진다.

2 온도가 일정하게 유지되는 (나) 구간에서는 상태 변화(융해)가 일어나므로, 고체와 액체가 함께 존재한다.

탐구 확인 문제
1권 160쪽

1 ㉠ 응고(상태 변화), ㉡ 방출 **2** ㄴ, ㄷ

1 액체 로르산이 고체로 응고하는 동안에는 열에너지를 방출하므로 냉각해도 온도가 낮아지지 않고 일정하게 유지된다.

2 로르산이 응고하는 동안 입자의 운동이 둔해지고, 입자의 배열이 규칙적으로 변하여 입자 사이의 거리가 가까워진다.

개념 확인 문제
1권 164쪽~166쪽

01 ④ **02** ④ **03** ②, ③ **04** ③ **05** ④ **06** D
07 ㄴ, ㄷ **08** ③ **09** ⑤ **10** ⑤ **11** ㄴ, ㄷ **12** ⑤
13 (가) C, (나) E, (다) B **14** ③, ⑤ **15** ② **16** ㄱ, ㄴ
17 기화, 열에너지(기화열) 흡수

01 자료 VIEW

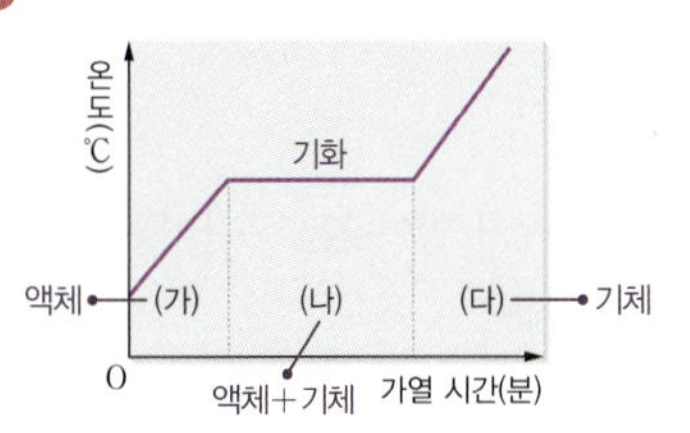

(가) 구간은 액체의 온도가 높아지는 구간이고, (나) 구간은 기화가 일어나는 구간으로, 액체와 기체의 두 가지 상태가 함께 존재한다. (다) 구간은 액체가 모두 기화한 후 기체의 온도가 높아지는 구간이다.

02 (나) 구간에서 온도가 일정하게 유지되는데, 이는 흡수한 열에너지가 물질의 온도를 높이는 데 사용되지 않고, 물질이 상태 변화(기화) 하는 데 모두 사용되기 때문이다.

03 자료 VIEW

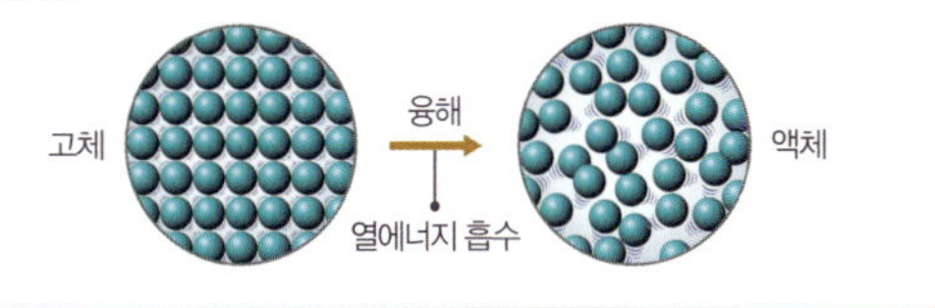

주어진 그림은 고체가 액체로 상태 변화(융해) 할 때 입자 배열의 변화를 나타낸 것이다.

①, ② 고체가 액체로 융해할 때 입자의 운동이 활발해지고, 입자들이 불규칙하게 배열된다.

③ 고체가 녹아 액체로 될 때 일어나는 변화이다.

④ 액체가 끓을 때 일어나는 상태 변화는 기화이다.

⑤ 융해가 일어날 때 물질은 열에너지를 흡수한다.

04 자료 VIEW

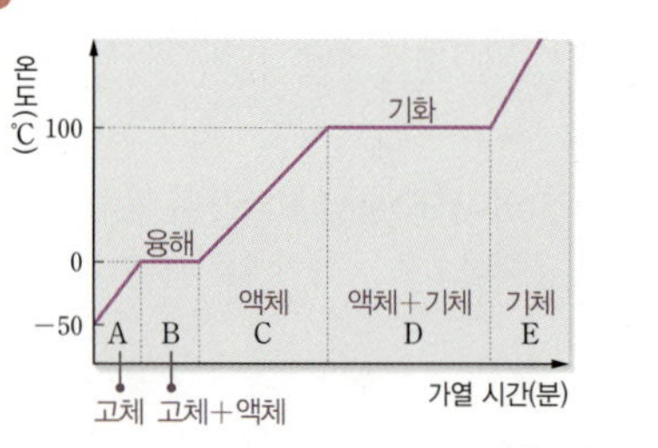

① A 구간에서는 고체 상태인 얼음으로 존재하므로, 입자의 배열이 가장 규칙적이다.
② B 구간에서는 얼음이 물로 상태 변화(융해) 하므로 입자의 운동이 활발해진다.
③ C 구간에서는 액체 상태인 물만 존재한다.
④ D 구간에서는 물이 수증기로 기화한다.
⑤ E 구간에서는 기체 상태로 존재하므로, 입자 사이의 거리가 가장 멀다.

05 B 구간은 융해가 일어나는 구간이고, D 구간은 기화가 일어나는 구간이다.
ㄱ. B와 D 구간에서는 공통적으로 입자의 운동이 활발해진다.
ㄴ. B 구간에서는 얼음과 물이 함께 존재하고, D 구간에서는 물과 수증기가 함께 존재한다. 따라서 B와 D 구간에서는 공통적으로 물질이 두 가지 상태로 존재한다.
ㄷ. B와 D 구간에서는 흡수한 열에너지가 물질의 온도를 높이는 데 사용되지 않고, 입자의 배열을 변화시켜 상태 변화 하는 데 사용된다.

06 여름철 뜨거워진 도로에 물을 뿌리면 물이 수증기로 기화하면서 열에너지(기화열)를 흡수하므로 주변의 온도가 낮아진다. 주어진 그림에서 기화가 일어나는 구간은 D 구간이다.

07 자료 VIEW

시간(분)	0	1	2	3	4	5
온도(℃)	−17.0	−4.0	−1.0	0	0	0
물질의 상태	고체(얼음)			고체(얼음)+액체(물)		
물질의 변화	얼음의 온도가 높아짐.			얼음이 녹는 동안 온도가 일정하게 유지됨.		

ㄱ. 0분~3분 사이에는 열에너지를 흡수하여 얼음의 온도가 높아진다.

ㄴ. 3분~5분 사이에는 얼음의 상태 변화(융해)가 일어나므로 얼음과 물이 함께 존재한다.
ㄷ. 3분~5분 사이에 온도가 일정한 까닭은 흡수한 열에너지가 입자의 배열을 변화시켜 상태 변화 하는 데 사용되기 때문이다.

08 액체 상태의 로르산을 냉각하면 온도가 낮아지다가, 약 44 ℃에서 얼기 시작하여 어는 동안에는 열에너지(응고열)를 방출하므로 냉각해도 온도가 일정하게 유지된다. 액체 상태의 로르산이 모두 얼어 고체로 된 후 계속 냉각하면 온도가 다시 낮아진다. 따라서 실험 결과로 얻은 냉각 곡선으로 적절한 것은 처음에는 온도가 낮아지다가 약 44 ℃에서 온도가 일정한 구간이 나타나고, 이후에 온도가 다시 낮아지는 ③이다.

09 자료 VIEW

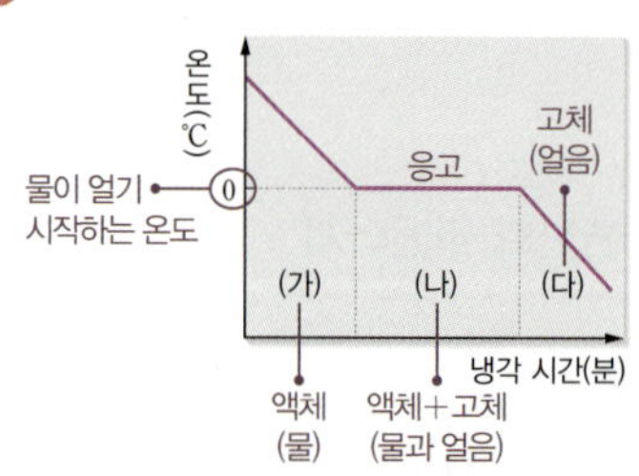

ㄱ. (가) 구간에서는 액체 상태인 물로 존재하므로, 입자의 운동이 비교적 자유롭다. 입자들이 제자리에서 진동하는 구간은 고체 상태인 얼음으로 존재하는 (다) 구간이다.
ㄴ. (나) 구간에서는 물이 얼음으로 응고하는데, 이때 입자의 배열이 규칙적으로 변한다.
ㄷ. (가) 구간에서는 액체 상태인 물로 존재하고, (나) 구간에서는 액체 상태인 물과 고체 상태인 얼음이 함께 존재하며, (다) 구간에서는 고체 상태인 얼음으로 존재한다.

10 (나) 구간에서는 액체 상태인 물이 고체 상태인 얼음으로 응고한다.
① 고드름이 녹는 것은 고체 상태인 얼음이 액체 상태인 물로 변하는 융해이다.
② 손에 바른 손 소독제가 사라지는 것은 액체가 기체로 변하는 기화이다.
③ 겨울철 자동차 유리창에 성에가 생기는 것은 공기 중의 수증기가 얼음으로 변하는 승화(기체 → 고체)이다.
④ 얼음물이 든 컵의 표면에 물방울이 맺히는 것은 공기 중의 수증기가 물로 변하는 액화이다.
⑤ 용광로에서 녹인 쇳물이 굳어 단단한 철이 되는 것은 액체가 고체로 변하는 응고이다.

11 ㄱ. 눈이 내리는 날에는 대기 중의 얼음 알갱이에 수증기가 얼어붙어 승화하면서 열에너지를 방출하므로 기온이 높아진다. ➡ 열에너지(승화열) 방출

ㄴ. 열이 날 때 물수건으로 몸을 닦으면 물이 기화하면서 열에너지를 흡수하므로 열이 내린다. ➡ 열에너지(기화열) 흡수

ㄷ. 미지근한 물에 얼음을 넣으면 얼음이 융해하면서 열에너지를 흡수하므로 물이 시원해진다. ➡ 열에너지(융해열) 흡수

ㄹ. 날씨가 갑자기 추워질 때 과일나무에 물을 뿌리면 물이 응고하면서 열에너지를 방출하므로 과일의 냉해를 막을 수 있다. ➡ 열에너지(응고열) 방출

12 자료 VIEW

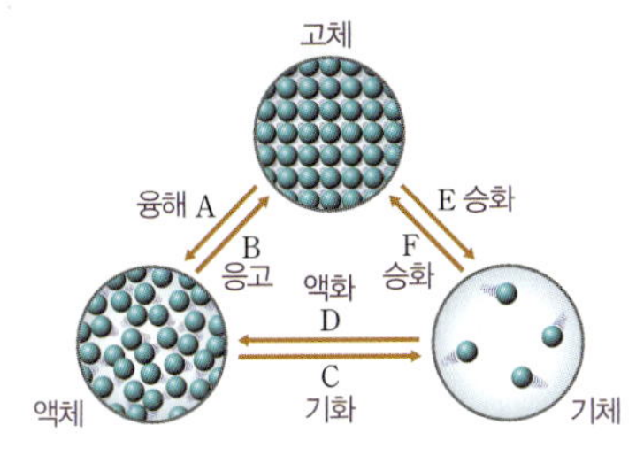

B(응고), D(액화), F(기체에서 고체로의 승화)는 열에너지를 방출하는 상태 변화이고, A(융해), C(기화), E(고체에서 기체로의 승화)는 열에너지를 흡수하는 상태 변화이다.

13 (가) 운동을 한 후 땀을 흘리면 땀이 마르면서 열에너지(기화열)를 흡수하여 체온이 낮아지므로 시원하게 느껴진다. ➡ 기화열 흡수: C

(나) 아이스크림을 포장할 때 드라이아이스를 함께 넣으면 드라이아이스가 기체로 승화하면서 열에너지(승화열)를 흡수하여 주변의 온도가 낮아지므로 아이스크림이 잘 녹지 않는다. ➡ 승화열 흡수: E

(다) 겨울철 과일 창고 안에 물통을 놓아두면 물이 응고하면서 열에너지(응고열)를 방출하여 주변의 온도가 높아지므로 과일이 어는 것을 막을 수 있다. ➡ 응고열 방출: B

14 ①, ②, ③ 모래에 뿌린 물이 기화하면서 열에너지(기화열)를 흡수하므로 주변의 온도가 낮아져 음식물을 신선하게 보관할 수 있다.

④ 물이 기화할 때 입자의 운동이 활발해지고, 입자의 배열이 불규칙해지면서 입자 사이의 거리가 멀어진다.

⑤ 냉장고의 증발기에서는 액체 냉매가 기화하면서 열에너지(기화열)를 흡수하므로 냉장고 안의 온도가 낮아져 음식물을 시원하게 보관할 수 있다.

도움이 되는 배경 지식 ▶ 냉장고의 원리

냉장고는 증발기와 응축기로 구성되어 있다. 증발기에서는 액체 냉매가 기화하면서 기화열을 흡수하므로 냉장고 안의 온도가 낮아지고, 응축기에서는 기체 냉매가 액화하면서 액화열을 방출하므로 냉장고의 옆 부분이나 뒷부분이 따뜻해진다.

15 비가 내리기 전에는 많은 양의 수증기가 액화하면서 열에너지(액화열)를 방출하므로 주변의 온도가 높아져 후텁지근하게 느껴진다.

① 습기가 많은 목욕탕 안에서 수증기가 액화하면서 열에너지를 방출하므로 주변의 온도가 높아져 후텁지근하게 느껴진다. ➡ 액화열 방출

② 얼음집 안쪽에 물을 뿌리면 물이 응고하면서 열에너지를 방출하므로 얼음집 내부의 온도가 높아진다. ➡ 응고열 방출

③ 무더운 여름에 냉방이 잘 된 곳에서 밖으로 나오면 공기 중의 수증기가 차가운 피부에 닿아 액화하면서 열에너지를 방출하므로 주변의 온도가 높아져 후텁지근하게 느껴진다. ➡ 액화열 방출

④ 커피 전문점에서는 수증기가 액화하면서 방출하는 열에너지를 이용하여 우유를 데운다. ➡ 액화열 방출

⑤ 증기 난방기는 물을 끓여 만든 수증기가 액화하면서 방출하는 열에너지를 이용하여 실내를 따뜻하게 한다. ➡ 액화열 방출

16 액체 파라핀에 손을 담갔다가 꺼내면 손에 묻은 액체 파라핀이 굳으면서 고체 상태로 응고한다.

ㄱ, ㄹ. 액체 파라핀이 응고하면서 주변으로 열에너지(응고열)를 방출하여 주변의 온도가 높아지므로 손이 따뜻해진다.

ㄴ, ㄷ. 액체 파라핀이 응고할 때 입자의 운동이 둔해지고, 입자의 배열이 규칙적으로 변하면서 입자 사이의 거리가 가까워진다.

17 자료 VIEW

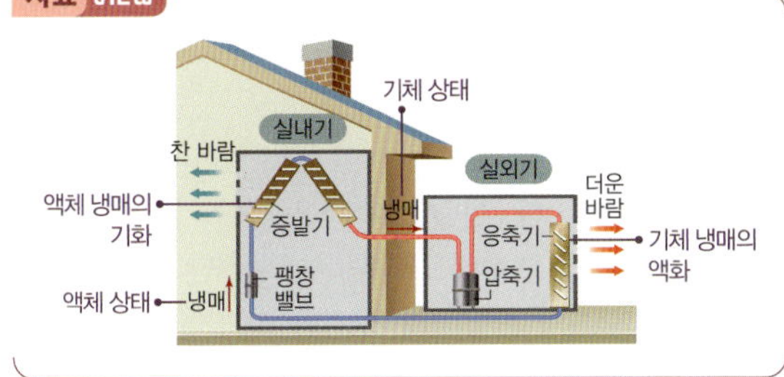

에어컨 실내기의 증발기에서는 액체 상태의 냉매가 기화하면서 열에너지(기화열)를 흡수하므로 찬 바람이 나온다.

반면에 에어컨 실외기의 응축기에서는 기체 상태의 냉매가 액화하면서 열에너지(액화열)를 방출하므로 더운 바람이 나온다.

 **강화 문제**

1권 167쪽

01 ⑤ **02** (나) A, (라) C **03** (라), 열에너지(기화열) 흡수
04 ④ **05** ②, ③

01 자료 VIEW

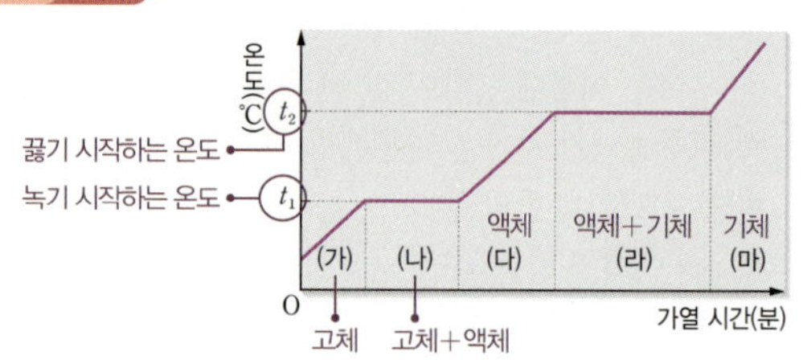

① t_1 ℃는 물질이 녹기 시작하는 온도이고, t_2 ℃는 물질이 끓기 시작하는 온도이다.
② 물질의 양이 많아져도 물질이 끓기 시작하는 온도인 t_2 ℃는 일정하다.
③ (다) 구간에서는 액체만 존재한다. 고체와 액체가 함께 존재하는 구간은 융해가 일어나는 구간인 (나)이다.
④ 액체가 존재하는 구간은 (나), (다), (라) 세 구간이다.
⑤ (가)에서 (마)로 갈수록 입자의 운동이 활발해지고, 입자의 배열이 불규칙해진다.

02 (나) 구간에서는 고체가 액체로 되는 융해가 일어나고, (라) 구간에서는 액체가 기체로 되는 기화가 일어난다. 입자 배열의 변화를 나타낸 그림에서 A는 융해, B는 응고, C는 기화, D는 액화, E는 승화(고체 → 기체), F는 승화(기체 → 고체)이다.

03 양가죽에는 아주 작은 구멍이 뚫려 있어서 이 구멍으로 물이 스며 나온다. 이때 스며 나온 물이 기화하면서 열에너지(기화열)를 흡수하므로 물주머니에 담긴 물이 시원해진다. 이 현상과 관련 있는 구간은 기화가 일어나는 구간인 (라)이다.

04 ①, ② (가)에서는 얼음이 녹으면서 열에너지를 흡수하므로 주변의 온도가 낮아진다.

또한, 얼음이 녹은 물에 소금이 녹으면서 열에너지를 흡수하므로 냉각 효과를 높일 수 있다.
③ (나)의 A 구간에서는 물이 액체 상태로 존재하고, B 구간에서는 액체와 고체 상태가 함께 존재한다.
④ (나)의 B 구간에서는 물이 응고하면서 열에너지를 방출하는데, 이때 방출한 열에너지에 의해 온도가 낮아지지 않고 일정하게 유지된다.
⑤ (나)에서 물은 0 ℃에서 얼기 시작하여 물이 어는 동안에는 온도가 일정하게 유지된다.

05 자료 VIEW

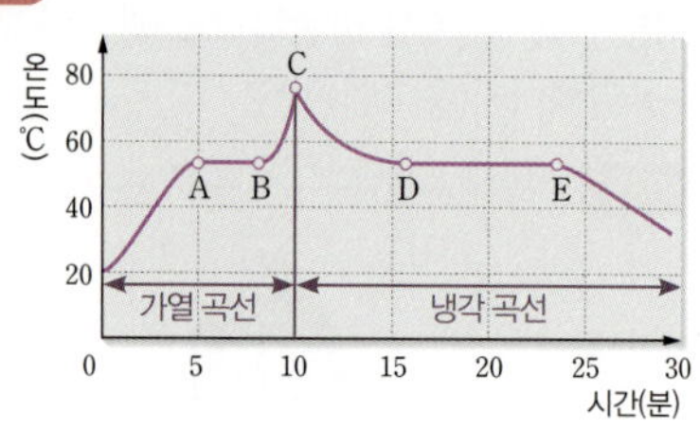

• AB 구간: 고체+액체 ➡ 융해가 일어난다.
• BC 구간, CD 구간: 액체
• DE 구간: 액체+고체 ➡ 응고가 일어난다.

① C에서는 액체 상태로 존재한다.
② AB 구간에서는 고체가 액체로 변하는 융해가 일어나므로, 고체와 액체가 함께 존재한다.
③ DE 구간에서는 액체가 고체로 변하는 응고가 일어나면서 열에너지를 방출한다.
④ AB 구간에서는 융해열을 흡수하고, DE 구간에서는 응고열을 방출한다.
⑤ BC 구간에서는 가한 열에너지가 물질의 온도를 높이는 데 사용되므로 물질의 온도가 점점 높아진다.

문제

1권 168쪽~169쪽

1 자료 VIEW

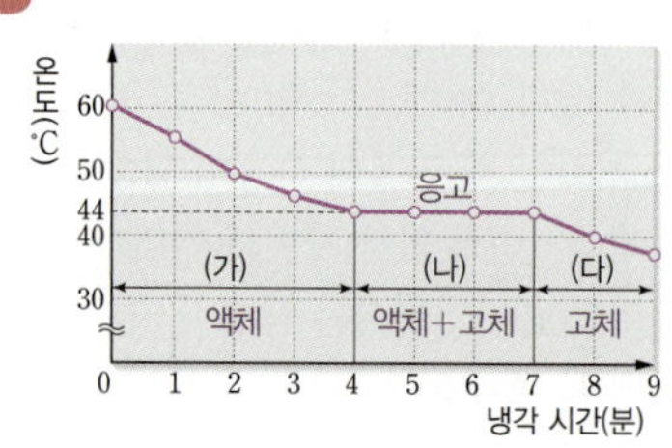

액체 상태의 로르산을 냉각하면 온도가 점점 낮아지다가, 로르산이 어는 동안에는 열에너지(응고열)를 방출하므로 냉각해도 온도가 일정하게 유지된다.

모범답안 (1) (나)
(2) 액체 상태의 로르산이 고체로 응고하는 동안 열에너지(응고열)를 방출하므로 온도가 일정하게 유지된다.

	채점 기준	배점
(1)	(나)를 고른 경우	30 %
(2)	온도가 일정하게 유지되는 구간이 나타나는 까닭을 열에너지의 출입과 관련지어 옳게 설명한 경우	70 %

2 상태 변화를 나타낸 그림에서 A는 융해, B는 응고, C는 기화, D는 액화, E는 승화(고체 → 기체), F는 승화(기체 → 고체)이다.
융해, 기화, 승화(고체 → 기체)가 일어날 때는 열에너지를 흡수하고, 응고, 액화, 승화(기체 → 고체)가 일어날 때는 열에너지를 방출한다.

모범답안 (1) A, C, E
(2) 입자의 운동이 활발해지고, 입자의 배열이 불규칙해지면서 입자 사이의 거리가 멀어지지만, 입자의 크기는 변하지 않는다.

	채점 기준	배점
(1)	A, C, E를 고른 경우	30 %
(2)	공통적으로 일어나는 변화를 주어진 용어를 모두 이용하여 옳게 설명한 경우	70 %
	공통적으로 일어나는 변화를 주어진 용어 중 세 가지만 이용하여 설명한 경우	50 %
	공통적으로 일어나는 변화를 주어진 용어 중 두 가지만 이용하여 설명한 경우	30 %

3 (가) 마당에 물을 뿌리면 물이 수증기로 기화하면서 열에너지(기화열)를 흡수하므로 주변이 시원해진다.
(나) 얼음집 안쪽에 물을 뿌리면 물이 얼음으로 응고하면서 열에너지(응고열)를 방출하므로 얼음집 내부가 따뜻해진다.

모범답안 (가)에서는 물이 기화하면서 열에너지(기화열)를 흡수하여 주변의 온도가 낮아지는 원리를 이용하였고, (나)에서는 물이 응고하면서 열에너지(응고열)를 방출하여 주변의 온도가 높아지는 원리를 이용하였다.

채점 기준	배점
(가)와 (나)에서 물이 상태 변화 할 때 출입하는 열에너지를 어떻게 이용한 것인지 모두 옳게 설명한 경우	100 %
(가)와 (나) 중 한 가지만 물이 상태 변화 할 때 출입하는 열에너지를 어떻게 이용한 것인지 옳게 설명한 경우	50 %

4 뷰테인 가스통 안에는 뷰테인이 액체 상태로 들어 있는데, 버너를 사용할 때는 뷰테인이 기체 상태로 되어 나온다. 이때 뷰테인이 기화하면서 주변에서 열에너지(기화열)를 흡수하므로 가스통이 차가워진다.

모범답안 버너를 사용할 때 뷰테인이 기화하면서 주변에서 열에너지(기화열)를 흡수하여 주변의 온도가 낮아지기 때문이다.

채점 기준	배점
가스통이 차가워지는 까닭을 열에너지의 출입과 관련지어 옳게 설명한 경우	100 %
뷰테인의 상태 변화만 설명한 경우	50 %

5 (가) 냉동식품과 함께 포장한 드라이아이스가 고체에서 기체로 승화하면서 열에너지(승화열)를 흡수하여 주변의 온도를 낮추는 원리를 이용한 것이다.
(나) 냉장 식품과 함께 포장한 얼음 팩은 얼음이 물로 융해하면서 열에너지(융해열)를 흡수하여 주변의 온도를 낮추는 원리를 이용한 것이다.

모범답안 (1) (가) 승화(고체 → 기체), (나) 융해
(2) 물질이 상태 변화 하면서 열에너지를 흡수하여 주변의 온도를 낮추는 것이 공통점이다.

	채점 기준	배점
(1)	(가)와 (나)에서 이용한 상태 변화를 모두 옳게 쓴 경우	40 %
	(가)와 (나)에서 이용한 상태 변화 중 한 가지만 옳게 쓴 경우	20 %
(2)	(가)와 (나)에서 일어나는 현상의 공통점을 열에너지의 출입과 관련지어 옳게 설명한 경우	60 %

6 **자료 VIEW**

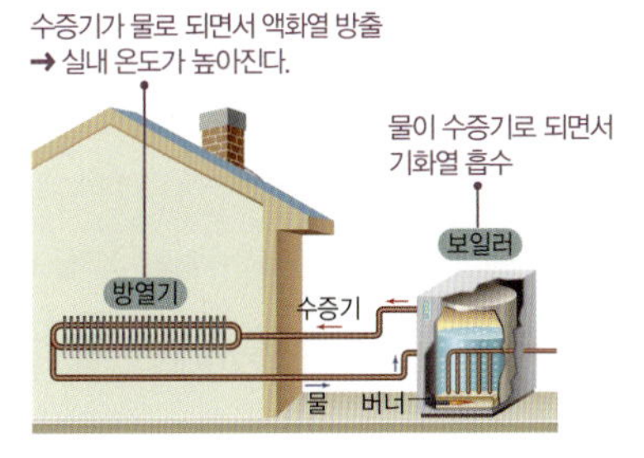

증기 난방기의 보일러에서는 물이 수증기로 상태 변화(기화) 하면서 열에너지(기화열)를 흡수하고, 집 안에 설치되어 있는 방열기에서는 보일러에서 공급된 수증기가 다시 물로 상태 변화(액화) 하면서 열에너지(액화열)를 방출한다. 이때 방출한 열에너지가 실내 온도를 높이는 데 쓰이므로 집 안이 따뜻해진다.

모범 답안 (1) 보일러: 기화, 방열기: 액화

(2) 방열기, 방열기에서 수증기가 액화하면서 열에너지(액화열)를 방출하여 실내 온도를 높인다.

	채점 기준	배점
(1)	보일러와 방열기에서 일어나는 상태 변화를 모두 옳게 쓴 경우	40 %
	보일러와 방열기에서 일어나는 상태 변화 중 한 가지만 옳게 쓴 경우	20 %
(2)	방열기를 고르고, 실내 온도를 높이는 원리를 상태 변화 시 출입하는 열에너지를 이용하여 옳게 설명한 경우	60 %
	방열기만 고른 경우	20 %

7 자료 **VIEW**

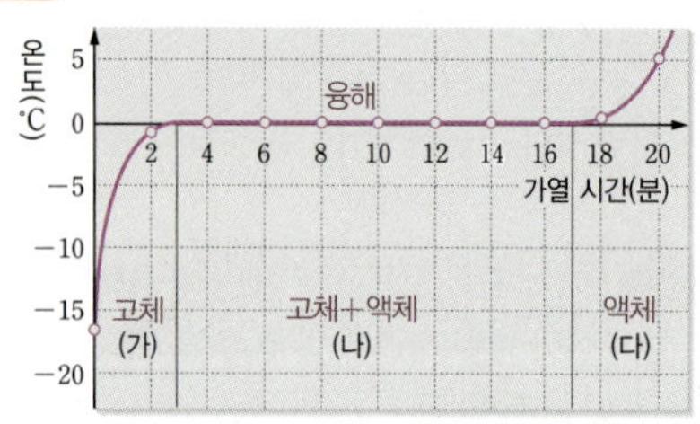

얼음을 가열하면 온도가 높아지다가 0 ℃가 되면 얼음이 녹기 시작한다. 얼음이 녹는 동안에는 흡수한 열에너지가 상태 변화(융해) 하는 데 모두 사용되므로 가열해도 온도가 높아지지 않고 일정하게 유지된다.

모범 답안 (1) (가) 고체, (나) 고체+액체, (다) 액체

(2) (나), 융해

(3) (나) 구간에서 흡수한 열에너지가 얼음이 상태 변화(융해) 하는 데 모두 사용되기 때문이다.

(4) (가), 고체 상태인 얼음으로 존재할 때 입자의 배열이 가장 규칙적이다.

	채점 기준	배점
(1)	(가)~(다) 구간에서 존재하는 물의 상태를 모두 옳게 쓴 경우	30 %
	(가)~(다) 중 두 가지 구간에서 존재하는 물의 상태를 옳게 쓴 경우	20 %
	(가)~(다) 중 한 가지 구간에서 존재하는 물의 상태만 옳게 쓴 경우	10 %
(2)	(나)와 융해를 모두 쓴 경우	20 %
	(나)와 융해 중 한 가지만 쓴 경우	10 %
(3)	(나) 구간에서 온도가 일정하게 유지되는 까닭을 옳게 설명한 경우	30 %
(4)	(가)를 고르고, 그 까닭을 옳게 설명한 경우	20 %
	(가)만 고른 경우	10 %

사고력을 키우는 **최상위권** 도전 문제

1권 170쪽~173쪽

1 ⑤　　**2** ④　　**3** ③　　**4** ④, ⑤

5 (1) ㉠ 고체, ㉡ 기체 (2) ④ (3) ④　　**6** ②　　**7** ②

1 단계별 문제 해결

Step 1 자료 분석하기

제시된 그림은 확산 현상을 확인하는 실험을 나타낸 것이다.

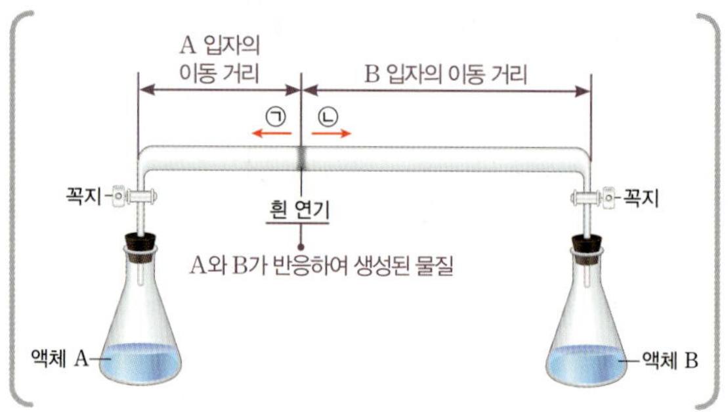

◆ 흰 연기가 액체 A에 가까운 곳에 생성되었으므로, 일정한 시간 동안 기체 A 입자의 이동 거리보다 기체 B 입자의 이동 거리가 길다.

➜ 일정한 시간 동안 이동한 거리: A 입자<B 입자

◆ 기체 입자가 빠르게 확산할수록 일정한 시간 동안 더 멀리 이동하므로, A보다 B가 빠르게 확산한다.

➜ 확산 속도: A<B

Step 2 보기 분석하기

ㄱ. 액체 A와 B에서 모두 증발이 일어나 기체로 된 후 기체 A와 B가 서로 반응하여 흰 연기가 생성된다.

ㄴ. 입자의 질량이 작을수록 확산 속도가 빠르다. 따라서 A 입자보다 B 입자의 질량이 작아서 더 빠르게 확산한다. 즉, 입자의 질량은 A가 B보다 크다.

ㄷ. 온도가 높을수록 입자의 운동이 활발해지므로 확산이 빠르게 일어난다. 액체 A가 담긴 플라스크를 가열하면 A 입자의 확산 속도가 빨라지므로 흰 연기가 ㉡ 쪽에서 생성될 것이다.

도움이 되는 **배경 지식** ▶ 확산이 빠르게 일어나는 조건

온도가 높을수록, 물질을 구성하는 입자의 질량이 작을수록, 매질에 따라 액체 속<기체 속<진공 속 순으로 확산이 빠르게 일어난다.

2 단계별 문제 해결

Step 1 자료 분석하기

제시된 그림은 입자의 운동에 의한 확산을 나타낸 것이다.

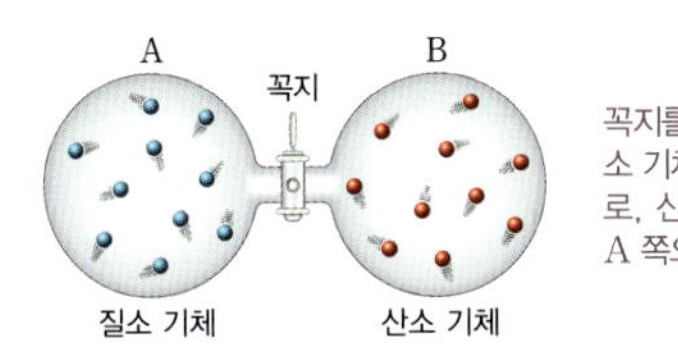

◆ 기체 입자는 스스로 끊임없이 운동하면서 모든 방향으로 확산한다.
◆ 질소 기체는 산소 기체보다 입자의 질량이 작으므로 질소 기체가 산소 기체보다 더 빠르게 확산한다.
→ 확산 속도: 질소 기체>산소 기체

Step 2 보기 분석하기

ㄱ. 꼭지를 열면 질소 기체 입자가 B 쪽으로 이동할 뿐만 아니라 산소 기체 입자도 A 쪽으로 이동한다.
ㄴ. 꼭지를 열고 잠시 후에는 A 쪽으로 이동한 산소 기체 입자보다 B 쪽으로 이동한 질소 기체 입자의 개수가 많다. 따라서 A보다 B에 들어 있는 기체 입자의 개수가 많다.
ㄷ. 기체 입자들이 끊임없이 운동하기 때문에 충분한 시간이 흐르면 질소 기체 입자와 산소 기체 입자는 고르게 섞인다. 따라서 A와 B에 들어 있는 질소 기체 입자와 산소 기체 입자의 개수는 각각 같아진다.

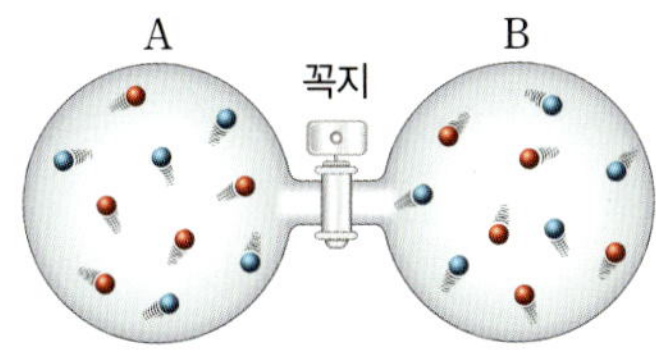

3 단계별 문제 해결

Step 1 자료 분석하기

제시된 그림 (가)와 (나)는 온도만 다른 조건에서 액체 X의 입자 운동을 모형으로 나타낸 것이고, (다)는 액체 X의 가열 곡선을 나타낸 것이다.

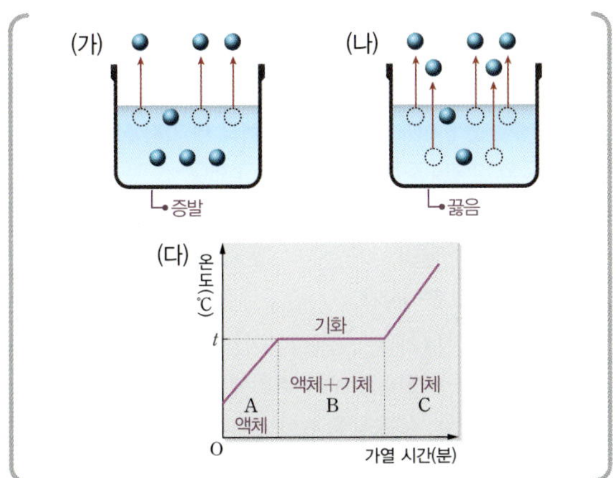

◆ (가)에서는 액체 표면의 입자만 기화하므로 증발이 일어난 것이고, (나)에서는 액체 표면뿐만 아니라 내부의 입자도 기화하므로 끓음이 일어난 것이다.
◆ (다)에서 A 구간은 액체의 온도가 높아지는 구간이고, B 구간은 상태 변화(기화)가 일어나는 구간으로, 액체와 기체의 두 가지 상태가 함께 존재한다. C 구간은 액체가 모두 기화한 후 기체의 온도가 높아지는 구간이다.

Step 2 보기 분석하기

ㄱ. (가)에서 X는 표면에서만 기화가 일어나므로 끓기 전의 온도에 해당한다. (다)에서 t ℃는 물질이 끓기 시작하는 온도이다. 따라서 (가)에서 X의 온도는 t ℃보다 낮다.
ㄴ. (나)에서 X는 끓고 있으므로 (다)에서 상태 변화(기화)가 일어나는 B 구간에 해당한다.
ㄷ. (가)와 (나)에서 X는 모두 기화하므로 열에너지를 흡수하는 상태 변화가 일어난다.

4 단계별 문제 해결

Step 1 자료 분석하기

제시된 그림 (가)는 −4 ℃의 얼음을 가열할 때 온도에 따른 부피 변화를 나타낸 것이고, (나)는 물이 얼어 얼음이 될 때 물 입자의 배열 변화를 나타낸 것이다.

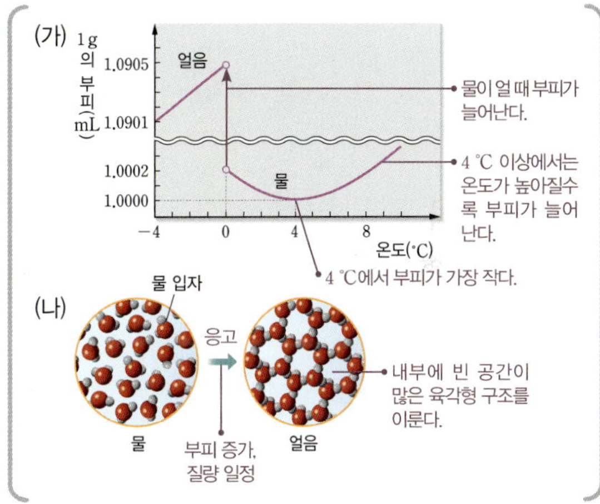

◆ (가)에서 물이 응고하여 얼음이 될 때 부피가 늘어나며, 4 ℃에서 부피가 가장 작다.
◆ (나)에서 물이 응고하여 얼음이 될 때 내부에 빈 공간이 많은 육각형 구조를 이루어 부피가 늘어난다.

Step 2 보기 분석하기

① (나)에서 물이 응고하여 얼음이 되며, (가)에서 이러한 변화는 0 ℃에서 일어난다는 것을 알 수 있다.
② 0 ℃ 얼음 1 g의 부피는 1.0905 mL이므로 1 mL보다 크다.

③ 물 1 g의 부피는 4 ℃에서가 0 ℃에서보다 작다.
④ 얼음이 융해하여 물이 될 때는 육각형 구조를 이루고 있
던 결합이 끊어지면서 빈 공간이 좁아지므로 부피가 줄어
든다. 하지만 물질의 질량은 일정하다.
⑤ 물이 얼어 얼음이 될 때는 물 입자들이 육각형 모양을
이루어 규칙적으로 배열되면서 내부에 빈 공간이 많은 구
조를 이루어 부피가 늘어난다. 페트병에 물을 가득 넣고
뚜껑을 닫아 얼리면 페트병이 팽팽하게 부푸는 것도 물이
얼면서 부피가 늘어나기 때문에 나타나는 현상이다.

5 단계별 문제 해결

Step 1 자료 분석하기

제시된 그림 (가)는 이산화 탄소의 상평형 그림을 나타낸
것이고, (나)는 물의 상평형 그림을 나타낸 것이다.

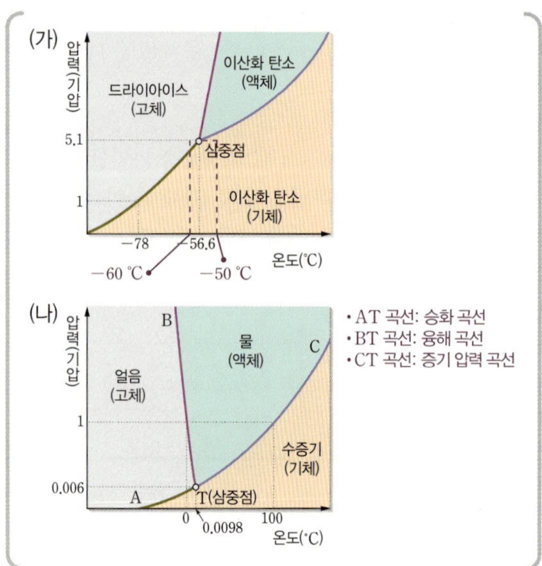

◆ 상평형 그림은 온도와 압력에 따른 물질의 상태를 나타
낸 그림이다.
◆ 상평형 그림에서 주어진 압력과 온도가 만나는 지점을
찾으면 물질이 어떤 상태로 존재하는지 알 수 있다. 예를
들어 이산화 탄소의 상평형 그림인 (가)를 보면 1 기압,
−78 ℃에서 고체와 기체가 함께 존재하고, 삼중점인
5.1 기압, −56.6 ℃에서는 고체, 액체, 기체의 세 가지
상태가 함께 존재한다.

Step 2 보기 분석하기

⑴ 이산화 탄소의 상평형 그림인 (가)를 보면 5.1 기압,
−60 ℃에서 이산화 탄소는 고체 상태로 존재하고, 같은
압력에서 온도가 −50 ℃로 높아지면 이산화 탄소는 기체
상태로 존재한다.

⑵ ㄱ. 물의 상평형 그림인 (나)를 보면 1 기압, 0 ℃에서
물은 고체와 액체가 함께 존재하고, 같은 온도에서 압력이
1.1 기압으로 높아지면 물은 액체 상태로 존재한다.
ㄴ. 삼중점인 T점에서는 고체, 액체, 기체의 세 가지 상태
가 함께 존재한다.
ㄷ, ㄹ. 물에 가하는 압력이 커지면 더 높은 온도에서 끓기
시작하고, 얼음에 가하는 압력이 커지면 더 낮은 온도에서
녹기 시작한다.

⑶ (나)의 AT 곡선은 얼음과 수증기가 함께 존재하여 평형
을 이루는 승화 곡선이고, BT 곡선은 얼음과 물이 함께 존
재하여 평형을 이루는 융해 곡선이다. CT 곡선은 물과 수
증기가 함께 존재하여 평형을 이루는 증기 압력 곡선이다.
① 겨울철에 수도관이 얼어서 터지는 것은 물이 응고하여
얼음이 될 때 부피가 늘어나기 때문이다.
② 겨울철 유리창에 성에가 생기는 것은 공기 중의 수증기
가 고체인 얼음으로 승화하기 때문이다.
③ 얼음판에서 스케이트를 탈 수 있는 것은 BT 곡선으로
설명할 수 있다. 스케이트 날이 얼음을 누르는 압력으로
인해 얼음이 더 낮은 온도에서 녹기 시작하므로, 스케이트
날이 닿은 부분의 얼음이 녹아 스케이트가 잘 미끄러진다.
④ 압력솥으로 밥을 하면 쌀이 빨리 익는 현상은 CT 곡선
으로 설명할 수 있다. 압력솥에서는 내부의 압력이 대기압
보다 커져 물이 100 ℃보다 높은 온도에서 끓기 시작하므
로 쌀이 빨리 익는다.
⑤ 라면 스프나 인스턴트커피와 같은 동결 건조 식품을
만드는 방법은 AT 곡선으로 설명할 수 있다. 동결 건조
는 식품의 온도를 급격하게 낮추어 얼린 다음, 압력을 낮
추어 식품에 포함된 얼음을 승화시켜 식품을 건조하는 방
법이다.

도움이 되는 배경 지식 ▷ 상평형 그림
온도와 압력에 따른 물질의 상태를 나타낸 그림을 상평형 그림이라
고 한다. 상평형 그림은 고체와 액체가 함께 존재하는 점을 연결한
융해 곡선, 고체와 기체가 함께 존재하는 점을 연결한 승화 곡선,
액체와 기체가 함께 존재하는 점을 연결한 증기 압력 곡선으로 이
루어져 있다. 이때 고체, 액체, 기체의 세 가지 상이 함께 존재하는
온도와 압력의 조건을 삼중점이라고 한다.

6 단계별 문제 해결

Step 1 자료 분석하기

제시된 그림 (가)는 드라이아이스를 물에 넣었을 때 물속에
서 기포가 발생하고 비커 주변에 흰 연기가 생긴 모습을 나
타낸 것이고, (나)는 물질의 상태 변화를 입자 모형으로 나
타낸 것이다.

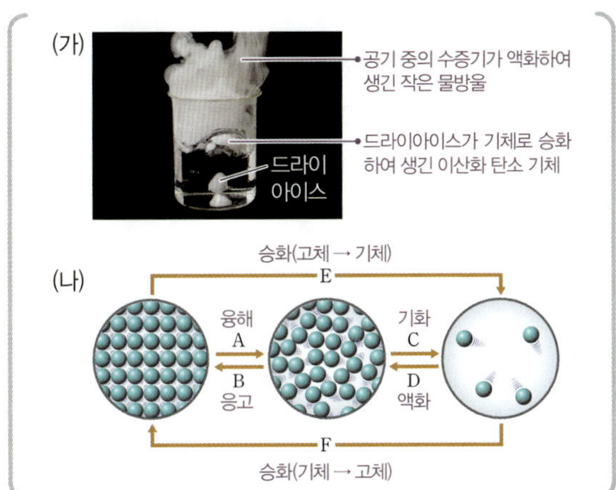

◆ 승화성 물질인 드라이아이스를 물에 넣으면 물속에서 기체로 변하는 승화가 일어난다. 따라서 물속에서 발생한 기포는 이산화 탄소 기체이다. 또한, 드라이아이스가 승화할 때는 주변의 온도가 낮아지는데, 이때 비커 주변에서 공기 중의 수증기가 액화하면서 작은 물방울이 생성되어 흰 연기처럼 보인다.

◆ 상태 변화를 나타낸 그림에서 A는 융해, B는 응고, C는 기화, D는 액화, E는 승화(고체 → 기체), F는 승화(기체 → 고체)이다.

Step 2 보기 분석하기

ㄱ. (가)에서 물속에 기포가 발생할 때 드라이아이스가 기체로 승화하면서 열에너지를 흡수하므로 주변의 온도가 낮아진다.

ㄴ. (가)에서 비커 주변에 생긴 흰 연기는 공기 중의 수증기가 액화하여 물방울이 생긴 것으로, (나)에서 액화에 해당하는 D 과정과 관련이 있다.

ㄷ. (가)에서 물속의 기포는 이산화 탄소 기체이고, 비커 주변의 흰 연기는 물방울이므로 서로 다른 종류의 입자로 구성된 물질이다.

7 단계별 문제 해결

Step 1 자료 분석하기

제시된 그림은 질량이 같은 두 액체 A와 B를 같은 조건으로 가열할 때 시간에 따른 온도 변화를 나타낸 것이다.

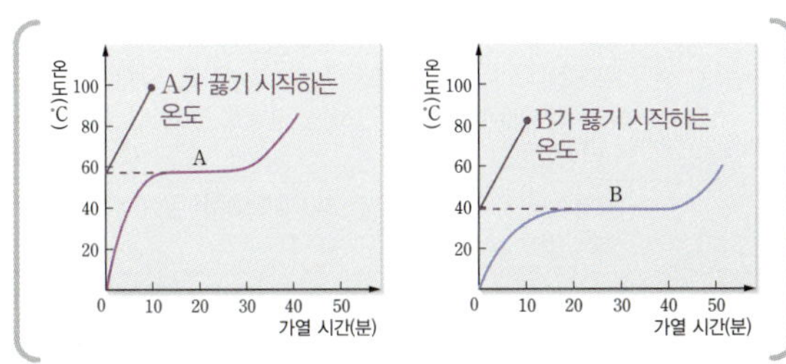

◆ 액체가 끓기 시작하는 온도는 A가 B보다 높다.

◆ 액체가 끓는 동안 흡수한 열에너지가 입자의 배열을 변화시켜 액체에서 기체로 상태 변화 하는 데 사용되므로 온도가 일정하게 유지된다.

◆ 온도가 일정하게 유지되는 구간의 길이는 B가 A보다 길다.

Step 2 보기 분석하기

ㄱ. 같은 물질인 경우 액체가 끓기 시작하는 온도는 같다. 액체가 끓기 시작하는 온도는 A와 B가 서로 다르므로, A와 B는 서로 다른 종류의 액체이다.

ㄴ. 액체가 끓는 동안에는 기화열을 흡수하므로 온도가 일정하게 유지된다. 온도가 일정하게 유지되는 구간이 길수록 액체가 기화하는 데 더 많은 기화열이 필요하다는 것을 뜻한다. 주어진 그림에서 온도가 일정하게 유지되는 구간의 길이는 B가 A보다 길게 나타나므로, B가 A보다 기화열이 크다는 것을 알 수 있다.

ㄷ. 입자 사이의 인력이 강할수록 액체가 끓기 시작하는 온도가 높다. 따라서 끓기 시작하는 온도가 높은 A가 B보다 입자 사이의 인력이 강하다.

ㄹ. 50 ℃에서 A는 끓기 전이므로 액체 상태이고, B는 끓고 난 후이므로 기체 상태이다.

과학 역량을 기르는 **논술형** 문제    1권 175쪽~177쪽

1 「문제 해결 가이드」 물질을 구성하는 입자는 스스로 운동한다는 사실에 근거하여 설명한다.

▶ 모든 물질은 매우 작은 입자로 이루어져 있다는 점 ≫ 물질을 구성하는 입자는 스스로 운동한다는 점 ≫≫ 입자의 운동으로 증발과 확산이 일어난다는 점을 설명한다.

모범답안 유해 물질을 구성하는 입자가 스스로 운동하여 기체로 변하는 현상은 증발이다. 그리고 유해한 기체 입자가 스스로 운동하여 공기 중으로 퍼져 나가는 현상은 확산이다.

채점 기준	배점
유해 물질이 기체로 변하는 현상과 유해한 기체가 공기 중으로 퍼져 나가는 현상을 입자의 운동과 관련지어 모두 옳게 설명한 경우	100 %
유해 물질이 기체로 변하는 현상과 유해한 기체가 공기 중으로 퍼져 나가는 현상 중 한 가지만 입자의 운동과 관련지어 옳게 설명한 경우	50 %

2 〔**문제 해결 가이드**〕 종이 냄비가 타지 않는 까닭은 종이 냄비의 온도가 발화점(물질이 타기 시작하는 온도) 이상으로 높아지지 않기 때문인데, 그 까닭을 상태 변화 및 열에너지와 관련지어 설명한다.

(1) ▶ 종이 냄비 안의 물이 끓는 동안에는 온도가 일정하게 유지된다는 점 ▶▶ 물이 끓는 동안 물이 수증기로 기화하면서 열에너지를 흡수한다는 점 ▶▶▶ 종이 냄비의 온도가 높아지지 않으므로 종이 냄비가 타지 않는다는 점을 설명한다.

(2) ▶ 종이 냄비가 열에너지를 흡수하여 온도가 높아진다는 점 ▶▶ 종이 냄비의 온도가 발화점 이상으로 높아지면 불이 붙는다는 점을 설명한다.

〔**모범 답안**〕 (1) 종이 냄비 안의 물이 끓는 동안에는 물의 온도가 높아지지 않고 일정하게 유지되는데, 그 까닭은 물이 기화하면서 열에너지(기화열)를 흡수하기 때문이다. 따라서 종이 냄비의 온도는 높아지지 않으므로 물이 끓어도 종이 냄비는 타지 않는다.

(2) 종이 냄비가 열에너지를 흡수하여 온도가 높아지므로 발화점 이상의 온도에 도달하면 종이 냄비에 불이 붙을 것이다.

	채점 기준	배점
(1)	물이 끓는 동안 온도가 일정하다는 것과 그 까닭을 상태 변화와 열에너지를 모두 언급하여 옳게 설명한 경우	60 %
	물이 끓는 동안 온도가 일정하다는 것을 설명하였으나, 그 까닭을 상태 변화와 열에너지 중 한 가지만 언급하여 설명한 경우	30 %
(2)	종이 냄비의 온도가 높아져 불이 붙게 된다는 것을 옳게 설명한 경우	40 %
	종이 냄비에 불이 붙을 것이라고만 설명한 경우	20 %

3 〔**문제 해결 가이드**〕 동결 건조 과정에서 물의 응고와 얼음의 승화를 이용한다는 것과 영구 동토층이 감소하는 것은 얼음의 융해와 관련 있다는 것을 설명한다.

(1) ▶ 동결 건조 과정에서 온도를 낮추어 물을 얼음으로 응고시킨다는 점 ▶▶ 압력을 낮추어 얼음을 수증기로 승화시킨다는 점을 설명한다.

(2) ▶ 영구 동토층의 온도가 높아지면 얼음이 물로 융해된다는 점 ▶▶ 얼음은 입자의 운동이 매우 둔하므로 온실 기체를 가둘 수 있다는 점 ▶▶▶ 물은 입자의 운동이 비교적 활발하므로 온실 기체를 가두지 못한다는 점을 설명한다.

(1) 동결 건조 방법에서는 물을 얼려서 얼음으로 만든 뒤 이를 승화시켜 수분을 제거하는 건조 방식을 사용한다.

(2) 영구 동토층이 감소하는 까닭은 온도가 높아지기 때문이고, 영구 동토층이 많은 양의 온실 기체를 품고 있는 까닭은 입자의 운동이 매우 둔한 상태이기 때문이다.

〔**모범 답안**〕 (1) 동결 건조 과정에서는 식품의 온도를 0 ℃ 이하로 낮추어 물을 얼음으로 응고시킨 다음, 압력을 0.006 기압 이하로 낮추어 얼음을 수증기로 승화시켜 식품의 수분을 제거한다.

(2) 온도가 높아지면 영구 동토층에 포함된 얼음이 융해하므로 영구 동토층이 감소한다. 영구 동토층의 얼음은 입자의 운동이 매우 둔하므로 온실 기체를 입자 사이에 가두어 놓을 수 있다. 하지만 온도가 높아져 영구 동토층의 얼음이 물로 융해하면 입자의 운동이 비교적 활발해지므로 온실 기체를 가두지 못해 온실 기체가 대기 중으로 빠져나올 수 있다.

	채점 기준	배점
(1)	(가)에서 식품의 수분을 제거하는 방법을 물의 응고와 얼음의 승화를 모두 포함하여 옳게 설명한 경우	50 %
	(가)에서 식품의 수분을 제거하는 방법을 얼음의 승화만 포함하여 옳게 설명한 경우	20 %
(2)	(나)에서 밑줄 친 현상이 일어나는 까닭을 상태 변화 및 입자의 운동 변화와 관련지어 옳게 설명한 경우	50 %
	(나)에서 밑줄 친 현상이 일어나는 까닭을 상태 변화 및 입자의 운동 변화 중 한 가지만 포함하여 옳게 설명한 경우	20 %

4 〔**문제 해결 가이드**〕 물질의 상태 변화가 일어날 때 열에너지가 출입한다는 사실에 근거하여 설명한다.

(1) ▶ (가)와 (다)에서는 물이 기화할 때 열에너지를 흡수한다는 점 ▶▶ (나)에서는 수증기가 액화할 때 열에너지를 방출한다는 점 ▶▶▶ (라)에서는 물이 응고할 때 열에너지를 방출한다는 점을 설명한다.

(2) ▶ 상태 변화가 일어날 때 입자의 배열이 달라진다는 점 ▶▶ 상태 변화가 일어날 때 물질이 열에너지를 흡수하거나 방출하는 등 열에너지의 출입이 이루어진다는 점 ▶▶▶ 물질의 상태에 따라 물질이 가지는 열에너지가 달라진다는 점을 설명한다.

〔**모범 답안**〕 (1) (가)와 (다)에서는 상태 변화가 일어날 때 주변에서 열에너지를 흡수하고, (나)와 (라)에서는 상태 변화가 일어날 때 주변으로 열에너지를 방출한다.

(2) 상태 변화가 일어날 때 물질을 구성하는 입자의 배열이 달라지고, 열에너지가 출입하여 물질이 가지는 열에너지가 달라진다는 공통점이 있다.

	채점 기준	배점
(1)	주어진 사례를 열에너지를 흡수하는 경우와 열에너지를 방출하는 경우로 모두 옳게 분류하여 설명한 경우	50 %
	주어진 사례 중 세 가지만 열에너지를 흡수하는 경우와 열에너지를 방출하는 경우로 옳게 분류하여 설명한 경우	30 %
(2)	공통점을 주어진 용어를 모두 이용하여 옳게 설명한 경우	50 %
	공통점을 주어진 용어 중 두 가지만 이용하여 옳게 설명한 경우	30 %

01 ③	**02** ③	**03** ⑤	**04** ③	**05** 가설
06 ②	**07** ⑤	**08** ⑤	**09** ④	**10** 미래 세대가 함께
누리는 깨끗한 환경	**11** ③	**12** 해설 참조		
13 해설 참조		**14** 해설 참조		**15** 해설 참조

01 과학 탐구는 문제 인식 및 가설 설정으로 시작되며, 그 후 탐구 설계 및 수행, 자료 수집·분석 및 해석을 거쳐 마지막으로 결론 도출 및 일반화의 단계로 진행된다.

02 ① ㉠은 탐구 문제에 대한 잠정적인 결론이므로 가설에 해당한다.
② ㉡은 실험에서 일정하게 유지하는 조건이다. 이 실험에서는 물의 온도를 제외하고는 모두 일정하게 유지해야 하므로 '물의 양'은 ㉡에 알맞은 조건이다.
③ ㉢은 실험에서 다르게 해야 하는 조건이므로 '물의 온도'가 알맞다.
④ ㉣은 실험 결과를 기록하는 것이므로 자료 수집에 해당한다.
⑤ 이 실험에서 의도적으로 변화시켜야 할 조작 변인은 물의 온도이다.

03 탐구 계획서에는 탐구 문제가 들어가고, 탐구 문제를 해결하기 위한 가설과 가설을 검증하기 위한 실험 과정이 포함되어야 한다. 이때 실험과 관련하여 실험 준비물과 탐구 기간, 탐구 장소, 주의 사항 등이 포함된다. 실험 결과를 정리한 표는 실험을 진행한 이후에 만들어지는 자료이므로 탐구 계획 단계에는 포함되지 않는다.

04 ㄱ. 탐구 문제에는 탐구를 통해 해결할 내용이 분명히 드러나야 하므로 궁금한 점이 분명하게 드러나야 한다.
ㄴ. 탐구 문제는 스스로 탐구 수행이 가능한 문제라야 하므로 실험을 통해 의문점을 확인할 수 있어야 한다.
ㄷ. 탐구는 구체적이고 범위가 좁을수록 진행하기가 쉽다. 관련된 의문들을 모두 한꺼번에 해결하려고 하면 오히려 탐구를 진행하기 어려워진다.

05 가설은 탐구 문제에 대한 잠정적인 해답으로 가설을 설정한 후에 실험 계획을 세워 가설을 검증한다. 가설이 실험 결과와 일치하지 않으면 가설을 수정하고 다시 탐구를 수행한다.

06 ① 인류 문명의 발전 과정에서 축적된 과학 개념이나 원리는 수학, 공학, 예술 등 과학 이외의 다른 여러 분야에도 다양하게 적용되어 왔다.
② 지동설의 확립이 사고의 다양성을 가져온 것처럼 과학의 발전은 물질적인 부분뿐만 아니라 인류의 사고 방식에도 변화를 일으켰다.
③ 문자의 사용으로 인류는 지식을 축적하고 전수할 수 있게 되었기 때문에 인류 문명의 발전 속도는 더 빨라졌다.
④ 도구를 사용하기 위해서는 새로운 사고가 필요하기 때문에 도구의 사용으로 두뇌 사용 기회가 더욱 증가하였다.
⑤ 인류 문명의 발달 과정에서 과학과 기술은 상호 보완적으로 서로 영향을 주면서 함께 발전하였다.

07 ㄱ. 인체 해부학은 미술과 관련하여 발달하였으며, 의학 발달에 영향을 주었다.
ㄴ. 수학은 과학 원리를 이해하거나 표현하는 데 이용되며, 그 과정에서 수학도 발전하게 되므로 과학과 수학은 서로 도움을 주고받는 학문 분야이다.
ㄷ. 불꽃놀이는 금속 원소마다 다른 색의 빛을 내면서 연소하는 불꽃 반응 원리를 이용한 것이다.

08 ㄱ. 백신은 질병에 대한 면역력을 높이는 방법으로, 전염병을 예방하는 데 도움을 주었다.
ㄴ. X선의 발견으로 인체의 내부를 절개하지 않고 들여다볼 수 있게 되어 의학이 크게 발전하였다.
ㄷ. 인터넷은 컴퓨터를 서로 연결시켜 멀리 떨어져 있는 상대와도 사진, 문자, 영상 등 정보를 주고받을 수 있게 해 주었다.
ㄹ. 철을 제련하는 기술이 발달하여 기계, 자동차, 배, 건축 등 우리 생활의 다양한 분야에 철을 이용할 수 있게 되었다.

09 첨단 과학기술 중 생명공학은 농업 생산성을 증가시키고, 인간의 수명을 늘리는 데 기여할 것이다. 또 질병 진단, 치료, 약물 개발에 이용되어 더 정확하고 빠른 진단과 치료가 가능해질 것이다. 그러나 생명공학의 발전과 함께 유전자조작에 따른 생명윤리 문제가 발생할 수 있다.
④ 우주 자원의 불균등한 이용 문제는 첨단 과학기술 중 우주항공 기술의 발전으로 생길 수 있는 문제이다.

10 지속가능발전을 위한 17개 목표 중 [목표 6] 건강하고 안전한 물 관리, [목표 7] 에너지의 친환경적 생산과 소비, [목표 13] 기후 변화와 대응, [목표 14] 해양 생태계 보전 등은 국가 지속가능발전 전략 중 환경 전략인 미래 세대가 함께 누리는 깨끗한 환경 전략에 해당한다.

11 ㄱ. 과학기술은 친환경 에너지 개발, 신소재 개발 등 다양한 문제에 대안을 제시할 수 있다.

ㄴ. 과학기술은 환경 문제나 자원 고갈 등의 문제에 해법을 제시할 수 있으므로 인류가 지속가능한 삶을 유지하는 데 중요한 역할을 한다.

ㄷ. 과학기술은 인류 문명 발달 과정에서 나타난 문제를 해결하는 역할을 할 수 있다.

12 탐구 문제는 가능한 한 탐구 범위가 좁고 구체적이어야 하며, 스스로 탐구가 가능해야 하고, 탐구할 내용이 분명히 드러나야 한다.

모범답안 (가)는 종이비행기가 잘 나는 것의 기준이 정해져 있지 않아서 탐구 문제가 구체적이지 않으며, (나)는 스스로 탐구 수행이 가능하지 않다.

채점 기준	배점
(가), (나) 모두 탐구 문제로서 바람직하지 않은 점을 옳게 설명한 경우	100 %
(가), (나) 중 하나에 대해서만 탐구 문제로서 바람직하지 않은 점을 옳게 설명한 경우	50 %

13 우주 탐사나 수술에 첨단 로봇을 이용하는 것은 로봇공학의 발전으로 다가올 미래 사회의 변화에 해당한다. 자율주행 자동차가 스스로 길을 안내하는 것은 인공지능의 발전 때문이다. 우주항공 기술의 발달로 글로벌 인터넷 연결에 위성을 이용하게 된다.

모범답안 (가)는 사람의 역할을 대신할 첨단 로봇 개발과 관련된 것이므로 로봇공학과 관련이 있다. 자율주행 자동차가 스스로 길을 안내하는 것은 인공지능과 관련된 기술이므로 (나)는 인공지능과 관련이 있다. 인공위성은 우주항공과 관련된 기술이므로 (다)는 우주항공과 관련이 있다.

채점 기준	배점
(가), (나), (다) 세 가지 모두 옳게 설명한 경우	100 %
(가), (나), (다) 중 두 가지만 옳게 설명한 경우	60 %
(가), (나), (다) 중 한 가지만 옳게 설명한 경우	30 %

14 지속가능발전은 현재 세대가 발전하면서도 미래 세대가 이용할 환경과 자연을 훼손하지 않는 것으로, 지속가능한 삶을 위한 것이다.

모범답안 현재 세대가 발전하면서도 미래 세대가 이용할 환경과 자연을 훼손하지 않는 발전이다.

채점 기준	배점
지속가능발전의 개념을 옳게 설명한 경우	100 %
지속가능발전의 개념을 설명하였으나 설명이 다소 부족한 경우	50 %

15 지속가능한 삶을 위해서는 환경을 보호하고 자원을 낭비하지 않아야 하며, 개인의 실천 방안으로는 쓰레기 줄이기, 에너지 절약하기, 나무 심기 등이 있다.

모범답안 (가) 음식물 쓰레기 줄이기, 장바구니 이용하기, 분리배출하기 등, (나) 자전거 이용하기, 대중교통 이용하기, 에너지 절약하기, 나무 심기 등

채점 기준	배점
(가), (나)에 해당하는 실천 사항을 각각 한 가지 이상 옳게 제시한 경우	100 %
(가), (나) 중 한 가지에 대해서만 실천 사항 중 한 가지 이상을 옳게 제시한 경우	50 %

Ⅱ. 생물의 구성과 다양성

1권 205쪽~210쪽

01 ⑤	**02** ④	**03** ②	**04** ③	**05** ④	**06** ④
07 ⑤	**08** ③	**09** ④	**10** ②	**11** ②	**12** ⑤
13 ④	**14** ③	**15** ①	**16** ②	**17** ⑤	**18** ③
19 ②	**20** ⑤	**21** ⑤	**22** 해설 참조		
23 해설 참조		**24** 해설 참조		**25** 해설 참조	

01 ㄱ. (가)는 핵, (나)는 마이토콘드리아이다.

ㄴ. 핵에는 유전물질인 DNA가 들어 있다.

ㄷ. 마이토콘드리아에서는 영양분이 분해되어 에너지가 생성된다.

02 자료 VIEW

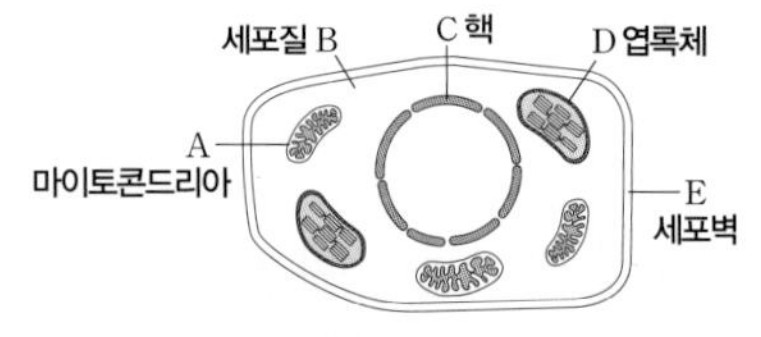

① 마이토콘드리아는 식물 세포와 동물 세포에 모두 있으며, 동물 세포에 없는 것은 엽록체와 세포벽이다.

② 세포질에는 여러 가지 세포소기관이 들어 있어 다양한 생명활동이 일어난다.

③ 핵은 핵막에 싸여 있어 세포질과 구분된다.

④ 엽록체에서는 광합성이 일어난다.

⑤ 세포의 안쪽을 채우는 것은 세포질이다.

03 동물 세포와 식물 세포에는 모두 핵이 있고, 엽록체는 식물 세포에만 있다. 따라서 ㉠은 동물 세포, ㉡은 식물 세포

이고, A는 엽록체, B는 핵이다. 동물 세포에는 세포벽이 없으며, 마이토콘드리아는 식물 세포와 동물 세포에 모두 있다. 핵은 생명활동을 조절한다.

04 동물 몸의 구성 단계는 세포 → 조직 → 기관 → 기관계 → 개체 순이다.

05 A는 소화계, B는 호흡계, C는 순환계, D는 배설계이다. 폐는 호흡계에 속하고 콩팥은 배설계에 속한다.

06 ㄱ. (가)는 모양과 기능이 비슷한 세포가 모인 조직이다.
ㄴ. (나)는 조직이 모인 기관이다. 큰창자는 기관에 해당한다.
ㄷ. (다)는 연관된 기능을 수행하는 기관이 모인 기관계이다. 식물 몸의 구성 단계에는 기관계가 없다.

07 ㄱ. (가)는 근육조직, (나)는 신경조직, (다)는 상피조직이다.
ㄴ. 신경조직은 온몸 구석구석에 뻗어 있어 신호를 전달한다.
ㄷ. 상피조직은 피부와 내장 기관의 안쪽 표면을 덮고 있어 몸을 보호하고 물질의 출입을 조절한다.

08 자료 VIEW

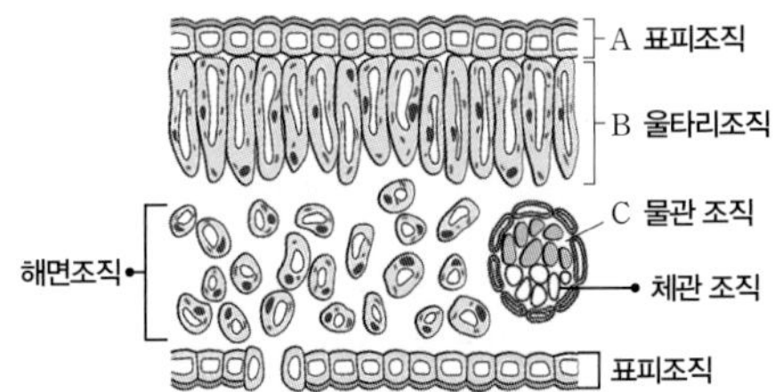

잎의 위쪽에는 울타리조직이 촘촘하게 배열하여 광합성이 활발하게 일어나고, 아래쪽에는 해면조직이 듬성듬성 배열하여 공기가 잘 통한다.

ㄱ. A는 표피조직, B는 울타리조직, C는 물관 조직이다.
ㄴ. A~C는 모두 영구 조직에 해당한다. 식물의 분열조직에는 성장점과 형성층이 있다.
ㄷ. 뿌리로 흡수한 물은 물관 조직을 통해 잎에 공급된다. 물관 조직과 체관 조직이 관다발조직계를 구성한다.

09 ㄱ. 동물의 위인 (가)는 소화계에 속한다.
ㄴ. 식물의 잎인 (나)에는 표피조직, 해면조직, 울타리조직, 물관 조직, 체관 조직 등이 있다.
ㄷ. 동물의 위와 식물의 잎은 모두 기관에 해당한다. 동물의 기관에는 위 외에도 심장, 콩팥 등이 있으며, 식물의 기관에는 잎 외에 뿌리, 줄기 등이 있다.

10 같은 종류의 생물이라도 색, 크기, 모양 등의 특징이 개체마다 다르게 나타나는 것은 유전적 다양성 때문이다. 한

지역에 다양한 종의 생물이 살고 있는 것은 종다양성이 높은 것이다.

11 ㄱ. A의 개체수는 (가)에서 2, (나)에서 3이다.
ㄴ. 식물종의 수는 (가)에서 3, (나)에서 4이다.
ㄷ. 식물의 종다양성은 종의 수가 많고 각 종의 개체수가 고른 (나)에서가 (가)에서보다 높다.

12 같은 생물종에서도 서로 다른 특징이 나타나는 것을 변이라고 하며, 변이는 유전정보에 의해 나타난다. 돌연변이나 유성생식은 변이가 나타나게 하는 원인이며, 변이는 생존과 번식에 영향을 미친다.
⑤ 변이가 다양할수록 환경 변화에 적응하는 개체가 있을 가능성이 높아 멸종할 확률이 낮다.

13 선인장이 풍부한 큰 섬에서 부리 모양이 가늘고 긴 새의 비율이 증가하였고, 씨앗이 풍부한 작은 섬에서는 부리 모양이 굵고 짧은 새의 비율이 증가하였으므로 굵고 짧은 부리는 선인장보다 씨앗을 먹는 데 적합하다.

14 생물의 분류체계는 하위 단위부터 상위 단위까지 종<속<과<목<강<문<계 순이다.

15 식용 여부로 분류하는 것은 인위 분류이다. 생물을 분류할 때는 겉모습뿐 아니라 속 구조나 발생 과정 등 다양한 특징을 고려하여 분류한다.

16 (가)는 원핵생물계에 속하는 폐렴균, (나)는 원생생물계에 속하는 유글레나, (다)는 동물계에 속하는 개구리이다. 핵막은 (나)와 (다)에는 있고, (가)에는 없다. (가)와 (나)는 단세포생물이고, (다)는 다세포생물이다.

17 A는 원핵생물계, B는 원생생물계로, 대장균과 아메바는 단세포생물이다. C는 식물계로, C의 생물은 광합성을 하여 영양분을 얻는다. D는 균계로, D의 생물은 대부분 몸이 균사로 이루어져 있으며 광합성을 하지 않는다. E는 동물계로, E의 생물은 몸이 균사로 이루어져 있지 않다. (나)와 참나무는 같은 계에 속하고, (나)와 송이버섯은 다른 계에 속하므로 (나)와 참나무의 유연관계는 (나)와 송이버섯의 유연관계보다 가깝다.

18 ① 장미는 식물계에 속하므로 ㉠은 식물계이다.
② 표범속에 속하는 호랑이가 고양이과에 속하고, 사자도 표범속에 속하므로 사자도 고양이과에 속한다. 따라서 ㉡은 고양이과이다.
③ 장미속에 속하는 장미는 장미과에 속하므로 콩과에 속하는 토끼풀은 장미속에 속하지 않는다. 따라서 ㉢은 장미속이 아니다.

④ 식물계의 생물은 세포에 엽록체가 있다.

⑤ 식물계와 동물계의 생물은 모두 진핵생물이므로 세포에 핵막이 있다.

19 (가)는 먹이 관계가 단순하고 (나)는 생물종이 (가)보다 다양하여 먹이 관계가 복잡하다. 먹이 관계가 복잡할수록 안정성이 높은 생태계이며, 생태계평형이 유지되기 쉽다. 예를 들어, (가)에서 메뚜기가 사라지면 개구리와 뱀은 먹이가 없어 함께 사라지게 되지만, (나)에서는 메뚜기와 개구리가 사라져도 뱀이 토끼와 들쥐를 먹을 수 있어 뱀은 사라지지 않고 생태계가 유지될 수 있다. 유전적 다양성은 한 종의 생물 사이에 나타나는 변이의 다양성과 관련이 있고, 그림 (가)와 (나)는 종다양성의 차이를 나타낸다.

20 우렁쉥이는 동물계에, 맹그로브는 식물계에 속한다. 엽록체는 동물계에 속하는 생물에는 없고, 식물계에 속하는 생물에는 있다. 먹이인 플랑크톤의 개체수가 증가하면 이를 먹는 카리브해 우렁쉥이의 개체수는 증가한다. 항암 치료에 사용되는 트라벡테딘은 우렁쉥이로부터 추출한 것이므로 우렁쉥이는 생물자원에 해당한다.

21 ㄱ. 대부분의 외래종은 천적이 없어 빠르게 번식하고 토종 생물의 생존을 위협하므로 외래종 도입은 신중하게 최소화해야 한다.

ㄴ. 생물다양성협약은 지속가능한 방법으로 생물자원을 사용하고 그 이익을 공유할 목적으로 세계 168개국이 맺은 협약이다. 이는 생물다양성보전을 위한 국제적인 노력에 해당한다.

ㄷ. 생태통로는 단편화된 서식지에서 생물의 이동을 가능하게 하므로 생태통로는 생물다양성보전을 위한 노력에 해당한다.

22 (나)의 구성 단계에 조직계가 있으므로 (나)는 식물이고, (가)는 동물이다. 따라서 (가)는 생쥐이고 (나)는 장미이다. 기관이 모여서 형성되는 A는 기관계이고, 세포가 모여서 형성되는 B는 조직이다.

모범 답안 (1) (가) 생쥐, (나) 장미, A: 기관계, B: 조직

(2) 기관계는 비슷한 기능을 하는 여러 기관들을 통틀어 일컫는 말이다. 조직은 모양과 기능이 비슷한 세포들의 모임이다.

	채점 기준	배점
(1)	(가), (나), A, B를 모두 옳게 쓴 경우	40 %
	(가), (나), A, B 중 일부만 옳게 쓴 경우	각 10 %
(2)	A, B의 특징을 모두 옳게 설명한 경우	60 %
	A, B의 특징 중 한 가지만 옳게 설명한 경우	30 %

23 토끼는 동물계에 속하고, 토끼풀은 식물계에 속한다. 세포에 엽록체가 있는 토끼풀은 광합성을 하여 영양분을 얻고, 세포에 엽록체가 없는 토끼는 토끼풀을 섭취하여 영양분을 얻는다. 토끼 몸의 구성 단계에는 조직계가 없고 기관계가 있지만 토끼풀 몸의 구성 단계에는 조직계가 있고 기관계가 없다.

모범 답안 토끼와 토끼풀은 모두 다세포생물이며, 기관이 발달하였다. 토끼와 토끼풀의 세포에는 공통적으로 핵, 마이토콘드리아, 세포막 등이 있다. 반면, 토끼의 세포에는 엽록체가 없지만 토끼풀의 세포에는 엽록체가 있다. 토끼는 먹이를 먹어서 영양분을 얻고, 토끼풀은 광합성을 하여 영양분을 얻는다.

채점 기준	배점
공통점 두 가지와 차이점 두 가지를 모두 옳게 설명한 경우	100 %
공통점과 차이점을 한 가지씩만 옳게 설명했거나 공통점 또는 차이점만 두 가지를 옳게 설명한 경우	50 %

24 X가 없는 환경에서 X가 있는 환경으로 환경이 바뀌면 바뀐 환경에 적응하는 특징이 있는 개체의 비율은 증가하고 바뀐 환경에 적응하는 특징이 없는 개체의 비율은 감소한다.

모범 답안 X를 사용하면 세균 집단에서 X에 내성이 있는 세균이 X에 내성이 없는 세균보다 생존할 확률이 높고 이로 인해 번식할 확률도 높다. 따라서 X에 내성이 없는 세균의 비율은 감소하고 X에 내성이 있는 세균의 비율은 증가하는 자연선택이 일어난다.

채점 기준	배점
X의 사용으로 환경이 바뀌고, 바뀐 환경 때문에 자연선택이 일어났음을 설명한 경우	100 %
X에 내성이 있는 세균이 X로 인해 죽지 않았다고만 설명한 경우	50 %

25 대부분의 외래종은 천적이 없어 빠르게 번식하고 이로 인해 토종 생물의 생존에 위협이 된다.

모범 답안 큰입배스와 가시박은 천적이 거의 없어 매우 빠르게 번식했다. 큰입배스는 기존에 우리나라에 서식하던 물고기를 많이 잡아먹어 토종 생물의 생존을 위협하고 있으며, 가시박은 하천 주변을 모두 뒤덮어 다른 식물의 서식지를 잠식하고 있다. 이와 같은 외래종의 유입과 대량 번식은 우리나라의 생물다양성이 감소하는 원인 중 하나이다.

채점 기준	배점
천적이 없어 빠르게 번식한 큰입배스와 가시박이 토종 생물의 생존을 위협하여 생물다양성이 감소한다고 설명한 경우	100 %
외래종의 영향을 설명하지 않고 외래종 때문에 생물다양성이 감소한다고 설명한 경우	50 %

Ⅲ. 열

01 ⑤	02 ①	03 ③	04 ④	05 ⑤	06 ③
07 ①	08 ③	09 ⑤	10 ④	11 ④	12 ②
13 ④	14 ④	15 ②	16 ②	17 ③	18 ③
19 ⑤	20 ③	21 ③	22 해설 참조		
23 해설 참조		24 해설 참조		25 해설 참조	

01 열이 이동하면 물체의 온도가 변한다. 열은 고온에서 저온으로 이동하며 온도가 높을수록 더 많은 열을 갖고 있다.
⑤ 온도가 낮을수록 물질을 이루는 입자의 운동이 둔하고, 온도가 높을수록 물질을 이루는 입자의 운동이 활발하다.

02 A에서 B로 열이 이동하면 A가 잃은 열이 B로 이동하므로, A의 온도는 내려가고 B의 온도는 올라간다.
ㄱ. 만약 그래프에서 A, B의 기울기가 다르다면 비열과 물질의 질량이 다르다. (나)의 그래프에서 A의 그래프만 있으므로 A의 질량이 B보다 큰지 작은지 알 수 없다.
ㄴ. 외부와의 열출입이 없으므로 A가 잃은 열에너지는 B가 얻은 열에너지와 같다.
ㄷ. 시간이 흐르면 열평형이 되므로 A, B의 온도가 같아진다.

03 ① 접촉으로 열이 전달되므로 전도이다.
② 열평형이 일어나 온도가 일정해진다.
③ 그래프의 기울기가 점점 완만해지므로 열의 이동은 느려진다.
④ 열이 A에서 B로 이동하므로 A의 온도가 높다.
⑤ 그래프의 기울기가 점점 완만해지므로 온도 변화가 줄어든다.

04 ㄱ. 전도는 물체를 이루는 입자의 운동이 이웃한 입자에 차례로 전달되어 열이 이동하는 방법이다.
ㄴ. 복사는 열이 빛의 형태로 전달되는 것으로, 입자가 직접 이동하는 것이 아니다.
ㄷ. 액체나 기체에서 밀도 차에 의해 열이 전달되는 것은 대류이다. 찬 공기는 무거워 내려오고 따뜻한 공기는 가벼워 올라가면서 대류가 일어나 열이 전달된다.

05 자료 VIEW

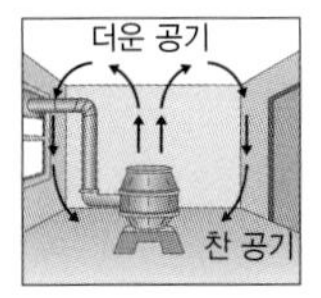

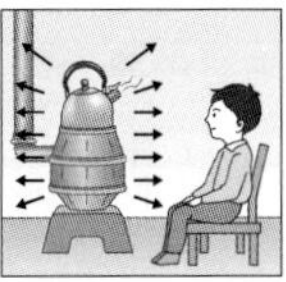

(가)는 대류, (나)는 복사, (다)는 전도에 의한 열전달을 나타낸 것이다.
ㄱ. 더운 공기가 위로 올라가고 찬 공기가 아래로 내려가면서 순환하므로 대류에 의해 열이 전달된다.
ㄴ. 태양에서 열은 복사에 의해 지구에 전달된다.
ㄷ. 나무나 플라스틱이 금속에 비해 열전도가 느리므로 나무나 플라스틱을 손잡이로 사용한다.

06 ① 숟가락이 뜨거워지는 것은 전도에 의한 현상이다. 물과 접촉한 숟가락으로 열이 전달된다.
② 손잡이로 직접 열이 전달되므로 전도에 의한 열전달이다. 냄비의 손잡이는 열의 전도를 막기 위해 나무나 플라스틱 등으로 만든다.
③ 열이 물질의 도움 없이 직접 전달되므로 복사이다.
④ 생선과 얼음이 접촉해 열이 전달되므로 전도이다.
⑤ 뜨거운 음식과 그릇이 접촉해 열이 전달되므로 전도이다.

07 ㄱ. 에어컨을 방의 위쪽에 설치하면 찬 바람이 아래로 내려오면서 실내 공기가 순환되어 방이 더 빨리 시원해진다. 즉, 대류를 이용한 것이다.
ㄴ. 사람에서 열이 복사되어 전달되므로 사람이 많은 곳에서는 온기가 느껴진다.
ㄷ. 컵에 얼음을 넣어 두면 얼음과 접촉한 컵의 온도가 내려가면서 물방울이 맺힌다.

08 ㄱ. 이웃한 입자에 열이 차례로 전달되므로 전도에 의한 열전달을 설명한 것이다.
ㄴ. 시간이 지나면 열이 A에서 B로 이동하여 B의 온도가 높아진다.
ㄷ. 전도는 입자가 직접 이동하는 것이 아니라 입자의 운동이 이웃한 입자에 전달되는 것이다.

09 ㄱ. 진공은 물질이 거의 없는 상태이므로 열이 전도될 입자가 없어 열의 전달을 막는다.
ㄴ. 마개는 공기가 직접 이동하는 대류를 막는다.
ㄷ. 은도금은 빛을 반사시켜 복사를 막는다.

10 비커에 담긴 물을 가열하면 아래쪽의 온도가 높아진 물이 위로 올라가고 상대적으로 온도가 낮은 위쪽의 물이 아래로 내려오면서 대류에 의해 열이 전달된다.
① 철봉을 만지면 손에서 철봉으로 열이 전도에 의해 전달된다.
② 모닥불에 가까이 가면 얼굴이 뜨거워지는 것은 열이 복사에 의해 전달되기 때문이다.
③ 휴대폰을 잡은 손이 뜨거워지는 것은 휴대폰에서 열이 전도에 의해 전달되기 때문이다.

④ 바닥을 가열했을 때 대류에 의해 바닥 근처의 따뜻해진 공기가 위로 올라가고 차가운 공기가 아래로 내려와 순환하면서 방 전체 공기가 덥혀진다.
⑤ 적외선을 이용해 온도를 측정하는 것은 열이 복사에 의해 전달되는 것을 이용한 것이다.

11 ㄱ. 두 물의 온도가 같아지는 8분 이후 두 물은 열평형 상태이다.
ㄴ. 외부와의 열출입이 없으므로 찬물이 얻은 열량과 뜨거운 물이 잃은 열량은 같다.
ㄷ. 그래프에서 뜨거운 물의 온도 변화가 찬물의 온도 변화보다 크다.

12 ㄱ. B는 온도가 올라가다가 일정해지므로 열평형 상태가 된다. 다시 말해 B의 입자 운동은 계속 활발해지지 않는다.
ㄴ. 그래프에서 처음 온도가 낮은 것은 B이다. 따라서 입자 운동이 둔한 것은 B이다.
ㄷ. 시간이 충분히 지나면 열평형 상태가 되므로 A와 B의 입자 운동의 활발한 정도가 비슷해진다.

13 자료 VIEW

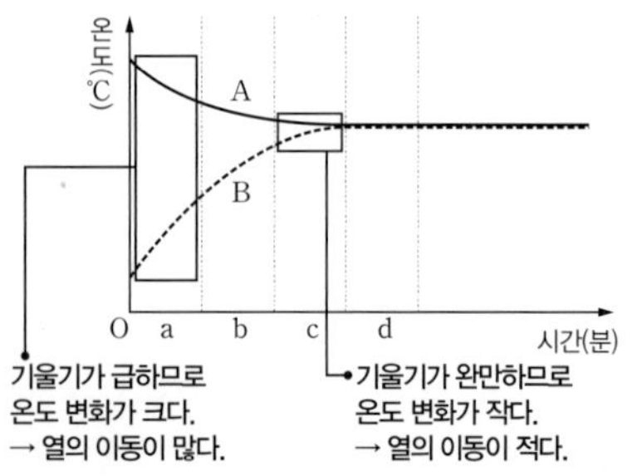

ㄱ. 질량이 같다면 온도 변화가 작은 A의 비열이 크다.
ㄴ. 그래프의 기울기가 큰 a 구간에서 열의 이동이 제일 많다.
ㄷ. 외부와의 열출입이 없다면 A가 잃은 열량은 B가 얻은 열량과 항상 같다.

14 ①, ② 비열은 물질의 특성으로 질량과 관계없다.
③ 물질의 비열은 물질 1 kg의 온도를 1 ℃ 올리는 데 필요한 열량으로, 열량, 질량, 온도 변화를 측정하여 구한다.
⑤ 같은 질량의 다른 물질에 같은 열량을 가하면 비열이 클수록 온도 변화가 작다.

15 ① 비열은 물질 1 kg의 온도를 1 ℃ 올리는 데 필요한 열량이다. 따라서 은은 비열이 0.06 kcal/(kg·℃)이므로 1 kg을 1 ℃ 올리는 데 0.06 kcal가 필요하다.
② 구리의 비열이 은보다 더 크므로 온도 변화는 구리가 은보다 더 작다.

③ 같은 질량, 같은 온도에서 같은 열량을 받으면 비열이 가장 작은 금의 온도 변화가 가장 크다.
④ 같은 질량, 같은 온도에서 같은 열량을 받으면 비열이 가장 큰 알루미늄의 온도가 가장 천천히 변한다.
⑤ 같은 열량을 받은 금과 은이 같은 온도에 도달했다면 비열이 절반인 금의 질량이 은의 질량의 2배가 될 것이다.

16 낮에는 육지가 빨리 데워져 육지 위 공기가 상승하여 바다에서 바람이 불고, 밤에는 바다가 천천히 식어 바다 위 공기가 상승하여 육지에서 바람이 불어온다.
① 바다의 비열이 육지보다 더 크다.
② 낮에는 해풍(바다에서 부는 바람)이 분다.
③ 낮에는 뜨거워진 육지의 공기가 상승한다.
④ 밤에는 바다보다 비열이 작은 육지가 더 빨리 식는다.
⑤ 낮에는 바다보다 비열이 작은 육지가 더 빨리 데워진다.

17 ㄱ. 식용유보다 온도 변화가 작은 물의 비열이 크다.
ㄴ. 그래프에서 물의 온도 변화가 식용유보다 더 작다.
ㄷ. 열량이 같고 질량이 같다면 비열과 온도 변화는 반비례한다. 따라서 비열이 크면 온도 변화가 작고, 비열이 작으면 온도 변화가 크다.

18 ㄱ. A보다 B의 온도 변화가 크므로, 온도 변화가 작은 A의 비열이 B보다 크다.
ㄴ. 비열은 온도 변화에 반비례한다. A의 온도 변화는 30 ℃−10 ℃=20 ℃이고, B의 온도 변화는 40 ℃−10 ℃=30 ℃이다. 따라서 온도 변화의 비가 2 : 3이므로 비열의 비 A : B=3 : 2이다.
ㄷ. A, B를 같은 가열 장치로 가열하였으므로 얻은 열량은 같다.

19 ㄱ. (가)의 틈새는 여름에는 다리가 팽창하므로 줄어들고 겨울에는 다리가 수축하므로 벌어진다.
ㄴ. (나)의 틈새는 여름에 열팽창으로 철로가 휘어지는 것을 막는다.
ㄷ. 두 경우 모두 물질의 열팽창을 고려하여 만든 것이다.

20 ㄱ. 바이메탈은 열팽창 정도가 다른 두 금속을 이용해 온도 조절 장치 등으로 이용된다.
ㄴ, ㄷ. 치아와 치아 충전재, 철근과 콘크리트는 모두 열팽창 정도가 비슷해 같이 팽창하고 수축해 부서지지 않는다.

21 ㄱ. 가열했을 때 A가 더 팽창해서 B쪽으로 휘어진다.
ㄴ. 가열하면 열팽창 정도가 작은 쪽으로 휘어진다.
ㄷ. 온도에 따라 열팽창 정도가 달라 온도 조절 장치로 이용하기도 한다.

22 (가)는 복사, (나)는 대류에 의한 열전달이다.

모범 답안 (가) 복사, 햇빛이 비추면 따뜻해진다. 그늘에 가면 시원해진다. 난로 주변에 있으면 따뜻하다. 모닥불에 손을 쬐면 따뜻하다. 등
(나) 대류, 냄비의 아랫부분을 가열하면 냄비 전체의 물이 따뜻해진다. 온돌방의 바닥만 가열하는데도 방 전체 공기가 따뜻해진다. 등

채점 기준		배점
(1)	복사를 쓰고, 복사의 예를 옳게 설명한 경우	50 %
(2)	대류를 쓰고, 대류의 예를 옳게 설명한 경우	50 %

23 오븐 그릴의 뜨거운 열이 전도로 손에 전달되지 못하도록 전도가 잘 되지 않는 고무 손잡이를 사용한다.

모범 답안 (1) 열이 오븐 그릴에서 손잡이로, 손잡이에서 손으로 이동한다.
(2) 뜨거운 오븐 그릴에서 열이 잘 전도되지 않도록 고무로 손잡이를 만들어 뜨거운 오븐 그릴을 잡을 수 있다.

채점 기준		배점
(1)	열의 이동 경로를 옳게 설명한 경우	50 %
(2)	고무는 열이 잘 전도되지 않는다는 내용을 언급하여 옳게 설명한 경우	50 %

24 해륙풍은 바다의 비열이 육지의 비열보다 커 생기는 현상이다.

모범 답안 낮에는 비열이 작은 육지 위의 공기가 빨리 데워져 더 따뜻하므로 상승해 바다에서 바람이 불고, 밤에는 비열이 큰 바다 위의 공기가 천천히 식어 더 따뜻하므로 상승해 육지에서 바람이 분다.

채점 기준	배점
주어진 단어를 모두 사용하여 해륙풍의 원리를 설명한 경우	100 %
주어진 단어 중 네 개만 사용하여 해륙풍의 원리를 설명한 경우	80 %
주어진 단어 중 세 개만 사용하여 해륙풍의 원리를 설명한 경우	50 %

25 금속의 열팽창 정도가 클수록 금속이 더 많이 늘어난다.

모범 답안 (1) 알루미늄과 백금, 바이메탈이 가장 잘 휘어지려면 열팽창 정도의 차가 크도록 열팽창 정도가 가장 큰 금속과 가장 작은 금속으로 바이메탈을 만든다.
(2) 백금, 열팽창 정도가 가장 작기 때문에 온도 변화에 따른 길이 변화가 작다.

채점 기준		배점
(1)	알루미늄과 백금을 쓰고 그 까닭을 옳게 설명한 경우	50 %
(2)	백금을 쓰고 그 까닭을 옳게 설명한 경우	50 %

Ⅳ. 물질의 상태 변화

01 ③	**02** ③	**03** ②	**04** ③	**05** ④	**06** ④
07 ②	**08** ㄴ, ㄹ, ㅂ		**09** ①	**10** ③	**11** ①
12 ⑤	**13** ④	**14** ①, ④	**15** ①	**16** ③	**17** ②
18 ②	**19** ①	**20** ②	**21** ③	**22** 해설 참조	
23 해설 참조		**24** 해설 참조		**25** 해설 참조	

01 ①, ② 물질을 구성하는 입자는 정지해 있지 않고 스스로 끊임없이 모든 방향으로 운동한다.
③ 입자가 운동할 때 입자의 크기는 변하지 않는다.
④ 온도가 높을수록 입자의 운동이 활발해져 증발이나 확산이 빠르게 일어난다.
⑤ 증발과 확산 현상을 통해 물질을 이루는 입자가 스스로 운동한다는 것을 알 수 있다.

02 ①, ②, ③ 증발은 물질을 구성하는 입자가 스스로 운동하여 액체 표면에서 기체로 변하는 현상이다.
④ 액체 표면에서 증발이 일어나므로 표면적이 넓을수록 증발이 잘 일어난다.
⑤ 비가 내린 후 웅덩이에 고인 물이 마르는 것은 물이 증발하는 현상이다.

03 ① 페놀프탈레인 용액은 염기성인 암모니아 입자와 만나면 붉은색으로 변한다. 주어진 실험에서 암모니아 입자가 퍼져 나가 페놀프탈레인 용액을 적신 솜과 만나면 솜의 색이 붉은색으로 변하는 것을 확인할 수 있다.
②, ③ 암모니아 입자는 스스로 운동하여 모든 방향으로 퍼져 나간다.
④, ⑤ 묽은 암모니아수와 가까운 쪽에 있는 솜부터 순서대로 색이 변한다. 이와 같이 페놀프탈레인 용액으로 적신 솜의 색이 변하는 것은 암모니아 입자와 관련이 있다.

04 ③ 염전에서는 바닷물을 가두어 물을 증발시켜 소금을 얻는다.

05 ㄱ. 증발은 액체가 기체로 변하는 현상이다. 확산은 물질을 구성하는 입자가 스스로 운동하여 퍼져 나가는 현상으로, 액체 속, 기체 속뿐만 아니라 진공 속에서도 일어난다.
ㄴ. 증발과 확산은 입자가 스스로 운동하기 때문에 나타나는 현상이다.
ㄷ. 온도가 높아지면 입자의 운동이 활발해지므로 증발과 확산이 잘 일어난다.

06 풍선 속에 들어 있는 기체의 입자 배열을 나타낸 것이다.
ㄱ. 기체는 담는 용기에 따라 모양이 달라진다.

ㄴ. 기체는 입자 사이의 거리가 멀기 때문에 압력을 가하면 부피가 쉽게 변한다.
ㄷ. 기체는 입자들이 매우 불규칙하게 배열되어 있고, 입자 사이의 거리가 매우 멀다.

07 (가)는 액체, (나)는 고체, (다)는 기체 상태를 나타낸 것이다.
① 압축이 가장 잘 되는 상태는 기체인 (다)이다.
② 모양과 부피가 모두 일정한 상태는 고체인 (나)이다.
③ 담는 용기에 따라 모양이 달라지는 상태는 액체인 (가)와 기체인 (다)이다.
④ 물질을 구성하는 입자의 운동이 가장 활발한 상태는 기체인 (다)이다.
⑤ 물질을 구성하는 입자의 배열이 가장 규칙적인 상태는 고체인 (나)이다.

08 실온(25 ℃)에서 고체 상태로 존재하는 물질은 나무, 소금, 플라스틱이다. 액체 상태로 존재하는 물질은 물과 식용유이며, 기체 상태로 존재하는 물질은 공기이다.

09 철 캔이나 알루미늄 캔을 높은 온도에서 녹일 때 융해가 일어나고, 액체 상태의 금속을 원하는 모양의 틀에 부어 식힐 때 응고가 일어난다. 따라서 융해와 응고의 상태 변화를 이용한 것이다.

10 ①, ② (가)는 액체에서 고체로 상태가 변하는 응고, (나)는 기체에서 액체로 상태가 변하는 액화, (다)는 고체에서 기체로 상태가 변하는 승화이다.
③ 나뭇잎에 서리가 생기는 현상은 기체에서 고체로의 승화에 해당한다.
④ 풀잎에 이슬이 맺히는 현상은 액화인 (나)에 해당한다.
⑤ 드라이아이스의 크기가 작아지는 현상은 고체에서 기체로의 승화인 (다)에 해당한다.

11 융해, 기화, 승화(고체 → 기체)가 일어날 때 물질을 구성하는 입자의 배열이 불규칙해진다.
①은 융해, ②는 승화(기체 → 고체), ③과 ⑤는 액화, ④는 응고가 일어나는 예이다.

12 자료 VIEW

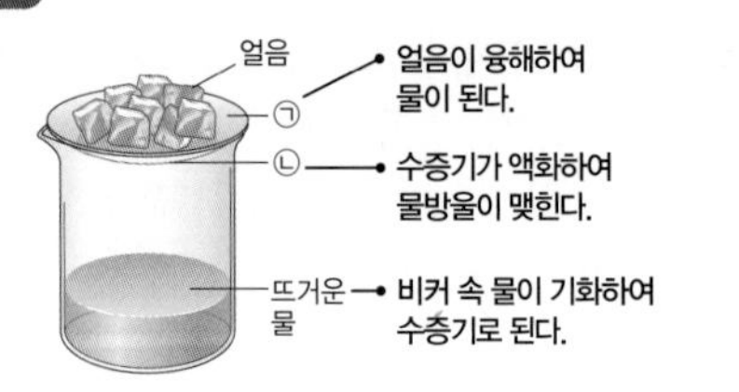

①, ③ 시계 접시 윗면(㉠)에서는 얼음이 융해한다. 이때 입자의 운동이 활발해진다.

②, ④ 시계 접시 아랫면(㉡)에서는 수증기가 액화하여 물방울이 맺힌다. 이때 입자 사이의 거리가 가까워진다.
⑤ 상태 변화가 일어날 때 물질을 구성하는 입자의 종류가 변하지 않으므로 물질의 성질은 변하지 않는다.

13 비닐봉지 속 드라이아이스가 고체에서 기체로 승화하여 비닐봉지가 부풀어 오른다.
①, ③ 드라이아이스가 기체로 승화할 때 입자의 종류와 개수, 크기 등은 변하지 않으므로 질량은 일정하다.
②, ④, ⑤ 드라이아이스가 기체로 승화할 때 입자의 배열이 불규칙하게 변하고, 입자 사이의 거리가 멀어지므로 부피가 늘어난다.

14 물질의 상태 변화가 일어날 때 입자의 종류는 변하지 않으므로 물질의 질량은 변하지 않는다. 하지만 입자의 배열과 입자 사이의 거리가 변하므로 물질의 부피는 변한다.

15 물질의 상태 변화를 입자 모형으로 나타낸 그림에서 A는 융해, B는 응고, C는 기화, D는 액화, E는 승화(고체 → 기체), F는 승화(기체 → 고체)이다.
융해, 기화, 승화(고체 → 기체)가 일어날 때 물질을 구성하는 입자의 운동이 활발해지고, 응고, 액화, 승화(기체 → 고체)가 일어날 때 입자의 운동이 둔해진다.

16 고체 물질의 가열 곡선에서 (나) 구간에서는 고체가 액체로 되는 융해(A)가 일어나고, (라) 구간에서는 액체가 기체로 되는 기화(C)가 일어난다.

17 ① t ℃에서 X가 얼기 시작하여 액체가 고체로 되는 상태 변화(응고)가 일어난다.
② (가) 구간에서는 액체 X의 온도가 점점 낮아진다.
③ (나) 구간에서는 액체 X가 응고하면서 입자의 운동이 둔해진다.
④ (나) 구간에서 액체 X가 모두 응고하였으므로 (다) 구간에서 X는 고체 상태이다.
⑤ 입자 사이의 거리는 X가 액체 상태인 (가) 구간에서가 고체 상태인 (다) 구간에서보다 멀다.

18 (나) 구간에서는 액체가 고체로 응고하면서 열에너지를 방출하기 때문에 온도가 일정하게 유지된다.

19 아이스크림을 포장할 때 드라이아이스를 함께 넣으면 드라이아이스가 고체에서 기체로 승화하면서 열에너지(승화열)를 흡수하므로 아이스크림이 잘 녹지 않는다. 또한, 양가죽에는 아주 작은 구멍이 있어서 물이 스며 나오는데, 스며 나온 물이 기화하면서 열에너지(기화열)를 흡수하므로 양가죽 물주머니 속의 물이 시원해진다.

고체에서 기체로의 승화, 기화가 일어날 때는 공통적으로 열에너지를 흡수하므로, 주변의 온도가 낮아진다. 이때 입자의 운동이 활발해지고, 입자의 배열이 불규칙해진다.

20 수영을 하고 물 밖으로 나오면 몸에 묻은 물이 기화하면서 열에너지를 흡수하므로 추위를 느낀다. → 기화열 흡수
ㄱ. 미지근한 물에 얼음을 넣으면 얼음이 융해하면서 열에너지를 흡수하므로 물이 시원해진다. → 융해열 흡수
ㄴ. 날씨가 더울 때 개는 혀를 내밀어 혀의 침이 증발(기화)하도록 하는데, 이때 열에너지를 흡수하므로 체온이 낮아진다. → 기화열 흡수
ㄷ. 뜨거워진 도로에 물을 뿌리면 물이 기화하면서 열에너지를 흡수하므로 주변이 시원해진다. → 기화열 흡수
ㄹ. 커피 전문점에서는 수증기가 액화할 때 방출하는 열에너지를 이용하여 우유를 데운다. → 액화열 방출

21 ① 액체 파라핀에 손이나 발을 담갔다가 꺼내면 파라핀이 응고하면서 열에너지를 방출하는데, 이때 방출하는 열에너지를 이용하여 온열 치료를 한다. → 응고열 방출
② 얼음집 안쪽에 물을 뿌리면 물이 응고하면서 열에너지를 방출하므로 집 안의 온도가 높아진다. → 응고열 방출
③ 시장에서 생선을 얼음과 함께 보관하면 얼음이 융해하면서 열에너지를 흡수하므로 주변의 온도가 낮아져 생선이 상하지 않게 한다. → 융해열 흡수
④ 겨울철 과일 창고 안에 물통을 놓아두면 물이 응고하면서 열에너지를 방출하므로 주변의 온도가 높아져 과일이 어는 것을 막을 수 있다. → 응고열 방출
⑤ 날씨가 갑자기 추워질 때 과일나무에 물을 뿌리면 물이 응고하면서 열에너지를 방출하므로 주변의 온도가 높아져 과일이 어는 것을 막을 수 있다. → 응고열 방출

22 손 소독제 입자는 스스로 운동하여 증발하므로 시간이 지나면서 전자저울의 숫자가 점점 작아지다가 0이 된다.

모범답안 (1) 전자저울의 숫자가 점점 작아지다가 0이 된다.
(2) 손 소독제 입자가 스스로 운동하여 증발하기 때문이다.

	채점 기준	배점
(1)	전자저울의 숫자 변화를 옳게 쓴 경우	40 %
(2)	(1)의 결과가 나온 까닭을 입자의 운동과 관련지어 옳게 설명한 경우	60 %

23 액체 상태인 주스는 입자 사이의 거리가 비교적 가까워 입자 사이에 빈 공간이 거의 없기 때문에 압력을 가해도 부피가 거의 변하지 않는다. 하지만 기체 상태인 공기는 입자 사이의 거리가 매우 멀어서 입자 사이에 빈 공간이 많기 때문에 압력을 가하면 부피가 쉽게 변한다.

모범답안 액체 상태인 주스를 구성하는 입자들은 비교적 가까운 거리에서 불규칙하게 배열되어 있지만, 기체 상태인 공기를 구성하는 입자들은 서로 멀리 떨어져서 매우 불규칙하게 배열되어 있어 입자들 사이에 빈 공간이 많기 때문이다.

채점 기준	배점
결과가 나온 까닭을 주스와 공기를 구성하는 입자의 배열과 관련지어 옳게 설명한 경우	100 %
결과가 나온 까닭을 주스와 공기 중 한 가지만 입자의 배열과 관련지어 옳게 설명한 경우	50 %

24 대부분의 물질과 달리 물은 응고할 때 내부에 빈 공간이 많은 구조로 입자들이 배열되면서 입자 사이의 거리가 멀어지므로 부피가 늘어난다.

모범답안 녹인 초콜릿이 응고하여 고체로 될 때는 부피가 줄어들지만, 물이 응고하여 얼음이 될 때는 부피가 늘어나기 때문이다.

채점 기준	배점
제시된 두 가지 현상이 나타나는 까닭을 각 물질이 응고할 때의 부피 변화와 관련지어 모두 옳게 설명한 경우	100 %
제시된 현상 중 한 가지만 물질이 응고할 때의 부피 변화와 관련지어 옳게 설명한 경우	50 %

25 자료 VIEW

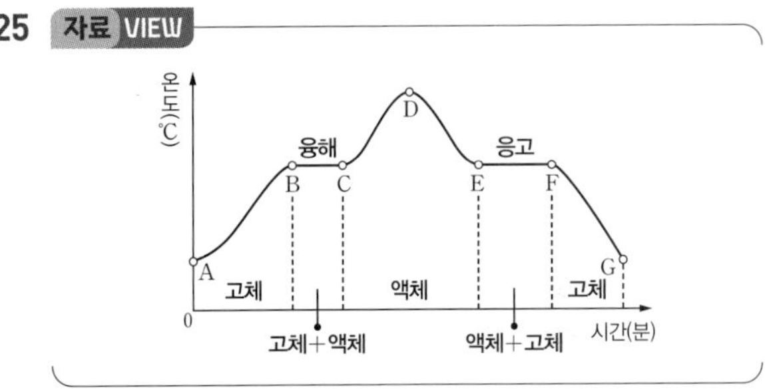

물질의 가열·냉각 곡선에서 상태 변화가 일어날 때는 온도가 높아지거나 낮아지지 않고 일정하게 유지된다.

모범답안 (1) BC 구간, EF 구간
(2) BC 구간에서는 고체가 융해하면서 입자의 배열이 불규칙해지고, EF 구간에서는 액체가 응고하면서 입자의 배열이 규칙적으로 변한다.

	채점 기준	배점
(1)	상태 변화가 일어나는 구간을 모두 옳게 쓴 경우	40 %
	상태 변화가 일어나는 구간 중 한 가지만 옳게 쓴 경우	20 %
(2)	(1)에서 답한 두 구간에서 상태 변화와 입자 배열의 변화를 모두 옳게 설명한 경우	60 %
	(1)에서 답한 구간 중 한 가지만 상태 변화와 입자 배열의 변화를 옳게 설명한 경우	30 %

HIGH TOP

정답과 해설

Ⅴ 힘의 작용

01 여러 가지 힘

개념 빌드업

2권 008쪽	**1** 힘	**2** 힘의 작용점, 힘의 크기, 힘의 방향
2권 009쪽	**1** 알짜힘(합력)	**2** 0
	3 8 N, 오른쪽	**4** 힘의 평형
2권 011쪽	**1** 중력, 지구 중심	**2** 무게	**3** 30, 49
2권 013쪽	**1** 탄성, 탄성력	**2** 5, 왼쪽	**3** 비례
2권 015쪽	**1** 마찰력	**2** 반대	**3** 무거울수록, 거칠수록
2권 017쪽	**1** 부력	**2** 클수록	**3** 3

탐구 확인 문제

2권 018쪽

1 (1) 크다 (2) = (3) 비례 **2** 1.2 N

1 용수철의 탄성력의 크기는 용수철에 작용한 힘의 크기와 같고, 용수철의 변형 정도에 비례한다. 용수철의 탄성력의 방향은 용수철에 작용하는 힘의 방향과 반대 방향이다.

2 자료 VIEW

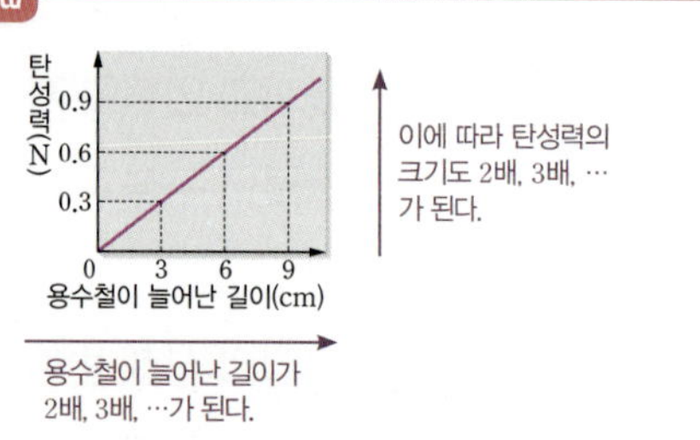

용수철의 탄성력의 크기는 용수철이 늘어난 길이에 비례한다. 용수철이 12 cm 늘어났을 때 용수철의 탄성력의 크기를 x라 하면
$3 \text{ cm} : 0.3 \text{ N} = 12 \text{ cm} : x$에서 $x = 1.2 \text{ N}$이다.

탐구 확인 문제

2권 019쪽

1 (1) ◯ (2) × (3) ◯ **2** 3 N, ↑

1 추가 물에 잠겼을 때 용수철저울의 눈금 값이 감소하는 까닭은 용수철저울의 눈금 값이 감소한 만큼 부력이 중력과 반대 방향으로 작용하기 때문이다. 추가 물에 잠겼을 때 측정한 용수철저울의 눈금 값은 공기 중에서 추의 무게와 물속에서 부력의 크기 차이다.

2 부력의 크기는 추가 물에 잠기기 전후 용수철저울의 눈금 값의 차와 같고, 부력의 방향은 중력과 반대 방향이다.

집중 분석

2권 020쪽

1-1 5 N, 오른쪽 **1-2** 최댓값 8 N, 최솟값 2 N

2 (1) 3 N (2) 2 N

1-1 자료 VIEW

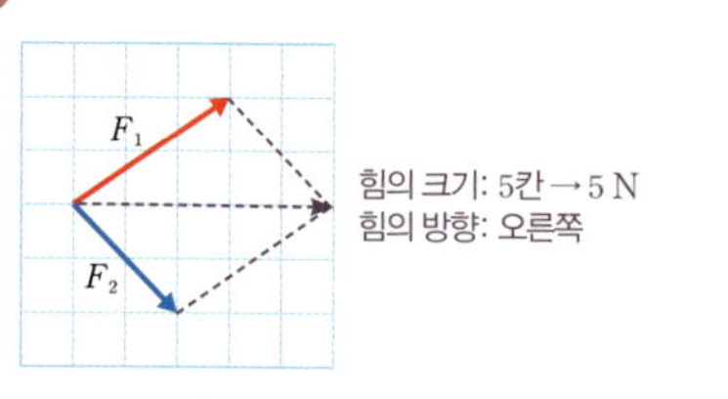

나란하지 않게 작용하는 두 힘을 합성할 때는 평행사변형법 또는 삼각형법을 이용한다. 평행사변형법을 이용하여 두 힘 F_1과 F_2를 합성하면 오른쪽을 향하는 눈금 5칸 길이의 화살표가 알짜힘이 되므로 알짜힘의 크기는 5 N이고 방향은 오른쪽을 향한다.

1-2 자료 VIEW

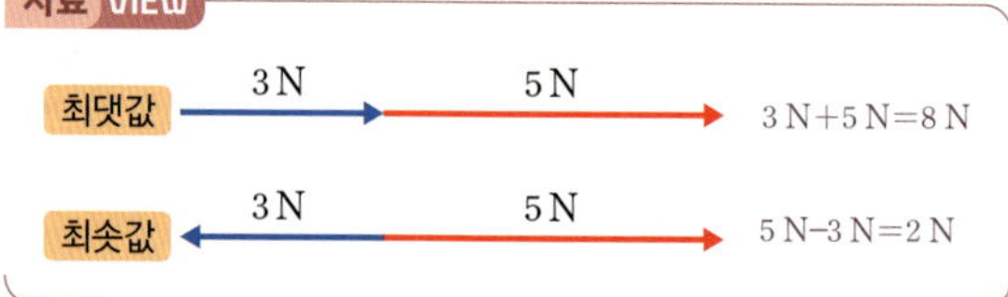

두 힘이 같은 방향으로 작용할 때 알짜힘의 크기가 가장 크고, 두 힘이 반대 방향으로 작용할 때 알짜힘의 크기가 가장 작다. 따라서 알짜힘의 최댓값은 3 N+5 N=8 N이고, 알짜힘의 최솟값은 5 N-3 N=2 N이다.

2 자료 VIEW

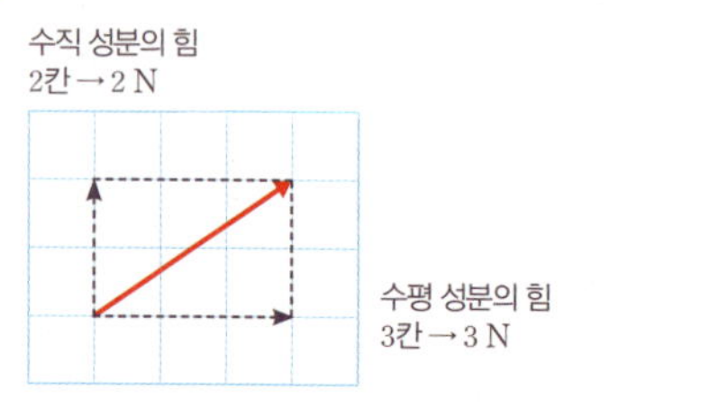

힘을 분해할 때 일반적으로 수직 성분과 수평 성분으로 나눈다. F의 수평 성분은 눈금 3칸 길이의 화살표이므로 수평 성분의 힘의 크기는 3 N, 수직 성분은 눈금 2칸 길이의 화살표이므로 수직 성분의 힘의 크기는 2 N이다.

개념 확인 문제

2권 024쪽~027쪽

01 ③	**02** ⑤	**03** ②	**04** 3 N, 북동쪽	**05** ①
06 해설 참조	**07** ④	**08** ⑤	**09** ③	**10** ④
11 6 : 1	**12** ②	**13** ②	**14** ⑤	**15** ⑤	**16** ②
17 ④	**18** 물체의 무게, 접촉면의 거칠기			
19 부력: A=B>C, 무게: A>B>C		**20** ③	**21** ①	
22 ⑤				

01 과학에서 말하는 힘은 물체의 모양이나 운동 상태(운동 방향, 빠르기)를 변화시키는 원인이다.

02 힘을 받은 물체는 모양, 운동 상태(운동 방향, 빠르기)가 변할 수 있다.

03 굴러온 공을 발로 차서 공이 반대 방향으로 날아가면 ① 공이 굴러온 반대 방향으로 날아가고, ② 공의 속력이 변한다.
이때 공에 가한 힘을 화살표로 표현할 수 있는데, ③ 화살표의 방향은 힘의 방향, ④ 화살표의 시작점이 힘의 작용점, ⑤ 화살표의 길이는 힘의 크기를 의미한다.

04 화살표의 길이는 힘의 크기를 의미한다. 1 cm가 1 N을 나타내므로 3 cm는 3 N이다. 화살표의 방향은 힘의 방향을 의미하는데, 화살표의 방향이 북동쪽을 향하므로 힘의 방향은 북동쪽이다.

05 한 물체에 여러 힘이 동시에 작용할 때 이 힘들과 같은 효과를 내는 하나의 힘인 알짜힘(합력)을 구하는 것을 힘의 합성이라고 한다.
(가) 같은 방향으로 작용하는 두 힘의 알짜힘의 크기는 두 힘의 크기의 합과 같고, 방향은 두 힘의 방향과 같다. 따라서 알짜힘의 크기는 5 N+2 N=7 N이며, 오른쪽으로 작용한다.
(나) 반대 방향으로 작용하는 두 힘의 알짜힘의 크기는 두 힘의 크기의 차와 같고, 방향은 크기가 큰 힘의 방향과 같다. 따라서 알짜힘의 크기는 5 N−2 N=3 N이며, 오른쪽으로 작용한다.
(다) 두 힘의 크기가 같고, 서로 반대 방향으로 작용하므로 알짜힘이 0이다.

06 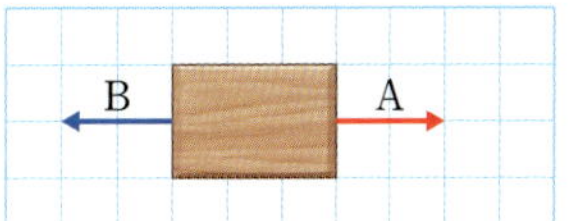

한 물체에 나란하게 작용하는 두 힘이 평형을 이루려면 두 힘의 크기는 같고, 서로 반대 방향으로 작용해야 하므로 B는 A와 같은 길이만큼 왼쪽으로 작용한다.

07 ㄱ. 물체는 왼쪽으로 움직인다.
ㄴ, ㄷ. 물체에 작용하는 알짜힘의 크기는 30 N−20 N=10 N이며, 방향은 왼쪽이다.

08 (가), (나), (다) 모두 중력이 지구 중심 방향으로 작용하기 때문에 나타나는 현상이다.

09 ① 무게는 측정 장소에 따라 달라지며, 질량은 변하지 않는다.
② 무게는 중력의 크기이고, 질량은 물체가 가진 물질의 고유한 양이다.
④ 무게는 용수철저울로, 질량은 윗접시저울로 측정할 수 있다.
⑤ 무게의 단위는 N(뉴턴), 질량의 단위는 kg(킬로그램)을 주로 사용한다.

10 질량은 장소가 달라져도 변하지 않는다. 달에서 사과의 질량은 50 g×6=300 g이므로 지구에서도 사과의 질량은 300 g이다.

11 달 중력은 지구 중력의 $\frac{1}{6}$이므로, 중력의 크기인 무게는 지구에서가 달에서의 6배이다.

12 ㄱ. (가)에서는 누르는 힘과 탄성력의 크기가 같아 힘의 평형을 이룬다.
ㄴ. 용수철의 탄성력의 방향은 용수철에 작용한 힘의 방향과 반대 방향으로 작용한다. 따라서 (가)에서는 오른쪽, (나)에서는 왼쪽이다.
ㄷ. 용수철의 변형 정도가 클수록 용수철의 탄성력이 크다. (가)와 (나)에서 변형 정도가 같으므로 탄성력의 크기가 같다.

13 용수철이 늘어난 길이는 용수철에 작용하는 탄성력의 크기에 비례한다.

14 ㄱ. 용수철에 매단 추의 개수와 추의 무게는 비례하며, 추의 개수와 용수철이 늘어난 길이는 비례한다. 따라서 추의 무게와 용수철이 늘어난 길이도 비례한다.
ㄴ. 추에 작용하는 중력과 탄성력의 크기는 같고, 방향은 서로 반대이므로 힘의 평형을 이룬다.

ㄷ. 1 N마다 용수철이 3 cm씩 늘어나므로, 1 N : 3 cm = x : 15 cm에서 탄성력의 크기 $x=5$ N이다. 즉, 15 cm가 늘어났다면 용수철에는 5 N의 힘이 작용한다.

15 자료 VIEW

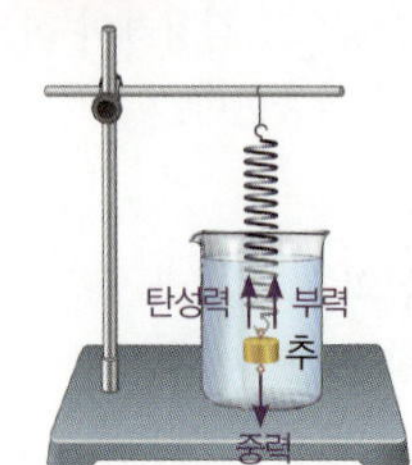

추는 아래 방향(↓)으로 중력을 받는다.
물속에 있는 추는 중력과 반대 방향(↑)으로 부력을 받는다.
추를 매단 용수철에는 추에 작용하는 중력과 부력의 차 만큼 알짜힘이 작용한다. 이때 탄성력은 알짜힘과 크기는 같고 방향은 반대이다.

중력은 아래 방향(↓), 부력은 중력의 반대 방향인 위 방향(↑), 탄성력은 용수철이 늘어난 방향의 반대 방향인 위 방향(↑)으로 작용한다.

16 ㄱ, ㄴ. 마찰력의 크기는 접촉면이 거칠수록, 무게가 무거울수록 커지며, 접촉면의 넓이와는 관계가 없다.
ㄷ, ㄹ. 마찰력은 두 물체의 접촉면에서 물체의 운동을 방해하는 힘으로, 물체가 운동하는 경우 물체의 운동 방향과 반대 방향으로 작용한다.

17 마찰력은 두 물체의 접촉면에서 물체의 운동을 방해하는 힘으로, 물체가 운동할 때 물체의 운동 방향과 반대 방향으로 작용한다.

18 (가)와 (나)의 결과를 비교하면 물체의 무게가 무거울수록 마찰력이 커지고, (가)와 (다)의 결과를 비교하면 접촉면이 거칠수록 마찰력이 커진다는 것을 알 수 있다.

19 물체에 각각 작용하는 중력과 부력의 크기를 비교하면 A는 바닥에 가라앉았으므로 A에 작용하는 중력이 A에 작용하는 부력보다 크다(A의 중력>A의 부력). B는 잠긴 채 떠 있으므로 B에 작용하는 중력과 B에 작용하는 부력의 크기가 같다(B의 중력=B의 부력). 그리고 C는 반쯤 잠긴 채 떠 있으므로 C에 작용하는 중력과 C에 작용하는 부력의 크기가 같다(C의 중력=C의 부력). 이때, A, B는 물속에 잠긴 부피가 같고, C는 물속에 잠긴 부피가 A와 B의 절반이므로 A의 부력=B의 부력>C의 부력이다. 따라서 A의 무게>B의 무게>C의 무게이다.

20 ㄱ. 부력은 액체나 기체가 그 속에 있는 물체를 위로 밀어 올리는 힘이므로 부력의 방향은 위쪽이다.
ㄴ. 부력의 방향은 중력의 방향과 반대 방향이다.
ㄷ. 공기 중에서와 물속에서 중력의 크기는 같다.

21 추에 작용하는 부력의 크기는 공기 중에서 용수철저울의 눈금과 물속에서 용수철저울의 눈금의 차와 같으므로 15 N−10 N=5 N이다.

22 ㄱ. 바닥에서 굴러가던 공이 멈추는 것은 마찰력 때문이다.
ㄴ. 눈과 비가 아래로 떨어지는 것은 중력 때문이다.

실력 **강화 문제**

2권 028쪽~029쪽

01 ④	**02** ③	**03** ④	**04** ④	**05** ⑤	**06** ④
07 ⑤	**08** ①	**09** 해설 참조			

01 알짜힘은 (가)에서는 오른쪽으로 5 N, (나)에서는 오른쪽으로 1 N, (다)에서는 왼쪽으로 1 N이다.

02 지구 중력의 방향은 지구 중심 방향이므로 두 물체는 지구 중심 방향으로 떨어진다.

03 무게는 측정 장소에 따라 달라지지만 질량은 변하지 않는다. 따라서 달에서 물체의 질량은 60 kg이다. 달 중력은 지구 중력의 $\frac{1}{6}$이므로, 달에서의 무게는 지구에서의 무게의 $\frac{1}{6}$이다. 따라서 달에서의 무게는 $60 \times 9.8 \times \frac{1}{6} = 98$(N)이다.

04 A는 지구에서 무게가 147 N이므로 질량은 $\frac{147}{9.8} = 15$(kg)이다. A를 달에 가져가면 질량은 그대로 15 kg이지만 무게는 지구에서의 $\frac{1}{6}$이므로 $\frac{147}{6} = 24.5$(N)이다. B는 달에서의 무게가 147 N이므로 질량은 $\frac{147 \times 6}{9.8} = 90$(kg)이다. B를 지구에 가져가면 질량은 그대로 90 kg이지만 무게는 달에서의 6배이므로 $147 \times 6 = 882$(N)이다.

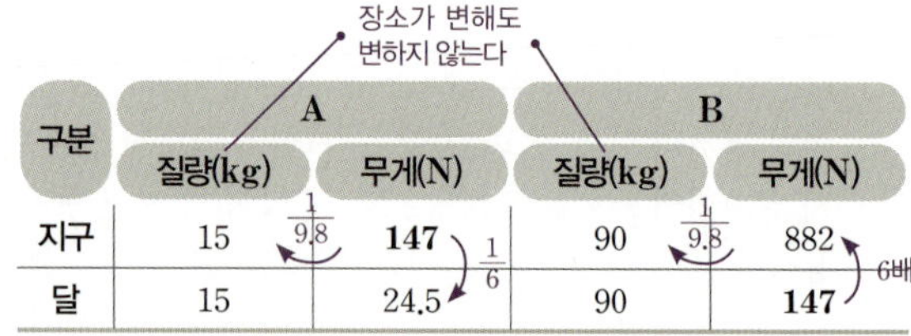

구분	A		B	
	질량(kg)	무게(N)	질량(kg)	무게(N)
지구	15	**147**	90	882
달	15	24.5	90	**147**

ㄱ. A의 질량은 장소가 변해도 변하지 않고 15 kg이다.
ㄴ. 달이 B를 당기는 힘의 크기는 달에서 B의 무게이므로 147 N이다.
ㄷ. 지구에서 A의 무게는 147 N, B의 무게는 882 N이므로 B의 무게가 A의 무게보다 크다.

05 물체의 질량이 클수록 물체의 무게가 크다. 용수철에 물체를 매달았을 때 물체의 중력과 용수철의 탄성력은 평형을 이루고 이때 물체에 작용하는 중력의 크기가 무게이므로, 탄성력의 크기는 물체의 무게와 같다. 즉, 탄성력의 크기는 ⑤>④>②>③>①이다.

06 접촉면이 거칠수록 마찰력이 더 크다.
④ 무게가 클수록 마찰력이 더 크므로, 작은 승용차보다 큰 화물차를 밀기가 어렵다. 즉, 물체의 무게와 마찰력의 관계를 알 수 있다.

07 용수철에 9 N의 물체를 매달았을 때 용수철에 작용하는 탄성력의 크기는 9 N이고, 3 cm 늘어난다. (나)에서 용수철이 4 cm 늘어났으므로 용수철에 작용하는 탄성력의 크기 x는 3 cm : 9 N=4 cm : x에서 x=12 N이다.

08 ㄱ. 같은 추이므로 추에 작용하는 중력의 크기는 (가)와 (나)에서 같다.
ㄴ. 추에 작용하는 부력은 물속에 잠긴 물체의 부피에 비례한다. 따라서 물속에 잠긴 물체의 부피가 큰 (나)에서의 부력이 (가)에서보다 크다.
ㄷ. 용수철저울로 측정한 힘은 추에 작용하는 중력의 크기와 추에 작용하는 부력의 차와 같다. 중력은 (가)와 (나)에서 같고 부력은 (나)에서가 (가)에서보다 크므로 용수철저울로 측정한 힘은 (가)에서가 (나)에서보다 크다.

09 물속에 잠긴 물체에는 중력과 부력이 작용한다. 물속에 잠긴 물체에 작용하는 알짜힘을 비교하였을 때 알짜힘이 더 큰 쪽으로 막대가 기울어진다.

> **모범답안** A, 부력은 중력의 방향과 반대 방향으로 작용하며, 물속에 잠긴 물체의 부피가 클수록 부력이 크기 때문에 B에 작용하는 부력의 크기가 A에 작용하는 부력의 크기보다 크다. 따라서 A와 B에 작용하는 중력의 크기는 같으므로 부력의 크기가 작은 A 쪽으로 막대가 기울어진다.

 **문제**

2권 030쪽~031쪽

1 한 물체에 두 힘이 동시에 작용할 때 두 힘의 크기가 같고, 방향이 서로 반대이면 힘의 평형을 이룬다.

> **모범답안** 물체에 작용하는 F_1과 F_2의 크기가 같고 방향이 반대이므로 알짜힘이 0이어서 힘의 평형을 이룬다. 따라서 운동 상태가 변하지 않는다.

채점 기준	배점
두 힘의 크기와 방향을 비교하고, 알짜힘과 운동 상태의 관계를 옳게 설명한 경우	100 %
두 힘의 크기와 방향만 옳게 비교한 경우	50 %

2 지구 중력은 지구가 물체를 당기는 힘으로 지구 중심 방향으로 작용한다.

> **모범답안** 지구가 물체를 당기는 힘인 중력은 지구 중심 방향으로 작용하므로 공에는 연직 아래 방향으로 중력이 작용한다.

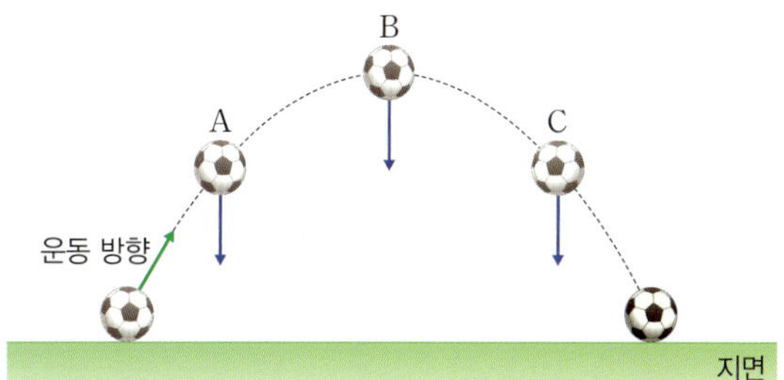

채점 기준	배점
중력의 방향을 그리고, 그 까닭을 옳게 설명한 경우	100 %
중력의 방향만 옳게 설명한 경우	50 %

3 용수철이 늘어난 길이는 물체의 무게, 즉 중력의 크기에 비례한다.

> **모범답안** 3 cm, 달 중력은 지구 중력의 $\frac{1}{6}$이고 물체의 무게는 물체에 작용하는 중력의 크기이므로 달에서 물체의 무게는 지구에서 물체의 무게의 $\frac{1}{6}$이다. 용수철이 늘어난 길이는 물체의 무게에 비례하므로, 같은 용수철과 추를 달에 가져가서 매달면 용수철이 늘어난 길이도 $\frac{1}{6}$이 되므로 늘어난 길이는 18 cm$\times\frac{1}{6}$=3 cm이다.

채점 기준	배점
용수철이 늘어난 길이와 그 까닭을 옳게 설명한 경우	100 %
용수철이 늘어난 길이만 옳게 쓴 경우	50 %

4 고무 띠는 탄성력을 이용한 운동 기구로, 탄성력은 변형된 물체가 원래 모양으로 되돌아가려는 성질인 탄성에 의한 힘이다.

> **모범답안** (다), 고무 띠의 늘어난 길이가 클수록 탄성력의 크기가 크기 때문이다.

채점 기준	배점
탄성력이 가장 크게 작용하는 경우를 옳게 고르고, 그 까닭을 옳게 설명한 경우	100 %
탄성력이 가장 크게 작용하는 경우만 옳게 고른 경우	50 %

5 마찰력의 크기는 물체의 무게가 무거울수록, 접촉면이 거칠수록 크다.

모범답안 (나), (나)보다 (가)에서 접촉면이 거치므로 (가)의 나무 도막에 작용하는 마찰력이 더 크다. 따라서 마찰력이 작은 (나)에서 나무 도막이 미끄러진 거리가 더 길다.

채점 기준	배점
나무 도막이 미끄러진 거리가 더 긴 것을 옳게 고르고, 그 까닭을 옳게 설명한 경우	100 %
나무 도막이 미끄러진 거리가 더 긴 것만 옳게 고른 경우	50 %

6 잠수함의 부피는 변하지 않으므로 잠수함에 작용하는 부력의 크기는 변하지 않고 일정하다. 그러나 잠수함의 무게는 공기탱크 안의 물의 양에 따라 달라진다.

모범답안 공기탱크에 물을 더 넣으면 잠수함에 작용하는 중력이 부력보다 커지므로 가라앉는다.

채점 기준	배점
깊은 곳으로 내려가는 방법과 까닭을 옳게 설명한 경우	100 %
깊은 곳으로 내려가는 방법만 옳게 설명한 경우	50 %

7 부력은 중력과 반대 방향으로 작용하며, 물속에 잠긴 부피가 클수록 물체에 작용하는 부력의 크기가 커진다. 용수철저울로 부력의 크기를 측정할 때 부력의 크기는 공기 중에서 용수철저울의 눈금과 물속에서 용수철저울의 눈금의 차와 같다.

모범답안 (1) 부력은 중력의 방향과 반대 방향으로 작용하기 때문에 추가 물에 잠겼을 때 감소한 용수철저울의 눈금 값은 부력의 크기이다.
(2) 추가 물속에 완전히 잠겼을 때 용수철저울의 눈금 값이 $3\,\mathrm{N}$이므로 추에 작용하는 부력의 크기는 $5\,\mathrm{N}-3\,\mathrm{N}=2\,\mathrm{N}$이다.
(3) 추가 반쯤 잠겼을 때 추에 작용하는 부력의 크기는 $1\,\mathrm{N}$이고 추가 완전히 잠겼을 때 추에 작용하는 부력의 크기는 $2\,\mathrm{N}$이므로 부력에 영향을 주는 요인은 물속에 잠긴 물체의 부피이다.

	채점 기준	배점
(1)	부력의 방향을 중력의 방향과 비교하여 옳게 설명한 경우	30 %
	중력의 방향과 비교하지 않고 부력의 방향만 옳게 설명한 경우	15 %
(2)	부력의 크기와 그 까닭을 옳게 설명한 경우	40 %
	부력의 크기만 옳게 구한 경우	20 %
(3)	부력의 크기가 물체의 부피와 관련이 있다는 것을 그 까닭과 함께 옳게 설명한 경우	30 %
	부력의 크기가 물체의 부피와 관련이 있다는 것만 설명한 경우	15 %

○2 힘과 운동

개념 빌드업

2권 033쪽	**1** 속력만	**2** 수직
	3 속력과 운동 방향이 모두	
2권 034쪽	**1** 중력(부력), 부력(중력)	**2** 5 **3** 유지된다

탐구 확인 문제
2권 035쪽

1 (1) ⓒ (2) ⓖ (3) ⓛ   **2** ㄷ

1 (1) 골대를 향해 비스듬히 던진 농구공에는 중력이 운동 방향과 비스듬하게 작용하므로 속력과 운동 방향이 모두 변한다.
(2) 마찰이 없는 빗면에서 미끄러져 내려오는 공에는 중력이 작용하여 속력만 변한다.
(3) 일정한 속력으로 지구 주위를 도는 인공위성에는 운동 방향과 수직으로 중력이 작용하므로 운동 방향만 변한다.

2 ㄱ. 운동하는 물체에 작용하는 알짜힘이 0이면 물체의 속력은 일정하다.
ㄴ. 힘의 방향이 운동 방향과 나란할 때는 물체의 속력만 변하고, 힘의 방향이 운동 방향과 수직일 때는 물체의 운동 방향만 변한다.
ㄷ. 힘의 방향이 운동 방향과 비스듬하면 물체의 속력과 운동 방향이 모두 변한다.

개념 확인 문제
2권 038쪽~039쪽

01 ③   **02** (1) 10 N, 아래 방향 (2) 10 N, 위 방향(중력과 반대 방향) (3) 0   **03** ④   **04** ⑤   **05** ②   **06** ②
07 ②   **08** ②   **09** ①

01 물체에 크기가 같고, 서로 반대 방향으로 작용하는 두 힘은 평형을 이룬다. 이때 알짜힘이 0이므로 물체의 운동 상태가 유지된다.
A, C: 두 힘 F_1, F_2는 서로 반대 방향으로 작용하며 힘의 평형을 이룬다.
B: 두 힘 F_1, F_2의 크기는 같다.

용수철에 물체를 매달면 용수철은 물체에 작용하는 중력에 의해 아래 방향으로 늘어난다.

중력과 탄성력이 힘의 평형을 이룬다.
탄성력의 크기
＝물체에 작용하는 중력의 크기
＝물체의 무게

(1) 물체에 작용하는 중력의 크기를 무게라고 한다. 중력은 지구 중심 방향으로 작용한다.
(2) 물체에 작용하는 중력과 용수철의 탄성력의 크기는 같다. 탄성력의 방향은 중력의 방향과 반대 방향으로 작용한다.
(3) 물체가 매달린 채 정지해 있으므로 물체에 작용하는 중력과 용수철의 탄성력은 힘의 평형을 이룬다.

03　자료 VIEW

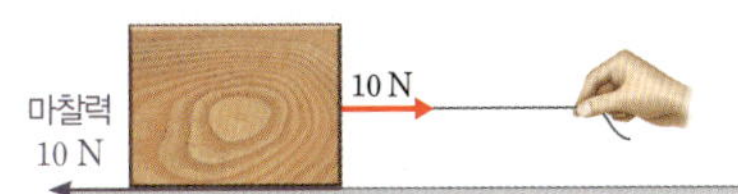

물체에 힘을 작용하여도 움직이지 않는다.
→ 물체에는 당기는 힘과 같은 크기의 마찰력이 반대 방향으로 작용하여 물체에 작용하는 알짜힘이 0이다.

물체를 당겨도 물체가 계속 정지해 있는 것은 물체에 작용하는 힘과 마찰력이 힘의 평형을 이루기 때문이다. 한 물체에 나란하게 작용하는 두 힘이 평형을 이루려면 두 힘의 크기는 같고, 서로 반대 방향으로 작용해야 한다.
ㄱ. 물체에는 당기는 힘의 반대 방향인 왼쪽으로 마찰력이 작용한다.
ㄴ, ㄷ. 물체가 움직이지 않으므로 당기는 힘과 마찰력은 크기가 같고, 힘의 평형을 이루고 있다.

04　자료 VIEW

고무 오리에는 위 방향으로 부력이 작용하고, 아래 방향으로는 같은 크기의 중력이 작용한다.

물 위에 떠 있는 물체에는 중력과 부력이 작용하며, 두 힘은 평형을 이룬다.

05　힘을 받은 물체는 운동 상태(속력, 운동 방향)가 변한다.
① (가) 힘의 방향과 운동 방향이 비스듬하므로 속력과 운동 방향이 모두 변한다.
② (나) 힘의 방향과 운동 방향이 같으므로 속력이 증가한다.
③ (다) 힘의 방향과 운동 방향이 반대이므로 속력이 감소한다.
④ (라) 힘의 방향과 운동 방향이 수직이므로 운동 방향만 변한다.

06　① 에스컬레이터가 운동하는 동안 속력이 일정하다.
③ 회전목마는 회전하는 동안 운동 방향만 변한다.
④ 날아오는 야구공을 야구 방망이로 치면 야구공의 운동 방향과 속력이 모두 변한다.
⑤ 비스듬히 위로 던진 농구공은 속력과 운동 방향이 모두 변한다.

07　A: 운동 방향만 변한다.
B: 운동 방향과 속력이 모두 변한다.
C: 속력만 변한다.

08　ㄱ. (가)는 속력은 일정하고 운동 방향만 변한다.
ㄴ. (나)는 중력이 작용하여 속력이 변한다.
ㄷ. (다)는 힘의 방향과 운동 방향이 비스듬하여 속력과 운동 방향이 모두 변한다.

09　①, ② (가)에서 A에 마찰력이 작용하여 알짜힘이 0이 아니므로 A의 속력이 감소한다.
③, ④, ⑤ (나)에서 B에 운동 방향과 나란하지 않게 중력이 작용하여 B의 속력과 운동 방향이 변한다. 또한 B에는 중력이 계속 작용하고 있다.

실력 강화 문제　　　　　　　　　　　2권 040쪽

01 ②　　02 ①　　03 ②　　04 10 N

01　ㄱ, ㄴ. (가)에서 추는 진자 운동을 하며 속력과 운동 방향이 모두 변하고, (나)에서 달은 원운동을 하며 운동 방향만 변한다.
ㄷ. (가)에서는 힘의 방향과 운동 방향이 비스듬하므로 속력과 운동 방향이 모두 변하고, (나)에서는 힘의 방향과 운동 방향이 수직이므로 운동 방향만 변한다.

02 자료 **VIEW**

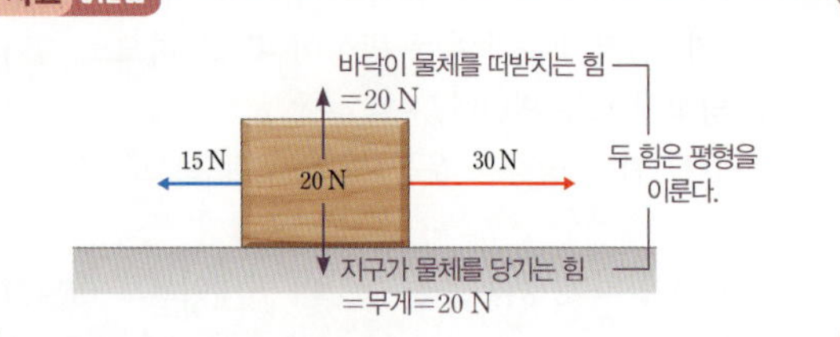

① 물체에 알짜힘이 작용하여 물체의 속력이 변한다.

②, ⑤ 처음에 물체가 마찰이 없는 수평면 위에 정지해 있었으므로 연직 방향의 중력과 수평면이 물체를 떠받치는 힘은 평형을 이룬다. 따라서 수평면이 물체를 떠받치는 힘의 크기는 중력의 크기와 같은 20 N이다.

③, ④ 물체에는 오른쪽으로 크기가 30 N−15 N=15 N인 알짜힘이 작용한다.

03 ㄱ. A에 작용하는 중력의 크기는 5 N이다.

ㄴ. C가 매달린 오른쪽에 10 N의 힘이 작용하고 나무 막대가 수평을 이루고 있으므로 A, B가 매달린 왼쪽에도 10 N의 힘이 작용한다. 왼쪽에는 A에 5 N의 중력과 B에 작용하는 중력과 부력의 합력이 총 10 N이 작용하는 것이므로 B에 작용하는 중력과 부력의 합력의 크기는 5 N이다.

ㄷ. C에 작용하는 중력의 크기는 10 N이다.

04 B에 작용하는 중력의 방향과 부력의 방향이 반대이므로 B에 작용하는 부력의 크기 x는 5 N=15 N−x에서 x=10 N이다.

서술형 문제

2권 041쪽

1 자료 **VIEW**

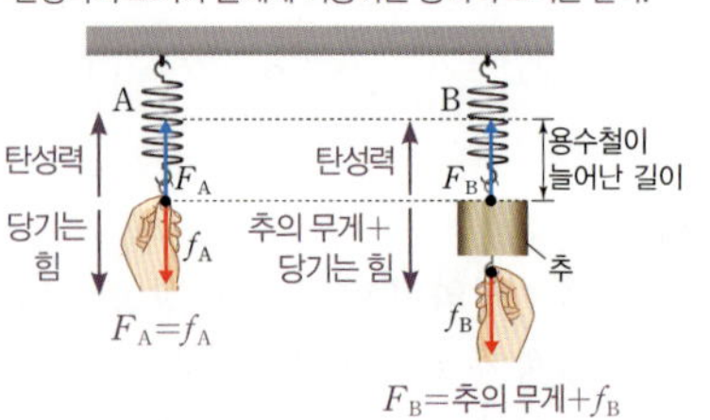

모범답안 F_A=F_B=f_A>f_B, 동일한 용수철이 같은 길이만큼 늘어났으므로 F_A=F_B이고, 용수철 A에서 F_A와 f_A는 힘의 평형을 이루므로 F_A=f_A이다. 또, 용수철 B에서 F_B와 (f_B+추의 중력)은 힘의 평형을 이루므로 F_B=(f_B+추의 무게), 즉 F_B>f_B이다.

채점 기준	배점
네 힘의 크기를 비교하여 옳게 설명한 경우	100 %
네 힘의 크기를 옳게 비교하였으나 그 까닭을 설명하지 못한 경우	50 %
그 외의 경우	0 %

2 달에 작용하는 지구의 중력 때문에 달이 지구 주위를 공전한다.

모범답안 달에 작용하는 지구 중력의 방향과 달의 운동 방향이 서로 수직이므로 달의 운동 방향이 변하고, 속력은 변하지 않는다.

채점 기준	배점
달에 작용하는 지구 중력의 방향과 달의 운동 방향을 이용하여 달의 운동 상태 변화를 옳게 설명한 경우	100 %
달의 운동 상태 변화만 옳게 설명한 경우	50 %
그 외의 경우	0 %

3 힘의 평형은 한 물체에 여러 힘이 동시에 작용할 때 알짜힘이 0이어서 물체의 운동 상태가 변하지 않는 상태이다.

모범답안 (1) 물체의 운동 상태가 변하지 않는 까닭은 힘의 평형을 이루어 물체에 작용하는 알짜힘이 0이기 때문이다.

(2) 물체에 작용하는 알짜힘의 크기가 0이다. 따라서 마찰력의 크기는 두 힘의 합력의 크기와 같은 30 N−20 N=10 N이고, 방향은 알짜힘의 반대 방향인 왼쪽으로 작용한다.

(3)

	채점 기준	배점
(1)	물체의 운동 상태가 변하지 않는다는 것과 물체에 작용하는 알짜힘이 0이라는 것을 모두 언급하여 옳게 설명한 경우	40 %
	물체의 운동 상태가 변하지 않는다는 것과 물체에 작용하는 알짜힘이 0이라는 것 중 한 가지만 언급한 경우	20 %
(2)	물체에 작용하는 마찰력의 크기와 방향을 힘의 평형과 관련지어 옳게 설명한 경우	40 %
	물체에 작용하는 마찰력의 크기와 방향만 옳게 제시한 경우	20 %
(3)	물체에 작용하는 마찰력을 화살표로 옳게 그린 경우	20 %

1 ⑤	**2** ⑤	**3** ④	**4** ①	**5** ③	**6** ⑤
7 ④	**8** ④				

1 〔단계별〕〔문제 해결〕

Step 1 자료 분석하기

양팔저울은 힘의 평형을 이용하여 왼쪽과 오른쪽의 질량을 비교할 수 있는 도구이고, 병따개는 지레의 원리를 이용하여 병의 마개를 열 수 있는 도구이다.

지레는 받침과 지렛대를 사용하여 물체를 움직이는 장치로, 물체를 움직이는 데 필요한 힘의 크기나 방향을 바꿀 수 있다. 지레에는 지레를 받치는 받침점, 힘이 작용하는 힘점, 물체에 힘이 작용하는 작용점이라는 요소가 있다. 병따개는 2종 지레로, 힘점과 받침점 사이의 거리가 작용점과 받침점 사이의 거리보다 커 힘이 적게 든다.

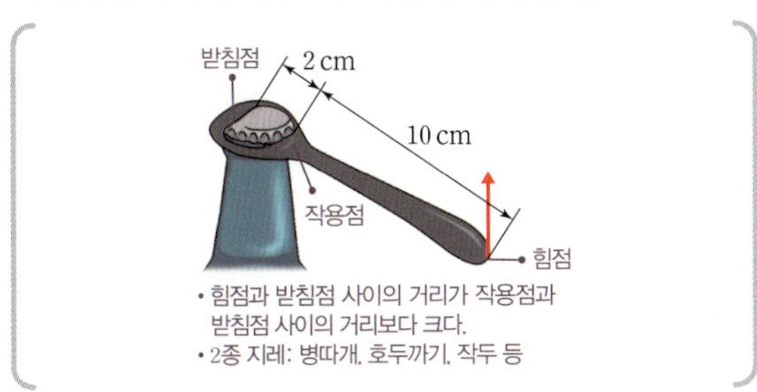

Step 2 보기 분석하기

ㄱ. 사과는 총 무게가 12 N인 추와 평형을 이루고 있으므로 사과에 작용하는 중력의 크기는 12 N이다.

ㄴ. (나)의 병따개에서 힘점과 받침점 사이의 거리가 작용점과 받침점 사이의 거리보다 크다.

ㄷ. (가)는 힘의 평형을 이용하여 물체의 무게를 측정하고, (나)는 지레의 원리를 이용하여 물체를 이동시키거나 들어 올린다.

2 〔단계별〕〔문제 해결〕

Step 1 자료 분석하기

용수철저울로 물체의 무게를 측정할 때 물체에 작용하는 부력의 크기는 물체가 물에 잠기기 전후 용수철저울의 눈금 값의 차와 같다.

물체를 용수철저울에 매달았을 때 용수철저울의 눈금 값이 10 N이므로 물체의 무게는 10 N이다. 물체를 용수철저울에 매단 채로 물체를 물에 모두 잠기게 하면 용수철저울의 눈금 값이 8 N이다. 그 까닭은 물체에 부력이 중력과 반대 방향으로 10 N−8 N=2 N 작용하였기 때문이다.

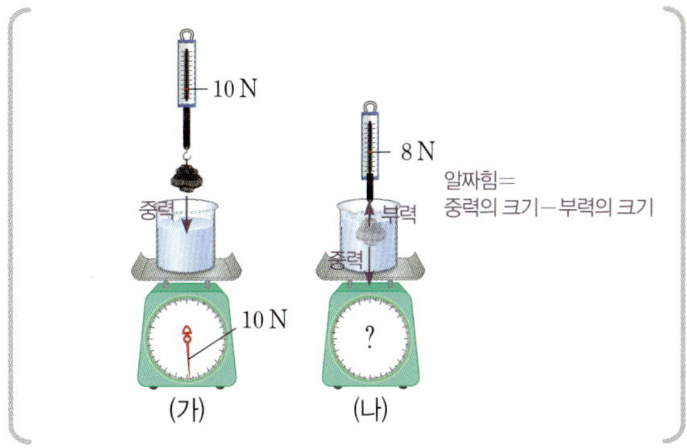

Step 2 보기 분석하기

ㄱ. (나)에서 물체의 무게 중 8 N을 용수철저울이 당기고 있으므로 2 N의 무게만 가정용 저울에 더해진다. 따라서 가정용 저울의 눈금 값은 10 N+2 N=12 N이다.

ㄴ. (나)에서 물체가 물속에 잠겼을 때 용수철저울의 눈금이 8 N이었으므로 (나)에서 물체에 작용하는 부력의 크기는 2 N이다. 부력은 물체의 부피에 비례하므로 (다)에서 물체에 작용하는 부력의 크기는 (나)에서 작용하는 부력의 크기와 같다. 따라서 (다)에서 물체에 작용하는 부력의 크기도 2 N이다.

ㄷ. (다)에서 물체의 무게 전체가 가정용 저울에 걸리므로 가정용 저울의 눈금 값은 10 N+10 N=20 N이다.

3 〔단계별〕〔문제 해결〕

Step 1 자료 분석하기

물체에는 위 방향으로 부력이, 아래 방향으로 중력이 작용한다.

Step 2 문제 해석하기

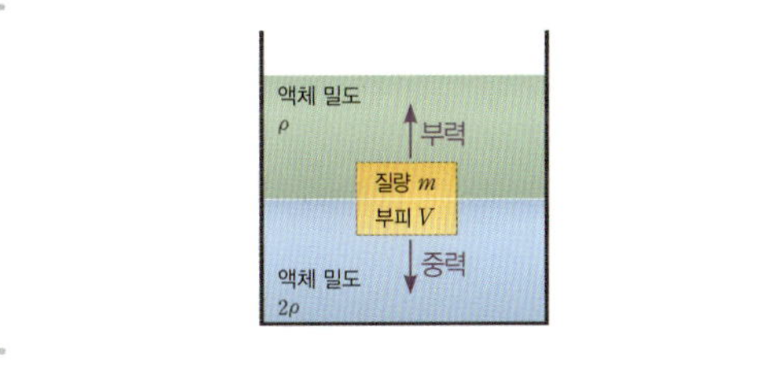

(가)에서 물체에 작용하는 부력의 크기는 물체가 액체 밀도 ρ인 곳에서 절반의 부피만큼 받는 부력과 액체 밀도 2ρ인 곳에서 절반의 부피만큼 받는 부력의 합이다. 따라서 $\rho g\left(\dfrac{1}{2}V\right)+2\rho g\left(\dfrac{1}{2}V\right)=\dfrac{3}{2}\rho g V$이다.

4 〔단계별〕〔문제 해결〕

Step 1 자료 분석하기

물체에는 위 방향으로 부력이, 아래 방향으로 중력과 탄성력이 작용한다.

Step 2 문제 해석하기

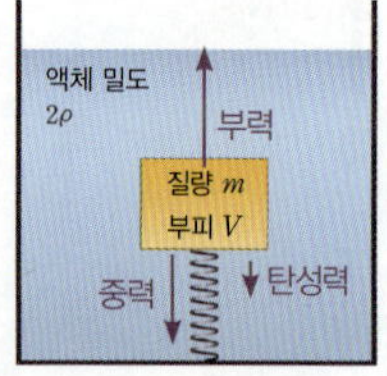

(가)에서 물체에는 위 방향으로 작용하는 부력과 아래 방향으로 작용하는 중력이 힘의 평형을 이룬다. 물체에 작용하는 중력의 크기는 9 N이므로 (가)에서 물체에 작용하는 부력은 $\frac{3}{2}\rho gV=9$ N이다. 이때 (나)에서 물체가 액체 밀도 2ρ인 곳에서 받는 부력은 $2\rho gV$이므로 부력의 크기를 y라 하면 $\frac{3}{2}\rho gV:2\rho gV=9$ N$:y$에서 y는 12 N이다. (나)에서는 물체에 작용하는 중력과 탄성력의 합이 물체에 작용하는 부력과 평형을 이루므로 물체에 작용하는 탄성력의 크기는 12 N$-$9 N$=3$ N이다.

Step 3 정답 찾아내기

용수철 상수가 100 N/m이므로 용수철이 늘어난 길이를 x라고 하면 탄성력의 크기 $F=kx$에서 3 N$=100$ N/m$\times x$에서 $x=0.03$ m$=3$ cm이다.

5 단계별 문제 해결

Step 1 자료 분석하기

물체가 물에 떠서 정지한 상태이므로 물체에 작용하는 중력과 물체에 작용하는 부력은 평형을 이룬다.

Step 2 문제 해석하기

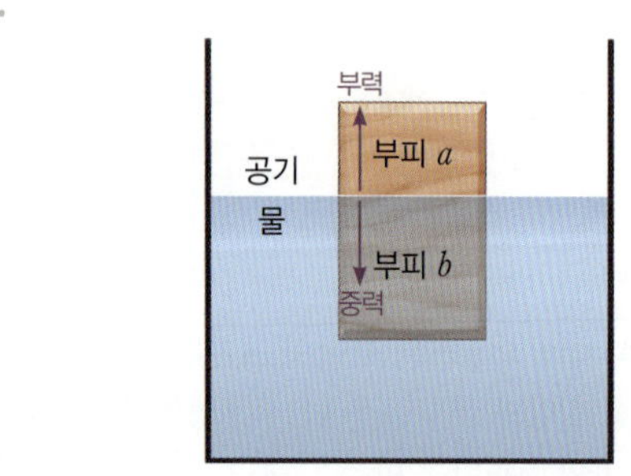

물체의 질량을 m이라고 하고 물체의 중력 가속도를 g라고 하면 물체에 작용하는 중력의 크기는 mg이다. 물체의 질량은 밀도와 부피의 곱이고 물체의 밀도를 ρ라고 하면 물체의 전체 부피는 $(a+b)$이므로 물체의 질량 $m=(a+b)\rho$이다. 따라서 물체에 작용하는 중력의 크기는 $mg=(a+b)\rho g$이다.

Step 3 정답 찾아내기

물의 밀도가 물체의 밀도의 3배이므로 물의 밀도는 3ρ이고 물체가 잠긴 부피가 b이므로 물체에 작용하는 부력의 크기는 $3\rho gb$가 된다. 따라서 $mg=(a+b)\rho g=3\rho gb$에서 $(a+b)=3b$이므로 $a=2b$, 즉 $\frac{a}{b}=2$이다.

6 단계별 문제 해결

Step 1 자료 분석하기

A가 남자를 당기는 힘과 남자가 A를 당기는 힘은 작용 반작용 관계에 있고, B가 여자를 당기는 힘과 여자가 B를 당기는 힘은 작용 반작용 관계에 있다.

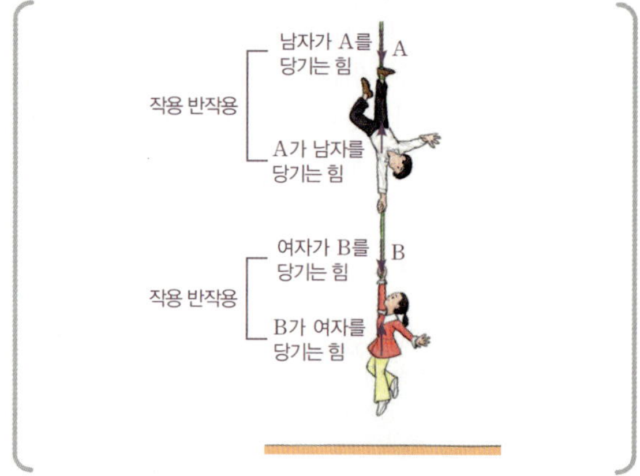

Step 2 보기 분석하기

①, ② 여자와 남자가 정지해 있으므로 여자와 남자에 작용하는 알짜힘은 모두 0이다.
③ B가 여자를 당기는 힘의 반작용은 여자가 B를 당기는 힘이다.
④ B가 여자를 당기는 힘과 여자에 작용하는 중력의 크기는 같고, 방향은 반대이므로 힘의 평형을 이룬다.
⑤ A가 남자를 당기는 힘의 반작용은 남자가 A를 당기는 힘이다.

7 단계별 문제 해결

Step 1 자료 분석하기

수평면이 물체를 떠받치는 힘은 지구가 물체를 당기는 힘인 중력과 평형을 이룬다.

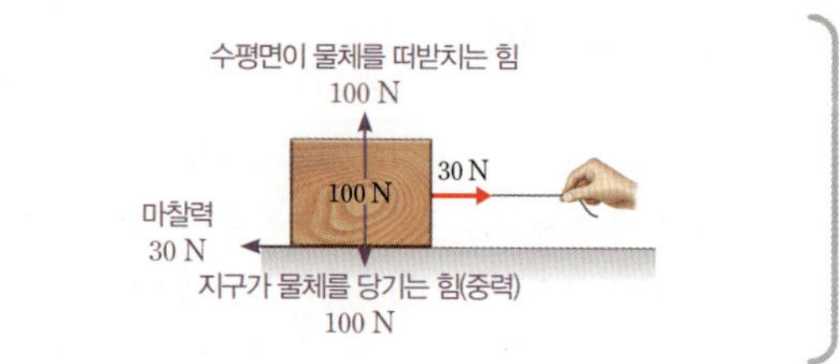

①, ③ 물체에 작용하는 힘은 평형을 이루므로 마찰력의 크기는 당기는 힘의 크기와 같은 30 N이고, 마찰력의 방향은 당기는 힘의 방향과 반대인 왼쪽이다.

② 수평면이 물체를 떠받치는 힘은 지구가 물체를 당기는 힘과 평형을 이루므로 크기가 100 N이다.

④ 물체에 수직 방향으로 작용하는 두 힘인 수평면이 물체를 떠받치는 힘과 물체의 중력은 평형을 이룬다.

⑤ 물체가 움직이지 않는 까닭은 물체에 작용하는 알짜힘이 0이기 때문이다.

8 단계별 문제 해결

Step 1 자료 분석하기

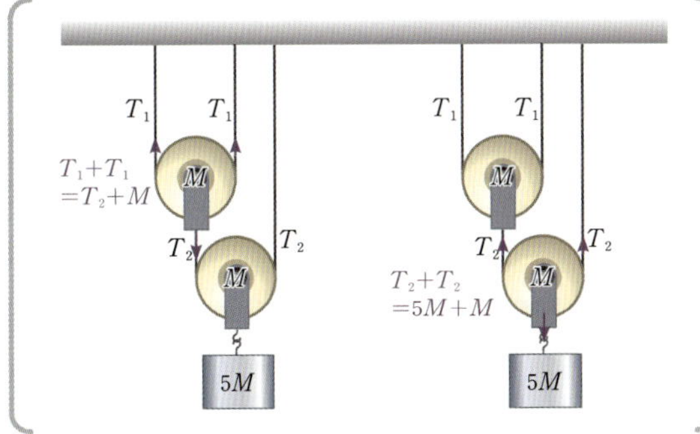

T_2의 장력이 작용하는 실은 물체와 도르래의 무게의 합 $6M$의 $\frac{1}{2}$인 $3M$을, T_1의 장력이 작용하는 실은 $3M$과 도르래의 무게의 합인 $4M$의 $\frac{1}{2}$인 $2M$을 지탱해야 한다.

Step 2 보기 분석하기

ㄱ. 아래쪽 움직 도르래에서 양쪽 줄의 장력 $2T_2$, 물체와 도르래에 작용하는 중력의 합 $M+5M=6M$은 평형 관계이다.

ㄴ. 위쪽 움직 도르래에서 장력 $2T_1$, 도르래에 작용하는 중력과 아래쪽 줄의 장력의 합 $M+T_2$는 평형 관계이다.

ㄷ. $2T_2=6M$에서 $T_2=3M$이다. 그리고 $2T_1=M+T_2=M+3M=4M$에서 $T_1=2M$이다. 따라서 $\frac{T_1}{T_2}=\frac{2M}{3M}=\frac{2}{3}$이다.

도움이 되는 배경 지식 ▷ 도르래

- 고정 도르래: 도르래의 회전축이 고정되어 있는 도르래로, 힘의 방향을 바꿔준다.
- 움직 도르래: 도르래의 회전축이 고정되지 않고 이동하는 도르래로, 물체를 직접 들어 올릴 때보다 힘의 크기를 줄여주지만 끌어당겨야 할 줄의 길이가 길다.

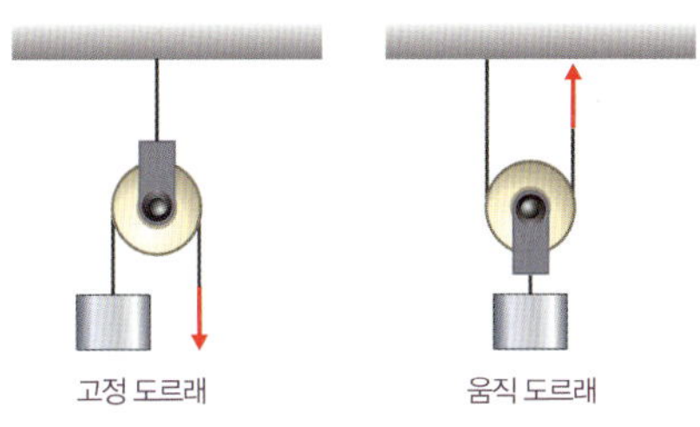

과학 역량을 기르는 논술형 **문제**　　2권 047쪽~049쪽

1 「문제 해결 가이드」 쇠구슬의 운동 상태가 변하는 것으로 알짜힘을 유추한다.

▶ 알짜힘이 작용하면 물체의 운동 방향이나 속력이 변한다는 점 ≫ 쇠구슬이 직선 구간을 미끄러져 이동하는 동안 알짜힘이 일정하게 작용한다는 점 ≫≫ 알짜힘이 쇠구슬의 운동 방향과 반대로 작용하면 쇠구슬의 운동 방향이 반대로 변한다는 점을 고려한다.

모범 답안 (1)

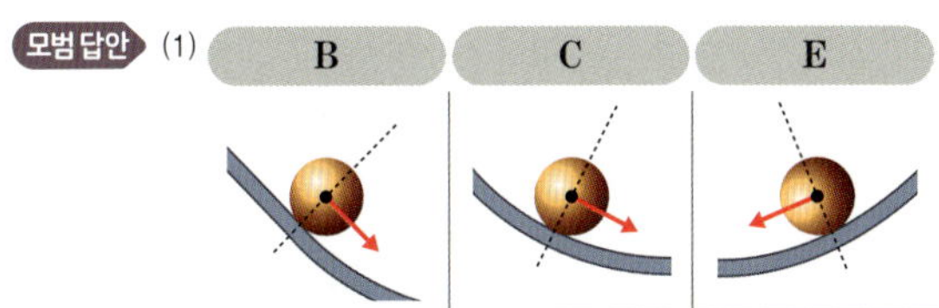

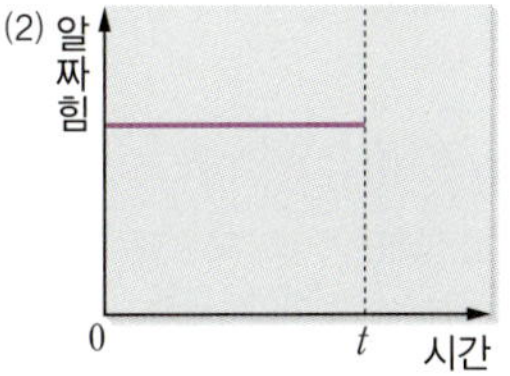

(3) 속력이 일정하게 증가하고 운동 방향은 변하지 않는다. 그 까닭은 쇠구슬이 AB 구간을 이동할 때 운동 방향으로 일정한 크기의 알짜힘이 작용하기 때문이다.

	채점 기준	배점
(1)	B, C, E에서 쇠구슬에 작용하는 알짜힘의 방향을 모두 옳게 그린 경우	30 %
	B, C, E 중 쇠구슬에 작용하는 알짜힘의 방향을 두 가지만 옳게 그린 경우	20 %
(2)	그래프를 옳게 그린 경우	30 %
	그 외의 경우	0 %
(3)	운동 상태를 설명하고, 그 까닭을 옳게 설명한 경우	40 %
	운동 상태만 옳게 설명한 경우	20 %
	그 외의 경우	0 %

2 「문제 해결 가이드」 접촉면의 넓이, 물체의 무게, 접촉면의 재질 중 두 개 요소는 같고 나머지 하나 요소가 다를 때의 마찰력의 크기를 비교하여 판단한다.

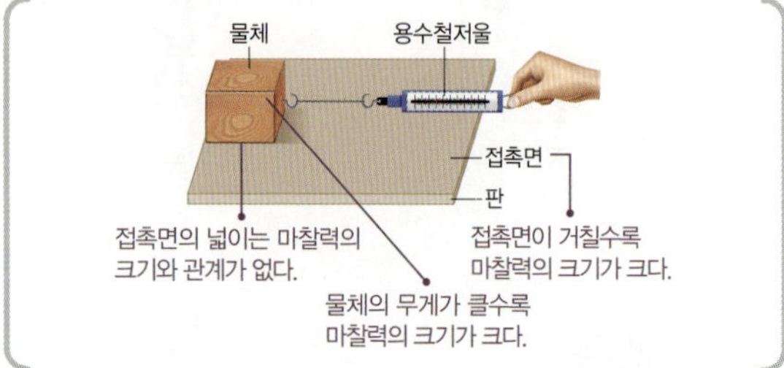

▶ 접촉면의 재질이 마찰력에 영향을 주는지를 확인하려면 접촉면의 넓이와 물체의 무게가 같은 기호를 비교해야 한다는 점 ▶▶ 물체의 무게가 마찰력에 영향을 주는지를 확인하려면 접촉면의 넓이와 접촉면의 재질이 같은 기호를 비교해야 한다는 점 ▶▶▶ 접촉면의 넓이가 마찰력에 영향을 주는지를 확인하려면 물체의 무게와 접촉면의 재질이 같은 기호를 비교해야 한다는 점을 고려한다.

모범 답안 C, D / E, F를 비교하면 아크릴보다 사포에서, 종이보다 사포에서 용수철저울의 눈금이 크다는 것을 알 수 있다. 따라서 접촉면의 재질은 마찰력의 크기에 영향을 준다.
C, F를 비교하면 물체의 무게가 클수록 용수철저울의 눈금이 크다는 것을 알 수 있다. 따라서 물체의 무게는 마찰력의 크기에 영향을 준다.
B, F / D, G / E, H를 비교하면 접촉면의 넓이가 넓어져도 용수철저울의 눈금은 변하지 않는다. 따라서 접촉면의 넓이는 마찰력의 크기에 영향을 주지 않는다.

채점 기준	배점
물체의 접촉면의 재질, 물체의 무게, 접촉면의 넓이이 모두 근거를 제시하여 마찰력에 영향을 주는지 옳게 판단한 경우	100 %
물체의 접촉면의 재질, 물체의 무게, 접촉면의 넓이 중 두 가지만 근거를 제시하여 마찰력에 영향을 주는지 옳게 판단한 경우	60 %
물체의 접촉면의 재질, 물체의 무게, 접촉면의 넓이 중 한 가지만 근거를 제시하여 마찰력에 영향을 주는지 옳게 판단한 경우	30 %

3 「문제 해결 가이드」 용수철에 작용하는 힘의 크기와 용수철이 늘어난 길이가 비례 관계임을 이용한다.

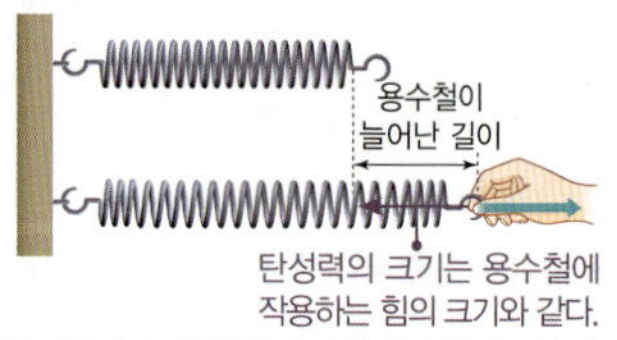

- 힘을 작용하여 용수철을 늘리면 용수철에는 원래 모양으로 되돌아가려는 힘인 탄성력이 작용한다.
- 용수철이 늘어난 길이가 클수록 탄성력의 크기가 크다.

▶ 용수철에 작용하는 힘이 커질수록 용수철이 늘어난 길이가 커진다는 점 ▶▶ 용수철에 작용하는 힘의 크기와 용수철이 늘어난 길이가 비례한다는 점 ▶▶▶ 용수철에 작용하는 힘과 용수철이 늘어난 길이의 관계를 활용하여 용수철저울로 힘의 크기를 측정할 수 있다는 점을 고려한다.

모범 답안 (1) 힘의 크기가 2 N일 때 용수철이 1 cm 늘어나므로 $2\ \text{N} : 1\ \text{cm} = F : 5.5\ \text{cm}$에서 $F = 11\ \text{N}$이다.
(2) 용수철에 힘을 작용하면 용수철에 작용한 힘만큼 용수철이 늘어난다. 이때 용수철이 늘어난 길이는 용수철에 작용한 힘의 크기에 비례하므로 용수철이 늘어난 길이를 측정하여 용수철에 작용한 힘의 크기를 알 수 있다.

	채점 기준	배점
(1)	F의 크기를 쓰고, 계산 과정을 옳게 설명한 경우	50 %
	F의 크기를 옳게 썼으나 계산 과정을 옳게 설명하지 못한 경우	25 %
(2)	용수철이 늘어난 길이와 힘의 크기의 관계를 이용하여 힘의 크기를 측정하는 원리를 옳게 설명한 경우	50 %
	용수철이 늘어난 길이를 측정하면 힘의 크기를 알 수 있다고만 설명한 경우	25 %

4 「문제 해결 가이드」 양팔저울과 가정용 저울의 차이점을 이해하고, 무게와 질량을 구분하여 A와 B의 상황을 비교한다.

▶ 무게는 물체에 작용하는 중력의 크기로 측정하는 장소에 따라 달라지지만, 질량은 물체를 구성하는 물질의 고유한 양으로 측정하는 장소가 달라져도 변하지 않고 일정하다는 점 ▶▶ 무게는 용수철저울이나 가정용 저울로, 질량은 양팔저울로 측정한다는 점을 고려한다.

모범 답안 손해를 본 사람은 B이다. A는 양팔저울을 사용했으므로 질량을 측정하였고, B는 가정용 저울을 사용했으므로 무게를 측정하였다. 질량은 장소와 관계없이 동일하다. 따라서 A가 화성에서 측정한 금 질량은 지구에서 측정한 금 질량과 동일하므로 A는 지구에서 산 가격으로 화성에서 금을 팔았다. 하지만 B가 화성에서 측정한 금 무게는 지구에서 측정한 금 무게의 $\frac{1}{3}$이므로 B는 지구에서 산 가격의 $\frac{1}{3}$로 팔기 때문에 손해를 본다.

채점 기준	배점
손해를 본 사람을 쓰고, 무게와 질량을 측정하는 도구를 이용하여 옳게 설명한 경우	100 %
손해를 본 사람만 옳게 쓴 경우	50 %

5 「문제 해결 가이드」 밀도를 이용하여 순금의 부피를 구한다. 부력을 이용하여 기울어진 저울에서 왕관에 작용하는 중력과 부력의 크기를 비교한다. 왕관에서 순금과 은의 질량의 합이 500 g임을 이용하여 왕관에 포함된 금과 은의 양을 알아낸다.

> 왕관에는 밀도가 작은 은이 포함되어있고, 밀도=$\dfrac{질량}{부피}$ 이라는 점 ≫ 금과 왕관의 질량이 같을 때 부피가 더 큰 왕관에 부피가 더 작은 금보다 부력이 크게 작용한다는 점 ≫≫ 소금물 속에서 왕관에 작용하는 부력의 크기가 금에 작용하는 부력의 크기보다 0.006g(N) 클 때 양팔저울이 기울어진다는 점을 고려한다.

모범 답안 (1) 순금, 수평을 이루던 양팔저울이 소금물에 넣었을 때 기울어진 까닭은 왕관의 부피가 순금의 부피보다 크므로 왕관에 작용하는 부력이 순금보다 크기 때문이다.

(2) 100 g, 물체의 밀도를 ρ, 물체의 질량을 m이라 할 때 물체의 부피 V는 $V=\dfrac{m}{\rho}$이다. 따라서 순금의 밀도가 20 kg/L이고 순금의 질량이 500 g이므로 순금 500 g(=0.5 kg)의 부피는 $\dfrac{0.5}{20}=0.025$(L)이다. 물체의 부피가 V이고 중력 가속도가 g일 때, 소금물에서 물체에 작용하는 부력의 크기 $F_B=1.2gV$이므로 순금 500 g에 작용하는 부력의 크기는 $F_B=1.2g×0.025=0.03g$이다. 순금의 밀도가 은의 2배이므로, 만약 질량이 같다면 은의 부피가 순금의 부피의 2배이고 은에 작용하는 부력이 순금에 작용하는 부력의 2배이다.

구분	m(kg)	ρ(kg/L)	V(L)	F_B(N)
순금	0.5 동일	20	0.025 2배	0.03g 2배
은	0.5	10	0.05	0.06g
왕관	0.5		x	y

양팔저울은 양쪽의 질량이 6 g(=0.006 kg) 차이가 날 때 기울어지고, 소금물에서 양팔저울이 기울어졌으므로 왕관의 무게보다 순금의 무게가 0.006g 더 크다. 따라서 왕관에 작용하는 부력 y는 순금에 작용하는 부력(0.03g)보다 0.006g 더 큰 0.036g이다. 이때 왕관의 부피를 x라 하면 2 kg의 소금이 녹은 물에서 왕관의 부력 $y=1.2g×x$이므로 $1.2xg=0.036g$에서 $x=0.03$ L이다.

왕관 0.5 kg 중 순금의 질량을 X, 은의 질량을 Y라고 하면 다음 두 식을 만족한다.

$$X+Y=0.5$$
$$\dfrac{0.03}{0.5}X+\dfrac{0.06}{0.5}Y=0.036$$

따라서 $X=0.4$(kg), $Y=0.1$(kg)이다.

	채점 기준	배점
(1)	순금을 옳게 고르고 그 까닭을 설명한 경우	30 %
	순금만 옳게 고른 경우	15 %
	그 외의 경우	0 %
(2)	은으로 대체한 순금의 질량을 쓰고, 계산 과정을 옳게 설명한 경우	70 %
	은으로 대체한 순금의 질량을 구하지 못했으나 금과 은의 부피와 부력의 크기를 옳게 구한 경우	35 %
	그 외의 경우	0 %

Ⅵ 기체의 성질

◯1 기체의 압력과 부피

개념 빌드업

2권 057쪽	**1** 커	**2** 충돌, 압력	**3** 증가, 커
2권 059쪽	**1** 반비례, 보일	**2** 가까워, 증가	
2권 060쪽	**1** 늘어난다	**2** 높은, 줄여야	

탐구 확인 문제 2권 061쪽

1 (1) ◯ (2) ◯ (3) ✕   **2** ㄱ, ㄹ

1 (1) 일정한 온도에서 기체의 압력과 부피 관계를 알아보는 실험이다.

(2) 실험 결과 주사기 속 공기의 부피가 줄어들면 공기의 압력이 커진다. 따라서 일정한 양의 기체의 부피가 줄어들수록 기체의 압력이 커진다는 것을 알 수 있다.

(3) 일정한 온도에서 압력과 부피를 곱한 값은 일정하므로 다음과 같은 식이 성립한다.

20 mL×1 기압=5 mL×x, $x=4$ 기압

따라서 주사기 속 공기의 부피가 5 mL일 때 공기의 압력은 4 기압이다.

2 ㄱ. 주사기 속 공기는 밀폐되어 있으므로 기체 입자의 개수는 변하지 않는다.

ㄴ, ㄷ. 주사기의 피스톤을 누르면 기체 입자 사이의 거리가 가까워져 기체의 부피가 줄어든다. 따라서 기체 입자가 움직일 수 있는 공간이 좁아지므로 기체 입자의 충돌 횟수가 증가한다.

ㄹ. 온도는 일정하므로 주사기 속에서 기체 입자가 운동하는 빠르기는 변하지 않는다.

집중 분석 2권 062쪽

1-1 2 L   **1-2** 1.25 기압

2-1 30   **2-2** ㉠ 20, ㉡ 2

1-1 일정한 온도에서 압력이 변하였으므로, 보일 법칙에 따른 공식에 대입하여 다음과 같이 기체의 부피(V)를 구한다.

1 기압×10 L=5 기압×V ∴ V=2 L

1-2 일정한 온도에서 압력에 따라 기체의 부피가 변하였으므로, 보일 법칙에 따른 공식에 대입하여 다음과 같이 기체의 압력(P)을 구한다.

1 기압×100 mL=P×80 mL ∴ P=1.25 기압

2-1 보일 법칙에 따르면 기체의 압력과 부피를 곱한 값은 항상 일정하므로 다음과 같이 기체의 부피(x)를 구한다.

1 기압×60 mL=2 기압×x mL ∴ x=30

2-2 일정한 온도에서 기체의 압력과 부피는 반비례하므로, 압력과 부피를 곱한 값은 항상 일정하다.

1 기압×100 mL=5 기압×㉠ mL=㉡ 기압×50 mL

∴ ㉠=20, ㉡=2

 **확인 문제**

2권 066쪽~068쪽

01 ④	**02** ⑤	**03** ②, ④	**04** ⑤	**05** ㄱ, ㄹ
06 ②	**07** ③	**08** ①	**09** ②	**10** ② **11** ③
12 ④	**13** ㄱ, ㄷ	**14** ⑤	**15** ①	

16 ㉠ 증가, ㉡ 감소, ㉢ 증가

01 ㄱ, ㄷ. 압력은 일정한 면적에 작용하는 힘이며, 일정한 면적에 작용하는 힘의 크기가 클수록 압력이 크다.

ㄴ. 같은 크기의 힘이 작용하는 면적이 좁을수록 압력이 크다.

ㄹ. 끝이 뾰족한 못은 힘을 받는 면적을 좁혀 압력을 크게 하여 이용한 예이다.

02 자료 **VIEW**

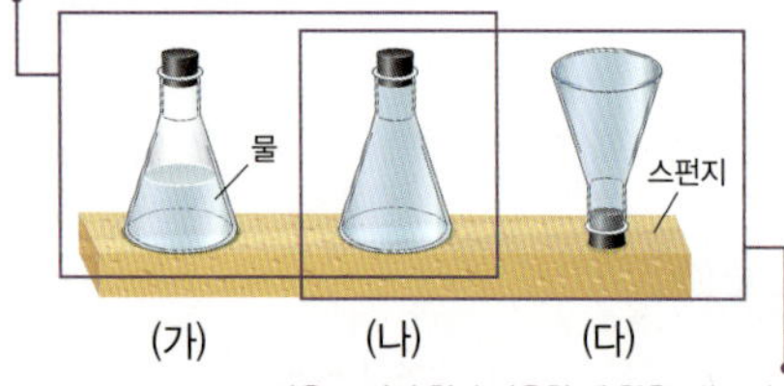

힘을 받는 면적이 같을 때 작용하는 힘의 크기가 클수록 압력이 크다. ➡ (가)<(나)

같은 크기의 힘이 작용할 때 힘을 받는 면적이 좁을수록 압력이 크다. ➡ (나)<(다)

삼각 플라스크에 담긴 물의 양이 많을수록 스펀지에 작용하는 힘의 크기가 크고, 작용하는 힘의 크기가 같을 때 삼각 플라스크가 스펀지에 닿는 면적이 좁을수록 압력이 크다. (가)와 (나)를 비교하면 작용하는 힘의 크기와 압력의 관계를 알 수 있고, (나)와 (다)를 비교하면 힘을 받는 면적과 압력의 관계를 알 수 있다. 따라서 스펀지에 작용하는 압력은 (다)>(나)>(가)이다.

03 얼음판 위에서 엎드린 자세로 얼음판에 몸을 밀착시키면 힘을 받는 면적이 넓어져 압력이 작아진다. 따라서 얼음판이 깨지지 않게 하여 안전하게 사람을 구할 수 있다. 이와 같이 힘을 받는 면적을 넓혀 압력을 작게 하는 원리를 이용한 것에는 스키, 눈썰매, 스노보드 등이 있다.

04 ① 기체 입자는 모든 방향으로 끊임없이 운동하므로 기체의 압력은 모든 방향으로 작용한다.

②, ③ 기체 입자가 끊임없이 운동하면서 용기 벽면에 충돌하여 가하는 힘을 기체의 압력이라고 한다.

④, ⑤ 일정한 온도와 부피에서 기체 입자의 개수가 많을수록 기체 입자가 용기 벽면에 충돌하는 횟수가 증가하여 기체의 압력이 커진다.

05 ㄱ, ㄷ. 기체 입자는 모든 방향으로 운동하면서 충돌하므로, 기체의 압력은 모든 방향으로 똑같이 작용한다.

ㄴ. 기체 입자들이 풍선 안쪽 벽면에 충돌하여 기체의 압력이 나타난다.

ㄹ. 풍선의 부피가 일정하므로, 풍선 속 기체의 압력은 풍선 바깥쪽에서 작용하는 외부 압력과 같다.

06 ①, ③, ④, ⑤ 먼지를 제거하는 압축 공기, 혈압을 측정하는 혈압계, 사람을 안전하게 구조하는 안전 매트, 무거운 물체를 들어 올리는 공기 주머니는 모두 기체의 압력을 이용한 것이다.

② 방 안에 방향제를 놓아두면 방 전체에서 향기가 나는 것은 입자의 운동에 의한 확산 현상이다.

07 자료 **VIEW**

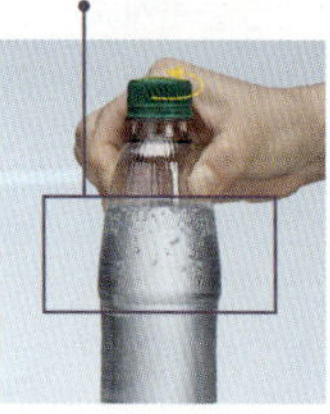

탄산음료에서 기포가 발생하여 기체가 빠져나오는 모습을 볼 수 있다. 이로부터 (나)는 페트병의 뚜껑을 열었다가 닫은 것임을 알 수 있다.

(나)의 페트병을 손으로 누르기 더 쉬운 까닭은 페트병의 뚜껑을 잠시 열었다가 닫는 사이에 탄산음료에서 빠져나온 기체가 페트병 밖으로 빠져나가 페트병 속 기체 입자의 개수가 적어져 기체의 압력이 작아졌기 때문이다. 따라서 (가)보다 (나)에서 더 큰 값을 가지는 것은 탄산음료에서 빠져나온 기체 입자의 개수이다.

08 ①, ③, ⑤ 감압 용기에 과자 봉지를 넣고 용기 속 공기를 빼내면 용기 속 기체 입자의 개수가 줄어든다. 따라서 용기 속 기체 입자의 충돌 횟수가 감소하여 기체의 압력이 작아지므로 과자 봉지 속 기체의 부피가 늘어난다.
② 과자 봉지 속 기체 입자의 크기는 변하지 않는다.
④ 온도가 일정하므로 과자 봉지 속 기체 입자 운동의 빠르기는 변하지 않는다.

09 보일 법칙에 따라 기체의 압력과 부피를 곱한 값은 일정하므로 기체의 압력(P)은 다음과 같이 구한다.
2 기압×5 L=P×20 L ∴ P=0.5 기압

10

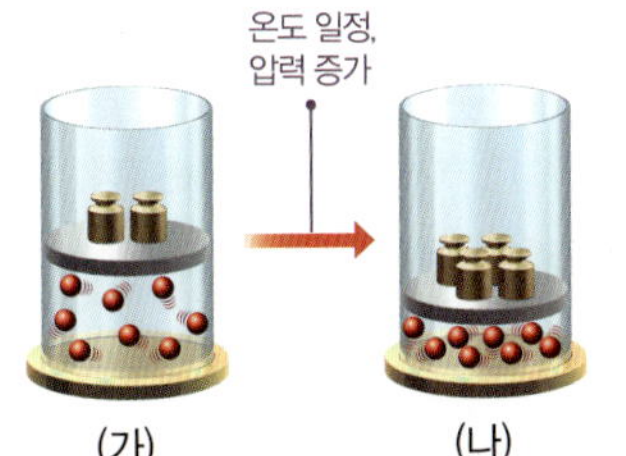

(가)에서 (나)로 될 때 외부 압력이 커지므로 기체 입자 사이의 거리가 가까워지면서 기체의 부피가 줄어든다. 이때 기체 입자의 충돌 횟수가 증가하여 기체의 압력이 커진다. 하지만 닫힌 용기 속 기체 입자의 개수는 일정하며, 온도가 일정하므로 기체 입자 운동의 빠르기도 변하지 않는다.

11 ①, ② 주사기의 피스톤을 당기면 주사기 속 기체의 부피가 늘어나면서 기체의 압력이 작아진다.
③ 풍선 속 기체 입자의 개수는 변하지 않는다.
④, ⑤ 풍선의 부피가 늘어나므로 풍선 속 기체 입자 사이의 거리가 멀어지고, 기체 입자의 충돌 횟수가 감소한다.

12 ① 온도가 일정할 때 공기의 부피에 따른 압력 변화를 알아보는 실험이므로 보일 법칙을 설명할 수 있다.
② 온도가 일정하므로 주사기 속 공기 입자의 빠르기는 변하지 않는다.
③ 피스톤을 누를수록 주사기 속 공기의 부피가 줄어들면서 공기의 압력이 커진다.

④, ⑤ 피스톤을 누를수록 주사기 속 공기 입자 사이의 거리가 가까워지고, 공기 입자의 충돌 횟수가 증가한다.

13 ㄱ. 비행기가 이륙하면 고도가 높아져 대기압이 작아진다. 이때 고막 안쪽 공기의 부피가 늘어나면서 고막이 밖으로 밀려나므로 귀가 먹먹해진다. → 보일 법칙과 관련된 현상
ㄴ. 물에 잉크를 떨어뜨리면 물 입자와 잉크 입자가 끊임없이 운동하면서 서로 부딪쳐 고르게 섞인다. → 확산 현상
ㄷ. 수면 가까이 올라갈수록 수압이 작아지므로 잠수부가 물속에서 내뿜은 공기 방울은 수면 가까이 올라갈수록 크기가 점점 커진다. → 보일 법칙과 관련된 현상

14

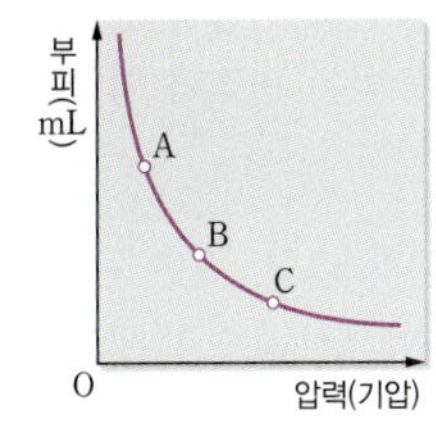

일정한 온도에서 기체의 압력과 부피는 반비례한다. 기체 입자가 용기 벽면에 충돌하는 횟수가 많을수록 기체의 압력이 크다. 따라서 기체의 압력이 큰 순서대로 기체 입자의 충돌 횟수가 많다.

15 하늘을 나는 비행기 안에서는 대기압이 작아져 과자 봉지 속 기체의 부피가 늘어나므로 과자 봉지가 팽팽해지는데, 이 현상은 보일 법칙과 관련이 있다.
① 탄산음료 병의 밑바닥을 꽃잎 모양으로 만드는 것은 표면적을 넓혀 병 속 기체의 압력을 분산시키기 위한 것이다. 이는 보일 법칙과 관련이 없다.
②, ③, ④, ⑤ 모두 압력에 따라 기체의 부피가 변하는 현상이므로 보일 법칙과 관련이 있다.

16 밑창에 공기 주머니가 들어 있는 운동화를 신고 뛰어올랐다가 착지할 때 공기 주머니에 작용하는 압력이 증가하여 공기 주머니의 부피가 감소한다. 따라서 주머니 속 공기의 압력이 증가한다.

 **강화 문제**

2권 069쪽

01 ③   **02** ⑤   **03** ①   **04** ②, ④

01 자료 VIEW

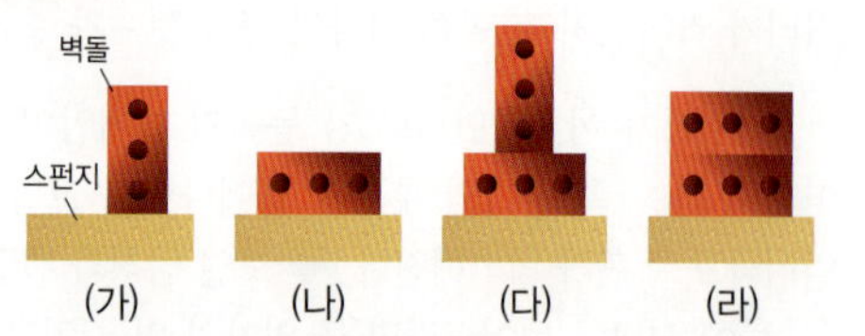

- 힘을 받는 면적(스펀지에 닿는 면적): (가)<(나)=(다)=(라)
- 작용하는 힘의 크기(벽돌의 개수): (가)=(나)<(다)=(라)

힘을 받는 면적은 같고 작용하는 힘의 크기가 다른 (나)와 (다) 또는 (나)와 (라)를 비교하면 작용하는 힘의 크기와 압력의 관계(A)를 알 수 있다.
또한, 작용하는 힘의 크기는 같고 힘을 받는 면적이 다른 (가)와 (나)를 비교하면 힘을 받는 면적과 압력의 관계(B)를 알 수 있다.

02 (가)는 (나)보다 풍선의 부피가 크고, 같은 온도와 압력에서 (다)는 (가)보다 풍선 속에 더 많은 기체 입자가 들어 있으므로 (다)의 부피가 더 크다. 따라서 풍선의 부피는 (다)>(가)>(나)이다.
또한, 같은 온도와 압력에서 기체 입자의 개수가 많을수록 기체의 부피가 커지므로 풍선 속 기체 입자의 개수도 (다)>(가)>(나)이다.

03 ①, ③, ⑤ 혈압계의 공기 주머니에 공기가 채워질 때 공기 주머니 속 기체 입자의 개수가 많아지면서 기체 입자의 충돌 횟수가 증가한다. 따라서 공기 주머니 속 기체의 압력이 커져 팔에 힘을 가한다.
②, ④ 기체 입자의 크기는 변하지 않으며, 온도가 일정하므로 기체 입자 운동의 빠르기도 변하지 않는다.

04 자료 VIEW

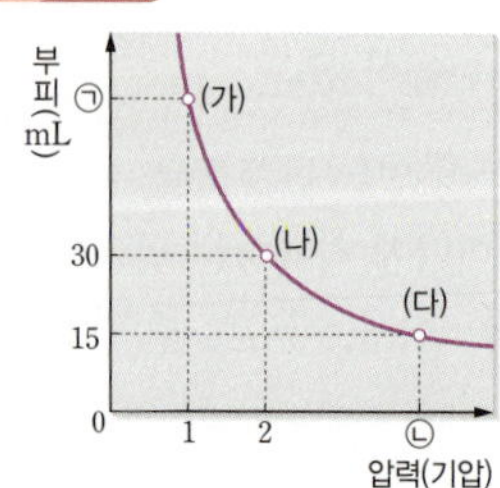

- 기체의 압력: (가)<(나)<(다)
- 기체의 부피: (가)>(나)>(다)
- 기체 입자 사이의 거리: (가)>(나)>(다)
- 기체 입자의 충돌 횟수: (가)<(나)<(다)
- 기체 입자의 개수: (가)=(나)=(다)
- 기체 입자 운동의 빠르기: (가)=(나)=(다)

① 보일 법칙에 따라 온도가 일정할 때 일정한 양의 기체의 압력과 부피를 곱한 값은 일정하다. 따라서 (가)~(다)에서 압력과 부피를 곱한 값은 모두 같다.
1 기압×㉠ mL=2 기압×30 mL=㉡ 기압×15 mL
∴ ㉠=60, ㉡=4

② 기체의 부피가 가장 큰 (가)에서 기체 입자 사이의 거리가 가장 멀다.
③ 온도가 일정하므로 (가)~(다)에서 기체 입자 운동의 빠르기는 모두 같다.
④ 기체의 양은 일정하므로 (가)~(다)에서 기체 입자의 개수는 모두 같다.
⑤ (나)에서 (다)로 변할 때 기체의 부피가 줄어들므로 기체 입자의 충돌 횟수가 증가한다.

서술형 문제

2권 070쪽~071쪽

1 압력은 같은 면적에 작용하는 힘의 크기가 클수록, 같은 크기의 힘이 작용하는 면적이 좁을수록 커진다. 밑면이 넓은 운동화를 신고 모래를 밟을 때보다 굽이 뾰족한 구두를 신고 모래를 밟을 때 압력이 더 크게 작용하여 모래가 깊이 눌린다.

모범 답안 구두, 밑면이 넓은 운동화보다 굽이 뾰족한 구두가 모래와 닿는 면적이 좁아 압력이 더 크게 작용하기 때문이다.

채점 기준	배점
구두를 쓰고, 그 까닭을 모래와 닿는 면적을 비교하여 옳게 설명한 경우	100 %
구두를 썼으나, 그 까닭을 옳게 설명하지 못한 경우	30 %

2 일정한 온도에서 일정한 양의 기체가 들어 있는 용기 위에 올려놓은 추의 개수가 증가함에 따라 기체에 가하는 외부 압력이 커져 기체의 부피가 줄어든다.

모범 답안 용기 위에 올려놓은 추의 개수가 증가할수록 외부 압력이 커지므로 기체 입자 사이의 거리는 가까워지고, 기체 입자의 충돌 횟수가 증가하여 기체의 압력이 커진다.

채점 기준	배점
주어진 용어를 모두 이용하여 용기 속 기체의 변화를 옳게 설명한 경우	100 %
주어진 용어 중 세 가지만 이용하여 용기 속 기체의 변화를 옳게 설명한 경우	60 %
주어진 용어 중 두 가지만 이용하여 용기 속 기체의 변화를 옳게 설명한 경우	30 %

3 페트병의 뚜껑을 닫은 상태에서 페트병에 힘을 가하면 페트병 속 기체의 부피가 줄어들면서 페트병 안쪽 벽면에 기체 입자가 충돌하는 횟수가 증가하여 기체의 압력이 커지므로 페트병을 찌그러뜨리기 어렵다.

 페트병의 뚜껑을 닫은 상태에서는 페트병 속 기체의 압력 때문에 페트병을 찌그러뜨리기 어렵다. 하지만 페트병의 뚜껑을 열면 페트병 속 기체가 빠져나가므로 페트병을 쉽게 찌그러뜨릴 수 있다.

채점 기준	배점
기체의 압력과 관련지어 까닭을 옳게 설명한 경우	100 %
페트병 속에 들어 있는 기체만 언급하여 까닭을 옳게 설명한 경우	50 %

도움이 되는 배경 지식 ▶ 페트병의 올바른 분리배출 방법

① 페트병 안의 내용물을 모두 깨끗이 비운다.

② 페트병의 라벨을 제거하고, 부피를 줄이기 위해 뚜껑을 열어 페트병을 찌그러뜨린다.

③ 페트병 안에 이물질이 들어가지 않도록 뚜껑을 닫은 뒤 분리배출한다.

4 보일 법칙에 따르면 일정한 온도에서 일정한 양의 기체의 압력과 부피는 반비례하므로, 압력과 부피를 곱한 값은 항상 일정하다.

 (1) 7.5, 보일 법칙에 따라 일정한 온도에서 일정한 양의 기체의 압력과 부피를 곱한 값은 항상 일정하다.
따라서 1 기압×30 mL=4 기압×㉠ mL이고, ㉠=7.5이다.

(2) 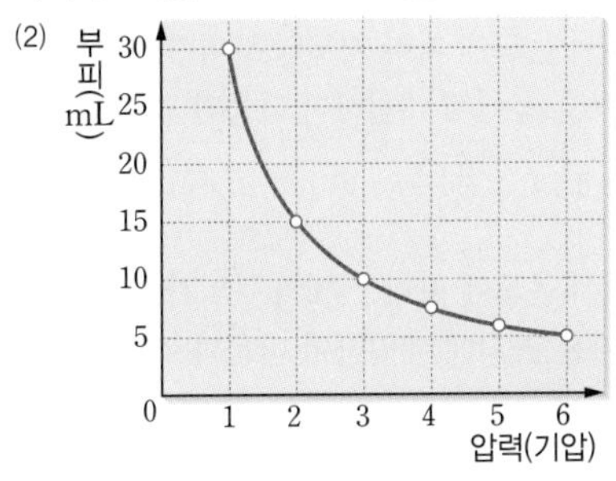

채점 기준		배점
(1)	㉠을 옳게 구하고, 보일 법칙을 이용한 풀이 과정을 옳게 설명한 경우	40 %
	풀이 과정 없이 ㉠만 옳게 구한 경우	10 %
(2)	점을 표시하고 점들을 연결하여 선으로 그래프를 옳게 나타낸 경우	60 %
	점을 표시하였으나 점들을 연결하여 선으로 나타내지 못한 경우	30 %

5 감압 용기 속 공기를 빼내면 용기 속 공기의 양이 줄어들어 용기 내부의 압력이 작아지고, 공기를 다시 넣으면 용기 속 공기의 양이 늘어나 용기 내부의 압력이 커진다.

 (1) 마시멜로가 들어 있는 감압 용기 속 공기를 빼내면 용기 내부의 압력이 작아져 마시멜로에 들어 있던 공기의 부피가 늘어나므로 마시멜로가 부풀어 오른다.

(2) 과자 봉지의 부피는 변하지 않는다. 뜯은 과자 봉지를 넣고 감압 용기 속 공기를 빼내면 용기 내부의 압력과 과자 봉지 속 기체의 압력이 계속 같기 때문이다.

채점 기준		배점
(1)	마시멜로가 부풀어 오른 까닭을 용기 내부의 압력과 마시멜로 속 공기의 부피 변화로 옳게 설명한 경우	40 %
	마시멜로가 부풀어 오른 까닭을 용기 내부의 압력과 마시멜로 속 공기의 부피 변화 중 한 가지만 관련지어 설명한 경우	20 %
(2)	과자 봉지의 부피 변화를 옳게 쓰고, 그 까닭을 옳게 설명한 경우	60 %
	과자 봉지의 부피 변화만 옳게 쓴 경우	30 %

6 수면에 가까워질수록 수압이 작아진다. 따라서 깊은 바닷속에 사는 물고기가 수면으로 올라오면 부레 속 기체의 부피가 늘어나므로 부레가 크게 부풀어 오른다.

 깊은 바닷속에 사는 물고기가 수면으로 올라오면 수압이 작아져 부레 속 기체의 부피가 늘어나기 때문이다.

채점 기준	배점
부레가 부풀어 오른 까닭을 수압과 기체의 부피 관계를 이용하여 옳게 설명한 경우	100 %
부레가 부풀어 오른 까닭을 수압과 기체의 부피 관계를 이용하여 설명하지 못한 경우	0 %

7 기체를 저장 용기에 넣는 방법으로는 온도 변화를 이용하여 기체를 액화시켜 액체로 만들거나, 기체를 작은 부피로 압축시키는 방법이 있다.

 (1) 기체 상태의 천연가스는 부피가 매우 커서 보관과 운반이 어렵기 때문이다.

(2) 기체 상태의 천연가스를 냉각하여 액체로 상태 변화(액화)시키면 천연가스의 부피가 크게 줄어들므로 저장 용기에 보관할 수 있다.

(3) 기체 상태의 천연가스에 높은 압력을 가해 압축시키면 천연가스의 부피가 크게 줄어들므로 저장 용기에 보관할 수 있다.

(4) 높은 압력을 견딜 수 있도록 저장 용기가 매우 튼튼해야 하고, 천연가스가 누출되었을 때 감지할 수 있는 장치를 설치해야 한다.

채점 기준		배점
(1)	천연가스의 부피가 크다는 것과 보관, 운반이 어렵다는 것을 모두 옳게 설명한 경우	20 %
	천연가스의 부피가 크다는 것과 보관, 운반이 어렵다는 것 중 한 가지만 설명한 경우	10 %
(2)	냉각, 상태 변화(액화), 부피 감소와 관련지어 옳게 설명한 경우	40 %
	냉각, 상태 변화(액화), 부피 감소 중 두 가지만 관련지어 옳게 설명한 경우	20 %

(3)	높은 압력, 압축, 부피 감소와 관련지어 옳게 설명한 경우	40 %
	높은 압력, 압축, 부피 감소 중 두 가지만 관련지어 옳게 설명한 경우	20 %
(4)	높은 압력을 견딜 수 있는 용기, 누출 감지 장치 설치를 모두 설명한 경우	20 %
	높은 압력을 견딜 수 있는 용기, 누출 감지 장치 설치 중 한 가지만 설명한 경우	10 %

◯2 기체의 온도와 부피

개념 빌드업

2권 073쪽	**1** 부피, 샤를	**2** 빨라, 강
2권 074쪽	**1** 온도, 부피	**2** 빨라, 늘어난다

탐구 확인 문제

2권 075쪽

1 (1) ◯ (2) × (3) ◯　　　**2** ①

1 (1) 빨대 속 기체의 온도가 낮아짐에 따라 빨대 속 기체 입자 사이의 거리가 가까워지므로 기체의 부피가 줄어들어 글리세롤 방울이 아래로 내려간다.
(2) 빨대 속 기체의 부피는 온도가 낮아짐에 따라 일정하게 줄어들므로, 빨대 속 기체의 온도와 부피는 반비례하지 않는다.
(3) 물의 온도가 낮아지면 빨대 속 기체의 부피가 줄어들므로 빨대 속 기체가 차지하는 눈금 개수는 감소한다.

2 주어진 탐구를 통해 일정한 압력에서 일정한 양의 기체의 온도를 높이면 기체의 부피가 늘어나고, 온도를 낮추면 기체의 부피가 줄어든다는 것을 알 수 있다.
① 풍선이 하늘 높이 올라갈수록 대기압이 작아져 풍선 속 기체의 부피가 늘어나므로 풍선이 점점 커진다. 이것은 압력에 따라 기체의 부피가 변하는 현상이다.
② 여름철에 도로를 달린 자동차는 타이어 속 기체의 온도가 높아져 기체의 부피가 늘어나므로 타이어가 팽팽해진다.
③ 뚜껑을 닫아 둔 페트병을 냉장고에 넣어 두면 페트병 속 기체의 온도가 낮아져 기체의 부피가 줄어들므로 페트병이 찌그러진다.

④ 냉장고에서 꺼낸 달걀을 바로 끓는 물에 넣으면 온도가 높아지면서 달걀 껍데기 안쪽에 들어 있는 기체의 부피가 늘어나므로 달걀 껍데기가 쉽게 터진다.
⑤ 뜨거운 음식이 들어 있는 그릇에 비닐 랩을 씌우면 그릇과 랩 사이에 있는 기체의 온도가 높아져 기체의 부피가 늘어나므로 비닐 랩이 부풀어 오른다.

집중 분석

2권 076쪽

1-1 300 mL	**1-2** 273 ℃
2-1 30	**2-2** 546

1-1 일정한 압력에서 온도만 변하였으므로, 샤를 법칙에 따른 공식에 대입하여 다음과 같이 구한다.

$$V_t = 100 \text{ mL} + 100 \text{ mL} \times \frac{546}{273} = 300 \text{ mL}$$

$$\therefore V_t = 300 \text{ mL}$$

1-2 일정한 압력에서 온도에 따라 기체의 부피가 변하였으므로, 샤를 법칙에 따른 공식에 대입하여 다음과 같이 구한다.

$$300 \text{ mL} = 150 \text{ mL} + 150 \text{ mL} \times \frac{t}{273} \quad \therefore t = 273 \text{ ℃}$$

2-1 일정한 압력에서 온도에 따라 기체의 부피가 변하였으므로, 샤를 법칙에 따른 공식에 대입하여 다음과 같이 구한다.

$$㉠ \text{ L} = 15 \text{ L} + 15 \text{ L} \times \frac{273}{273} = 30 \text{ L} \quad \therefore ㉠ = 30$$

2-2 일정한 압력에서 온도에 따라 기체의 부피가 변하였으므로, 샤를 법칙에 따른 공식에 대입하여 다음과 같이 구한다.

$$45 \text{ L} = 15 \text{ L} + 15 \text{ L} \times \frac{㉡}{273} \quad \therefore ㉡ = 546$$

개념 확인 문제

2권 080쪽~081쪽

01 ①, ⑤	**02** ⑤	**03** ①, ②	**04** ④	**05** $2a$
06 ㄱ, ㄹ	**07** ①	**08** ⑤	**09** ②	**10** ④

01 자료 VIEW

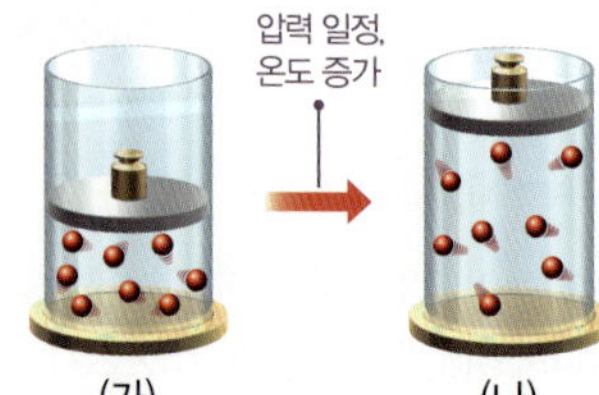

일정한 압력에서 기체의 온도가 높아지면 기체 입자의 운동이 빨라지므로 기체의 부피가 늘어난다. 이때 기체 입자의 크기, 개수, 질량은 변하지 않는다.

02 ① 오줌싸개 인형은 기체의 온도에 따른 부피 변화를 이용한 것이므로, 샤를 법칙과 관련이 있다.
②, ③ ㉠에서 인형을 찬물에 넣으면 인형 속 기체의 온도가 낮아지므로 기체 입자의 운동이 느려지고, 기체 입자 사이의 거리가 가까워진다.
④, ⑤ ㉡에서 인형 위에 뜨거운 물을 부으면 인형 속 기체의 온도가 높아져 기체의 압력이 커진다. 이때 인형 속 기체의 압력이 외부 압력과 같아질 때까지 기체의 부피가 늘어나면서 인형 속 물이 밖으로 뿜어져 나온다.

03 자료 VIEW

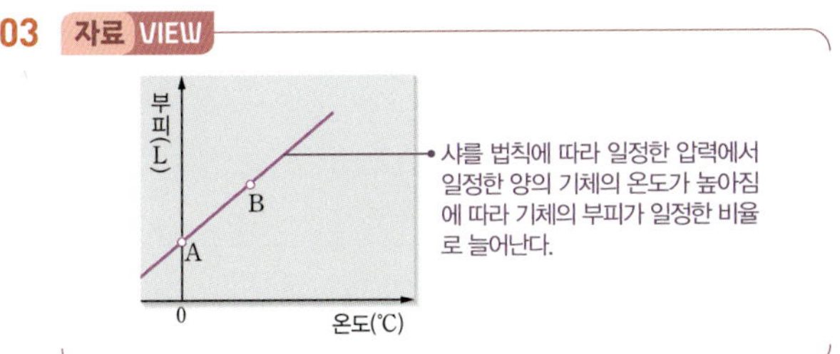

기체의 온도가 높을수록 기체 입자의 운동이 빨라지고, 기체 입자가 용기 벽면에 충돌하는 세기가 강해진다. 따라서 기체 입자 사이의 거리가 멀어지므로 기체의 부피가 늘어난다. 이때 기체 입자의 크기와 개수는 변하지 않는다.

04 ① 공기를 채운 고무공 위에 앉으면 고무공에 가해지는 압력이 커져 고무공 속 기체의 부피가 줄어들므로 고무공이 찌그러진다.
② 자동차 에어백은 기체의 압력에 따라 부피가 변하여 사람이 받는 충격을 줄여 준다.
③ 과자 봉지를 높은 산 위로 가지고 가면 대기압이 작아져 과자 봉지 속 기체의 부피가 늘어나므로 과자 봉지가 팽팽해진다.
④ 액체 질소는 온도가 매우 낮으므로, 공기가 들어 있는 풍선을 액체 질소에 넣으면 풍선 속 기체의 온도가 낮아져 기체의 부피가 줄어들므로 풍선이 쭈그러든다.
⑤ 감압 용기에 풍선을 넣고 용기 속 공기를 빼내면 용기 속 공기의 압력이 작아진다. 따라서 풍선 속 공기의 부피가 늘어나면서 풍선의 크기가 커진다.

05 546 ℃에서의 기체의 부피는 0 ℃에서의 기체의 부피보다 $2a$ L만큼 늘어났다. 샤를 법칙에 따르면 일정한 압력에서 일정한 양의 기체의 온도가 높아지면 기체의 부피는 일정

한 비율로 늘어나므로, 273 ℃에서의 기체의 부피는 0 ℃에서의 기체의 부피보다 a L만큼 늘어난다. 따라서 ㉠은 $2a$(L)이다.

06 주사기를 얼음물에 담그면 주사기 속 기체의 온도가 낮아져서 기체 입자의 운동이 느려지므로 기체 입자의 충돌 세기가 약해진다. 따라서 기체 입자 사이의 거리가 가까워져 기체의 부피가 줄어들므로 피스톤이 아래로 움직인다. 이때 주사기 속 기체 입자의 개수는 변하지 않는다.

07 풍선을 씌운 삼각 플라스크를 뜨거운 물에 넣으면 풍선 속 기체 입자의 운동이 빨라지면서 기체의 부피가 늘어나므로 풍선이 부풀어 오른다. 이때 기체 입자의 크기와 개수는 변하지 않는다. 따라서 기체 입자의 크기와 개수는 일정하고, 기체 입자의 운동이 빨라진 ①의 모형이 가장 적당하다.

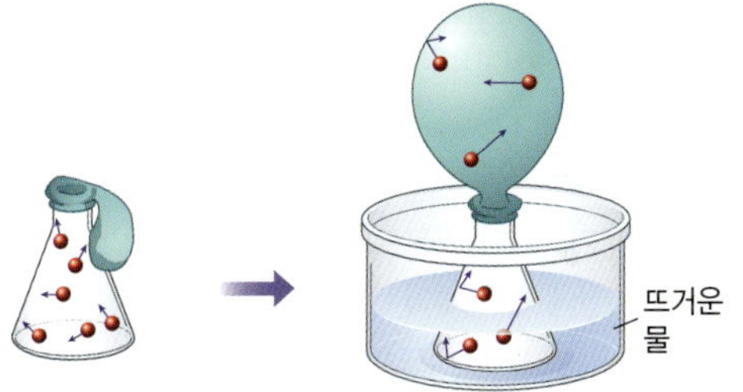

08 스포이트를 손으로 감싸 쥐면 스포이트 속 기체의 온도가 높아져 기체 입자의 운동이 빨라진다. 따라서 스포이트 속 기체의 부피가 늘어나면서 잉크 방울을 위쪽으로 밀어 올린다.

09 (가) 농구공 속 기체의 온도가 낮아져 기체의 부피가 줄어들므로 농구공이 찌그러진다. ➡ 샤를 법칙과 관련된 현상
(나) 과자 봉지 속 기체의 온도가 높아져 기체의 부피가 늘어나므로 과자 봉지가 부푼다. ➡ 샤를 법칙과 관련된 현상
(다) 수면으로 올라갈수록 수압이 작아지므로 잠수부가 물속에서 내뿜은 공기 방울은 수면 가까이 올라갈수록 커진다. ➡ 보일 법칙과 관련된 현상

10 ① (가)에서 농구공 속 기체의 온도가 낮아지므로 기체 입자의 운동이 느려진다.
② (나)에서 과자 봉지 속 기체의 온도가 높아져 기체 입자 사이의 거리가 멀어지므로 기체의 부피가 늘어난다.
③ (다)에서 수면으로 올라갈수록 수압이 작아지므로 공기 방울 속 기체의 부피가 늘어나면서 기체의 압력이 작아진다.
④ (나)와 (다)에서 기체 입자 사이의 거리가 멀어지면서 기체의 부피가 늘어난다.
⑤ (가)~(다)에서 기체 입자의 크기는 모두 변하지 않고 일정하다.

 강화 문제

2권 082쪽

01 ㄴ, ㄷ **02** ① **03** ⑤ **04** 28.15 mL

01 자료 VIEW

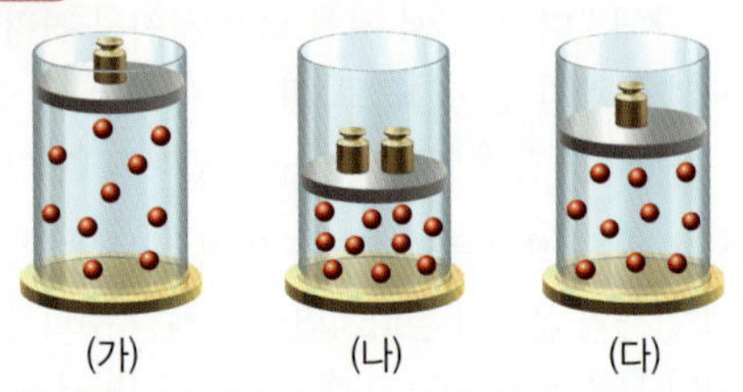

(가)   (나)   (다)

- 기체의 압력: (나)>(가)=(다)
- 기체의 부피: (가)>(다)>(나)
- 기체의 온도: (가)=(나)>(다)

ㄱ. (가)와 (다)에서 용기에 올려놓은 추의 개수가 같으므로 외부 압력이 같다. 기체의 압력은 외부 압력과 같으므로 (가)=(다)이다.

ㄴ. (가)와 (다)를 비교하면 기체의 압력이 같을 때 기체의 부피는 (가)>(다)이므로 기체의 온도는 (가)>(다)이다. 주어진 조건에서 기체의 온도는 (가)=(나)이므로 (나)와 (다)의 기체의 온도를 비교하면 (나)>(다)이다.

ㄷ. (가)와 (나)를 비교하면 기체의 압력은 (나)>(가)이고, 기체의 부피는 (가)>(나)이다. 따라서 용기 속 기체 입자의 충돌 횟수는 (나)>(가)이다.

02 자료 VIEW

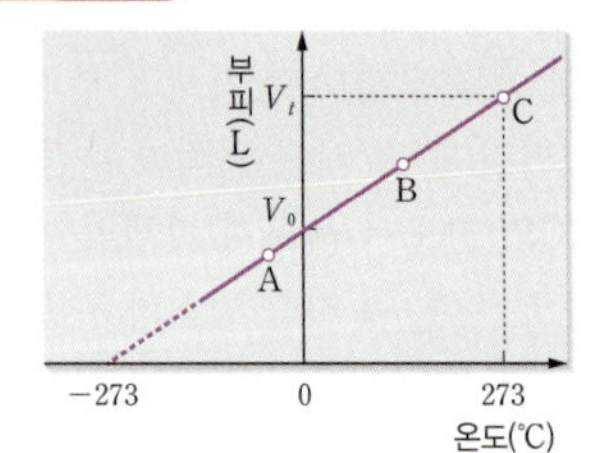

- 기체의 온도: A<B<C
- 기체의 부피: A<B<C
- 기체 입자 운동의 빠르기: A<B<C
- 기체 입자의 개수: A=B=C

ㄱ. 일정한 압력에서 일정한 양의 기체의 부피는 온도가 $1\,℃$ 높아질 때마다 $0\,℃$ 때 부피의 $\dfrac{1}{273}$씩 증가한다. C에서 기체의 온도는 $273\,℃$이므로, $0\,℃$ 때 기체의 부피만큼 증가하여 $V_t=2V_0$이다.

ㄴ. 일정한 압력에서 일정한 양의 기체의 온도가 높을수록 기체 입자의 운동이 빨라진다. 따라서 A~C에서 기체 입자의 운동은 온도가 가장 높은 C에서 가장 빠르고, 온도가 가장 낮은 A에서 가장 느리다.

ㄷ. 기체의 양이 일정하므로 기체 입자의 개수는 A~C에서 모두 같다.

03 주어진 실험 결과에서 물의 온도(=주사기 속 기체의 온도)가 $20\,℃$ 높아질 때마다 기체의 부피는 1.9 mL씩 늘어난다. 따라서 기체의 온도가 높아질수록 기체의 부피가 일정한 비율로 커진다는 것을 알 수 있다.
또한, $0\,℃$에서의 기체의 부피를 계산하면
$27.2\ \text{mL}-1.9\ \text{mL}=25.3\ \text{mL}$이므로, 이를 바탕으로 기체의 온도와 부피 관계를 옳게 나타낸 그래프는 ⑤이다.

04 물의 온도가 $20\,℃$ 높아질 때마다 기체의 부피는 1.9 mL씩 늘어나므로, 물의 온도가 $10\,℃$ 높아질 때 기체의 부피는 0.95 mL 늘어난다. 따라서 물의 온도가 $30\,℃$일 때 주사기 속 기체의 부피는 $20\,℃$일 때의 부피보다 0.95 mL가 늘어나므로 $27.2\ \text{mL}+0.95\ \text{mL}=28.15\ \text{mL}$이다.

서술형 문제

2권 083쪽

1 컵 속 기체의 온도가 변함에 따라 기체의 부피가 변하는 것을 이용하여 풍선에 컵을 붙일 수 있다.

모범답안 시간이 지나면서 컵 속 기체의 온도가 낮아지면 기체 입자의 운동이 느려져 기체의 부피가 줄어든다. 이때 컵 속에 풍선이 빨려 들어가면서 풍선에 컵이 붙는다.

채점 기준	배점
풍선에 컵이 붙는 까닭을 기체의 온도와 부피 관계 및 입자의 운동으로 옳게 설명한 경우	100 %
풍선에 컵이 붙는 까닭을 기체의 온도와 부피 관계로만 설명한 경우	50 %

2 양손으로 플라스크를 감싸 쥐면 체온에 의해 플라스크 속 기체의 온도가 높아져 기체의 부피가 늘어나면서 잉크 방울을 밀어낸다.

모범답안 (1) 잉크 방울은 B 쪽으로 움직였다.
(2) 플라스크를 양손으로 감싸 쥐면 플라스크 속 기체의 온도가 높아져 기체 입자의 운동이 빨라지므로 기체의 부피가 늘어나면서 잉크 방울이 B 쪽으로 움직인다.

	채점 기준	배점
(1)	잉크 방울이 B 쪽으로 움직였다고 쓴 경우	30 %
(2)	잉크 방울이 B 쪽으로 움직인 까닭을 기체의 온도와 부피 관계 및 입자의 운동으로 옳게 설명한 경우	70 %
	잉크 방울이 B 쪽으로 움직인 까닭을 기체의 온도와 부피 관계로만 설명한 경우	30 %

3 뚜껑을 닫아 둔 페트병을 냉장고에 넣어 두면 페트병 속 기체의 온도가 낮아져 기체의 부피가 줄어들므로 페트병이 찌그러진다. 그런데 이 페트병을 냉장고 밖으로 꺼내 두면 페트병 속 기체의 온도가 높아져 기체의 부피가 늘어나므로 페트병이 다시 펴진다. 이 현상은 온도에 따른 기체의 부피 변화에 의한 것이므로 샤를 법칙과 관련이 있다.

모범 답안 (1) 샤를 법칙, 일정한 압력에서 일정한 양의 기체는 종류와 관계없이 온도가 높아지면 부피가 일정한 비율로 늘어난다.

(2) 페트병을 냉장고에 넣으면 페트병 속 기체의 온도가 낮아져서 기체의 부피가 줄어들기 때문이다.

(3) 페트병을 냉장고 밖으로 꺼내 두면 페트병 속 기체의 온도가 높아져서 기체의 부피가 늘어나기 때문이다.

(4) 페트병 속 기체 입자의 운동은 (가)보다 (나)에서 더 빠르고, 기체 입자의 개수와 크기는 (가)와 (나)에서 같다.

	채점 기준	배점
(1)	샤를 법칙을 쓰고, 그 내용을 옳게 설명한 경우	20 %
	샤를 법칙만 쓴 경우	10 %
(2)	(가)에서 페트병이 찌그러진 까닭을 기체의 온도와 부피 관계를 이용하여 옳게 설명한 경우	30 %
	(가)에서 페트병이 찌그러진 까닭을 기체의 온도와 부피 중 한 가지만 이용하여 옳게 설명한 경우	10 %
(3)	(나)에서 페트병이 다시 펴진 까닭을 기체의 온도와 부피 관계를 이용하여 옳게 설명한 경우	30 %
	(나)에서 페트병이 다시 펴진 까닭을 기체의 온도와 부피 중 한 가지만 이용하여 옳게 설명한 경우	10 %
(4)	(가)와 (나)에서 페트병 속 기체 입자 운동의 빠르기 및 기체 입자의 개수와 크기를 모두 옳게 비교한 경우	20 %
	(가)와 (나)에서 페트병 속 기체 입자 운동의 빠르기 및 기체 입자의 개수와 크기 중 한 가지만 옳게 비교한 경우	10 %

사고력을 키우는 최상위권 도전 문제

2권 084쪽~087쪽

1 ④	**2** ③	**3** ②	**4** (1) 해설 참조 (2) 해설 참조
5 ③	**6** ⑤	**7** ⑤	

1 **단계별 문제 해결**

Step 1 자료 분석하기

제시된 그림은 25 ℃, 1 기압에서 1 L의 강철 용기 속을 진공으로 만든 후, 20 mL의 기체 X를 모두 강철 용기 속에 넣는 모습을 나타낸 것이다.

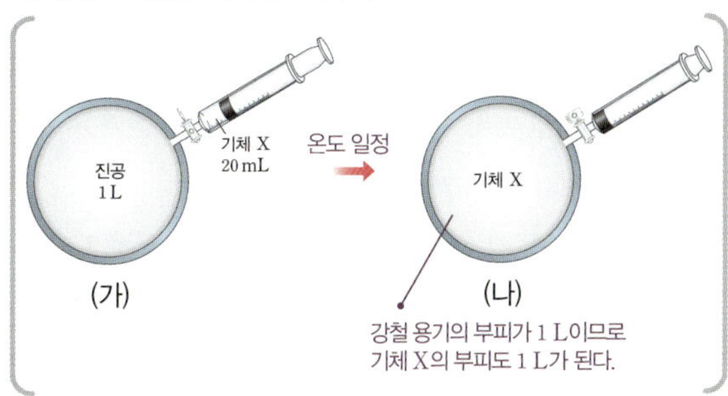

◆ 기체의 부피는 기체가 들어 있는 용기의 부피와 같다. 따라서 기체 X의 부피는 (가)에서 20 mL, (나)에서 1 L이다.

◆ (가)에서 (나)로 될 때 온도는 일정하고 기체 X의 부피는 늘어난다. 일정한 온도에서 기체의 양이 일정할 때 기체의 부피가 늘어나면 기체 입자의 충돌 횟수가 감소하므로 기체의 압력이 작아진다.

Step 2 보기 분석하기

ㄱ. (가)에서 주사기 속 기체 X의 부피는 20 mL이고, (나)에서 용기 속 기체 X의 부피는 강철 용기의 부피와 같은 1 L이다.

ㄴ. (가)에서 (나)로 될 때 일정한 온도에서 기체의 부피가 늘어나므로 기체 입자의 충돌 횟수는 감소한다.

ㄷ. (가)에서 주사기 속 기체 X의 부피가 20 mL일 때 기체의 압력은 1 기압이다. (나)에서 기체 X를 모두 용기 속에 넣으면 기체의 부피가 늘어나므로 용기 속 기체 X의 압력은 1 기압보다 작다. 온도가 일정할 때 일정한 양의 기체의 압력과 부피는 반비례하므로, (나)에서 용기 속 기체 X의 압력은 $\frac{1}{50}$로 감소하여 0.02 기압이 된다.

2 **단계별 문제 해결**

Step 1 자료 분석하기

제시된 그림은 J자 모양의 관에 수은을 넣을 때의 모습을 나타낸 것이다.

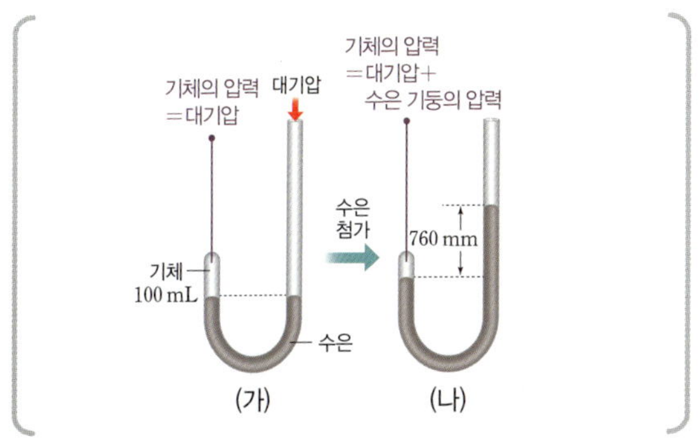

◆ (가)에서 J자 모양 관의 양쪽에 있는 수은 기둥의 높이가 같으므로 대기압과 관 속 기체의 압력은 같다.

◆ (나)에서 관 속 기체의 압력은 '대기압+수은 기둥의 압력'이다. 이때 수은 기둥의 압력은 수은 기둥의 높이 차에 비례한다.

Step 2 보기 분석하기

ㄱ. (가)에서 기체의 압력은 대기압과 같으므로 1 기압이다.

ㄴ, ㄷ. (나)에서 기체의 압력은 '대기압+수은 기둥의 압력'과 같으므로 1 기압+1 기압(=760 mmHg)=2 기압이다. 보일 법칙에 따라 일정한 온도에서 기체의 압력과 부피를 곱한 값은 항상 일정하므로 (나)에서 기체의 부피(V)는 다음과 같이 구할 수 있다.

1 기압×100 mL=2 기압×V ∴ V=50 mL

---

3 단계별 문제 해결

Step 1 자료 분석하기

제시된 그림은 피스톤 위에 올려놓은 추의 개수를 달리하면서 실린더 속 기체의 온도에 따른 기체의 부피를 측정한 결과이다.

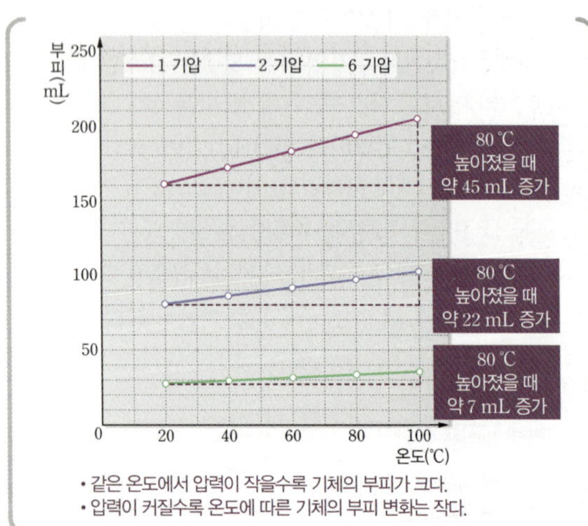

• 같은 온도에서 압력이 작을수록 기체의 부피가 크다.
• 압력이 커질수록 온도에 따른 기체의 부피 변화는 작다.

Step 2 보기 분석하기

ㄱ. 제시된 자료에서 압력이 커질수록 그래프의 기울기가 작아지므로, 기체의 온도에 따른 부피 변화가 작다.

ㄴ. '절대 온도(K)=섭씨온도(℃)+273'이므로 300 K을 섭씨온도로 변환하면 300 K=t+273이고, t=27 ℃이다. 제시된 자료에서 2 기압, 20 ℃에서 기체의 부피가 80 mL이므로, 27 ℃에서는 기체의 부피가 80 mL보다 크다.

ㄷ. 피스톤 위에 올려놓은 추 5개가 누르는 압력은 5 기압이고, 대기압은 1 기압이므로 추 5개를 올려놓은 실린더

속 기체의 압력은 6 기압이다. 제시된 자료를 보면 6 기압, 20 ℃에서 실린더 속 기체의 부피는 50 mL보다 작다.

도움이 되는 배경 지식 ▶ 섭씨온도와 절대 온도

섭씨온도는 1 기압에서 물이 얼기 시작하는 온도인 0 ℃와 물이 끓기 시작하는 온도인 100 ℃ 사이를 100 등분하여 그 간격을 1 ℃로 정한 온도이다.

절대 온도는 −273 ℃를 0으로 하여 섭씨온도와 같은 간격으로 나타낸 온도로, 단위는 K(kelvin, 켈빈)이다. 절대 영도인 0 K은 이론적으로 기체의 부피가 0이 되는 온도로, −273 ℃이다. 따라서 절대 온도는 섭씨온도에 273을 더한 값을 갖는다.

---

4 단계별 문제 해결

Step 1 문제 해석하기

주어진 실험에서 만든 모형 잠수함 속에는 기체가 들어 있다. 모형 잠수함을 물이 가득 들어 있는 페트병 속에 넣고 페트병의 뚜껑을 닫은 뒤 페트병의 옆 부분을 누르면 모형 잠수함에 작용하는 외부 압력이 커지고, 페트병을 누른 손을 떼면 모형 잠수함에 작용하는 외부 압력이 작아진다. 이때 외부 압력에 따른 모형 잠수함 속 기체의 부피 변화에 따라 모형 잠수함이 위로 뜨거나 아래로 가라앉는다.

Step 2 정답 찾아내기

페트병을 누르면 외부 압력이 커져 모형 잠수함 속 기체의 부피가 줄어들고, 페트병을 누른 손을 떼면 외부 압력이 작아져 모형 잠수함 속 기체의 부피가 늘어난다.

모범답안 (1) 페트병을 누르면 외부 압력이 커져 모형 잠수함 속 기체의 부피가 줄어든다. 이때 빨대를 통해 모형 잠수함 속으로 물이 들어가면서 모형 잠수함이 무거워져 아래로 가라앉는다.

(2) 모형 잠수함이 위로 뜰 것이다. 페트병을 누른 손을 떼면 외부 압력이 작아져 모형 잠수함 속 기체의 부피가 늘어나는데, 이때 빨대를 통해 모형 잠수함 밖으로 물이 빠져나오면서 모형 잠수함이 가벼워져 위로 뜨게 된다.

	채점 기준	배점
(1)	모형 잠수함이 가라앉는 까닭을 압력과 기체의 부피 관계를 이용하여 옳게 설명한 경우	50 %
	모형 잠수함이 가라앉는 까닭을 단순히 기체의 부피가 줄어들기 때문이라고만 설명한 경우	20 %
(2)	모형 잠수함이 위로 뜨는 것을 예상하고, 그 까닭을 압력과 기체의 부피 관계를 이용하여 옳게 설명한 경우	50 %
	모형 잠수함이 위로 뜨는 것을 예상했으나, 그 까닭을 설명하지 못한 경우	20 %

---

5 단계별 문제 해결

Step 1 자료 분석하기

제시된 그림은 서로 다른 절대 온도 T_1과 T_2에서 일정한 양의 기체 X의 압력에 따른 부피 관계를 나타낸 것이다.

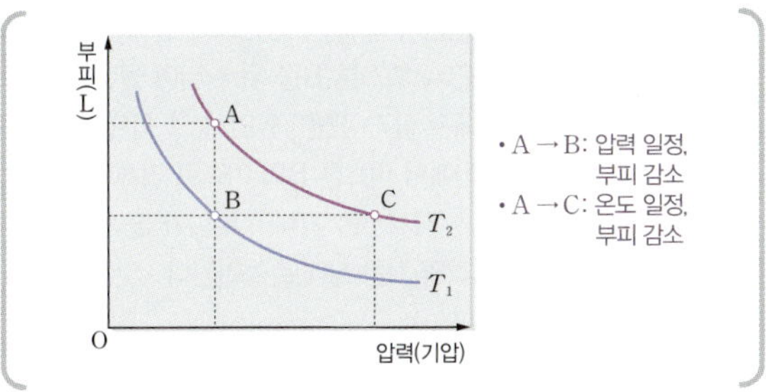

◆ A에서 B로의 변화: 압력이 일정할 때 온도가 낮아지므로 기체의 부피는 줄어든다.

◆ A에서 C로의 변화: 온도가 일정할 때 압력이 커지므로 기체의 부피는 줄어든다.

Step 2 보기 분석하기

ㄱ, ㄴ. A에서 B로 변할 때 압력은 일정한데 부피가 줄어들었으므로 온도가 낮아진 것을 알 수 있다. 따라서 $T_1 < T_2$이다. 또한, A에서 B로의 변화는 압력이 일정할 때 온도에 따른 기체의 부피 변화이므로 샤를 법칙으로 설명할 수 있다.

ㄷ. A에서 C로의 변화는 온도가 일정할 때 압력에 따른 기체의 부피 변화이므로 보일 법칙으로 설명할 수 있다. 공기가 들어 있는 풍선을 액체 질소에 넣으면 풍선 속 기체의 온도가 낮아져 기체의 부피가 줄어들므로 풍선이 쭈그러든다. 이 현상은 온도에 따른 기체의 부피 변화를 설명하는 샤를 법칙과 관련이 있다.

6 [단계별] [문제 해결]

Step 1 자료 분석하기

제시된 표는 기체 X에 관한 자료이다.

구분	온도(℃)	압력(기압)	부피(L)	기체 입자의 개수(개)
(가)	273	0.5	$8V$	$2x$
(나)	273	1	㉠	x
(다)	273	2	$2V$	$2x$
(라)	0	1	V	x

• (가)와 (다): 온도와 기체 입자의 개수가 같다.
• (나)와 (라): 압력과 기체 입자의 개수가 같다.

◆ 보일 법칙에 따르면 일정한 온도에서 일정한 양의 기체의 압력과 부피는 반비례한다. ➔ 보일 법칙을 확인하기 위해서는 온도와 기체 입자의 개수가 각각 일정한 조건을 찾는다.

◆ 샤를 법칙에 따르면 일정한 압력에서 일정한 양의 기체의 절대 온도와 부피는 비례한다. ➔ 샤를 법칙을 확인하기 위해서는 압력과 기체 입자의 개수가 각각 일정한 조건을 찾는다.

Step 2 보기 분석하기

ㄱ. (가)와 (나)를 비교하면 온도는 같지만, 압력은 (나)가 (가)의 2배이고, 기체 입자의 개수는 (나)가 (가)의 $\frac{1}{2}$이다. 기체의 부피는 압력에 반비례하고, 기체 입자의 개수에 비례하므로 (나)에서 기체의 부피(㉠)는 $8V \times \frac{1}{2} \times \frac{1}{2} = 2V$이다.

ㄴ. (가)와 (다)를 비교하면 온도와 기체 입자의 개수는 같지만 압력이 다르다. 일정한 온도에서 압력이 4배로 늘어날 때 부피는 $\frac{1}{4}$로 줄어들므로, 일정한 양의 기체의 압력과 부피는 반비례 관계임을 알 수 있다.

ㄷ. (나)와 (라)를 비교하면 압력과 기체 입자의 개수는 같지만 온도가 다르다. 일정한 압력에서 기체의 온도가 낮아지면 부피가 줄어들고, 기체의 온도가 높아지면 부피가 늘어난다. 따라서 (나)와 (라)를 통해 일정한 양의 기체의 온도가 높아지면 기체의 부피가 늘어난다는 것을 알 수 있다.

7 [단계별] [문제 해결]

Step 1 문제 해석하기

기체 입자의 운동과 기체의 성질에 관한 내용은 기체와 관련된 다양한 법칙(기체의 확산, 보일 법칙, 샤를 법칙 등)을 설명할 수 있다.

Step 2 보기 분석하기

ㄱ. 방 안에서 향수를 뿌리면 방 전체에서 향수 냄새가 나는 것은 향수 냄새를 가진 입자가 스스로 운동하여 나타나는 현상이다. 이것은 기체의 확산으로 설명할 수 있다.

ㄴ. 찌그러진 탁구공을 뜨거운 물에 넣으면 탁구공 속 기체의 온도가 높아져 기체의 부피가 늘어나므로 탁구공이 원래대로 펴진다. 이것은 온도에 따라 기체의 부피가 변하는 예로, 샤를 법칙으로 설명할 수 있다.

ㄷ. 놀이공원의 범퍼카에는 완충 장치가 들어 있어 자동차가 충돌할 때 압력이 가해지면 완충 장치 속 공기의 부피가 줄어들면서 탑승자가 받는 충격을 줄여 준다. 이것은 압력에 따라 기체의 부피가 변하는 예로, 보일 법칙으로 설명할 수 있다.

과학 역량을 기르는 **논술형** 문제　　　　　　2권 089쪽~091쪽

1 「**문제 해결 가이드**」 주어진 대화의 내용을 바탕으로 기체의 온도에 따른 부피 변화를 이용하여 다음과 같이 설명한다.

(1) ▶ 두 그릇 사이의 공간에 기체가 들어 있다는 점 ▶▶ 기체의 부피를 늘려 그릇 사이의 공간을 넓히면 그릇을 분리할 수 있다는 점 ▶▶▶ 기체의 부피를 늘리기 위해 온도를 높일 수 있다는 점을 설명한다.

(2) ▶ 온도에 따른 기체의 부피 변화를 이용하여 해결할 수 있는 생활 속 문제가 있다는 점 ▶▶ 샤를 법칙을 이용하여 생활 속 문제를 논리적으로 해결할 수 있다는 점을 설명한다.

모범 답안 (1) 꽉 끼어 있는 두 그릇 중 바깥쪽 그릇을 따뜻한 물에 담가 둔다. 바깥쪽 그릇을 따뜻한 물에 담가 두면 두 그릇 사이의 공간에 있던 기체의 온도가 높아져 기체 입자의 운동이 빨라지고, 기체 입자 사이의 거리가 멀어지면서 기체의 부피가 늘어나므로 두 그릇을 분리할 수 있다.

(2) • 생활 속 문제: 여름철 뜨거워진 도로를 달린 자동차의 타이어가 터지는 경우가 있다.

• 그 문제를 해결하기 위한 방법: 여름철에는 겨울철보다 자동차 타이어에 공기를 조금 적게 넣는다. 기온이 높은 여름철에는 자동차 타이어 속 공기의 부피가 늘어나 타이어가 쉽게 터질 수 있기 때문이다.

	채점 기준	배점
(1)	두 그릇을 분리하기 위한 방법을 제시하고, 그 원리를 샤를 법칙을 이용하여 기체 입자의 운동과 입자 사이의 거리와 관련지어 옳게 설명한 경우	50 %
	두 그릇을 분리하기 위한 방법을 제시하고, 그 원리를 샤를 법칙을 이용하여 설명하였으나 기체 입자의 운동과 입자 사이의 거리를 설명하지 못한 경우	30 %
(2)	샤를 법칙을 이용하여 해결할 수 있는 생활 속 문제를 제시하고, 그 문제를 해결하기 위한 방법을 옳게 설명한 경우	50 %
	샤를 법칙을 이용하여 해결할 수 있는 생활 속 문제를 제시하였으나, 그 문제를 해결하기 위한 방법을 설명하지 못한 경우	20 %

2 「**문제 해결 가이드**」 스털링 엔진은 온도에 따른 기체의 부피 변화를 이용한다는 것을 바탕으로 다음과 같이 설명한다.

▶ 온도가 높아지면 기체의 부피가 늘어나고, 온도가 낮아지면 기체의 부피가 줄어든다는 점 ▶▶ 스털링 엔진 내부에서 온도에 따른 기체의 부피 변화에 따라 2개의 피스톤이 각각 따로 움직인다는 점 ▶▶▶ 2개의 피스톤이 순서대로 움직이는 과정이 반복되면서 스털링 엔진이 작동한다는 점을 설명한다.

모범 답안 (가)에서 실린더 속 기체의 온도가 높아지면 (나)에서 기체의 부피가 늘어나면서 피스톤 B를 위로 밀어 올린다. 올라간 피스톤 B에 의해 (다)에서 플라이휠이 돌면서 그 힘으로 피스톤 C를 오른쪽으로 밀고, (라)에서 피스톤 B의 아래로 기체가 모인다. 모여 있는 기체를 D에서 냉각시키면 기체의 부피가 줄어들면서 피스톤 B가 다시 아래로 내려와 처음 상태로 돌아간다.

채점 기준	배점
스털링 엔진이 작동하는 원리를 기체의 성질을 이용하여 설명하되, (가)~(라) 과정으로 구분하여 모두 옳게 설명한 경우	100 %
스털링 엔진이 작동하는 원리를 기체의 성질을 이용하여 설명하였으나, (가)~(라) 과정으로 구분하지 않은 경우	60 %

3 「**문제 해결 가이드**」 열기구가 위로 떠올랐다가 지면으로 내려오는 과정에서 열기구 속 기체의 변화를 이용하여 다음과 같이 설명한다.

▶ 열기구가 위로 뜨거나 아래로 내려올 때 열기구의 공기 주머니 속 기체의 온도를 변화시킨다는 점 ▶▶ 공기 주머니 속 기체의 온도가 변할 때 기체 입자 운동의 빠르기, 기체 입자 사이의 거리, 기체의 부피가 변한다는 점 ▶▶▶ 공기 주머니 속 기체 입자의 개수는 변하지만, 기체 입자의 크기는 변하지 않는다는 점을 설명한다.

모범 답안 열기구의 공기 주머니 속 기체를 가열하면 기체의 온도가 높아져 기체 입자의 운동이 빨라지고 기체 입자 사이의 거리가 멀어진다. 따라서 기체의 부피가 늘어나면서 공기 주머니 속 기체의 일부가 밖으로 빠져나와 열기구가 가벼워지므로 위로 떠오른다. 이때 공기 주머니 속 기체 입자의 개수는 감소하지만, 기체 입자의 크기는 변하지 않는다.

반대로, 열기구의 공기 주머니 위쪽의 밸브를 열어 공기 주머니 속 뜨거워진 기체를 내보내면 기체의 온도가 낮아져 기체 입자의 운동이 느려지고 기체 입자 사이의 거리가 가까워진다. 따라서 기체의 부피가 줄어들면서 열기구 밖의 공기가 열기구 안으로 들어와 열기구가 무거워지므로 지면으로 내려온다. 이때 공기 주머니 속 기체 입자의 개수는 증가하지만, 기체 입자의 크기는 변하지 않는다.

채점 기준	배점
열기구가 위로 떠오르는 과정과 지면으로 내려오는 과정에서 열기구 속 기체의 변화를 주어진 용어를 모두 이용하여 옳게 설명한 경우	100 %
열기구가 위로 떠오르는 과정과 지면으로 내려오는 과정 중 한 가지에서만 열기구 속 기체의 변화를 주어진 용어를 모두 이용하여 옳게 설명한 경우	50 %
열기구가 위로 떠오르는 과정과 지면으로 내려오는 과정에서 열기구 속 기체의 변화를 주어진 용어 중 다섯 가지를 이용하여 옳게 설명한 경우	

 VII 태양계

01 태양계의 구성

 **개념 빌드업**

2권 100쪽	**1** 왜소 행성	**2** 소행성
	3 위성, 달	**4** 4
2권 101쪽	**1** 작, 적, 없다	**2** 내행성, 외행성
2권 103쪽	**1** 쌀알 무늬, 흑점	**2** 플레어 **3** 오로라

탐구 확인 문제
2권 104쪽

1 (1) × (2) × (3) ○ (4) ○ (5) ×

2 ④

2 **자료 VIEW**

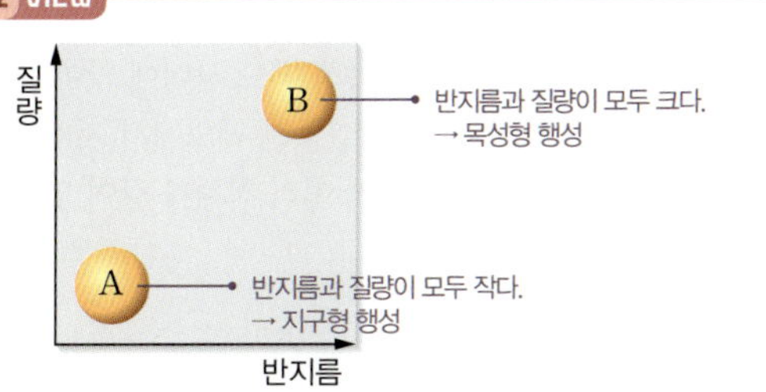

A는 지구형 행성이므로 고리가 없고, 위성이 없거나 적다.
B는 목성형 행성이므로 고리가 있고, 위성이 많다.

탐구 확인 문제
2권 105쪽

1 (1) ○ (2) × (3) ○ (4) ×

2 ③

2 천체 망원경으로 분화구와 같은 달의 표면이나 행성의 모습 등을 관측할 수 있다.

개념 확인 문제
2권 108쪽~110쪽

01 ①	**02** ㉠ 위성, ㉡ 소행성, ㉢ 행성, ㉣ 왜소 행성		
03 ⑤	**04** A: 화성, B: 토성	**05** ④	**06** ②
07 ②	**08** ⑤ **09** ⑤ **10** ④	**11** ②, ⑤	
12 ④	**13** A: 플레어, B: 홍염	**14** ④	**15** ③
16 ④	**17** ⑤ **18** ② **19** ②		

01 태양계 천체 중 행성, 혜성, 소행성, 왜소 행성은 태양 주변을 공전하고, 위성은 행성 주변을 공전한다.

02 행성은 태양 주변을 공전하는 모양이 둥근 천체로, 공전 궤도에서 지배적인 역할을 한다. 소행성은 모양이 불규칙하며, 왜소 행성은 공전 궤도에서 지배적인 역할을 하지 못한다. 한편, 위성은 행성 주변을 공전하는 천체이다. 따라서 ㉠은 위성, ㉡은 소행성, ㉢은 행성, ㉣은 왜소 행성이다.

03 그림은 태양계 행성 중 목성의 모습이다. 목성은 얇고 희미한 고리를 가지고 있다.
⑤ 얼음과 암석으로 된 여러 겹의 넓고 얇은 고리가 있는 행성은 토성이다.

04 극지방에 얼음과 드라이아이스로 이루어진 흰색의 극관이 있고, 과거에 물이 흘렀던 흔적이 있는 행성은 화성이다. 여러 겹의 넓고 얇은 고리가 있고, 태양계 행성 중 가장 많은 위성을 거느리고 있는 행성은 토성이다.

05 이산화 탄소로 이루어진 두꺼운 대기가 있어 표면 온도가 매우 높은 (가)는 금성이고, 수소, 헬륨, 메테인 등으로 구성되어 있고 대흑점이 있는 (나)는 해왕성이다.

06 A는 수성, B는 금성, C는 지구, D는 화성, E는 목성, F는 토성, G는 천왕성, H는 해왕성이다.
② 금성과 지구는 크기와 질량이 비슷하지만, 표면 온도는 금성이 지구보다 훨씬 높다.

07 태양계 행성은 행성의 크기, 질량, 구성 성분 등의 물리적 특징에 따라 지구형 행성과 목성형 행성으로 분류할 수 있다. 지구형 행성 중 지구와 화성은 위성을 가지고 있다. 목성형 행성은 지구형 행성보다 질량과 반지름이 크고, 기체로 이루어져 단단한 고체 표면이 없다.

08 A는 질량과 반지름이 작은 지구형 행성으로, 고리가 없고 위성이 없거나 적다. B는 질량과 반지름이 큰 목성형 행성으로, 고리가 있고 위성이 많다. 지구형 행성은 표면이 주로 단단한 암석으로, 목성형 행성은 기체로 이루어져 있다.

09 (가)에서 목성은 지구의 약 300배가 넘는 물리량을 가지고 있고, (나)에서 목성은 지구의 약 10배가 넘는 물리량을 가지고 있다. 태양계 행성의 물리량은 질량이 반지름보다 더 큰 변화를 보이므로, A는 질량이고 B는 반지름이다.

10 흑점은 태양의 표면보다 상대적으로 온도가 낮아 검게 보인다. 태양의 표면 온도는 약 6000 ℃이고, 흑점의 온도는 약 4000 ℃이다.

11 태양의 표면에서는 흑점과 쌀알 무늬를 볼 수 있고, 홍염과 플레어는 태양의 대기에서 일어나는 현상이다. 태양의 표면을 광구라 하고, 광구를 둘러싸는 태양의 대기에는 채층과 코로나가 있다.

12 A는 쌀알 무늬, B는 흑점이다. 흑점인 B는 주변보다 온도가 낮으며, 태양 활동이 활발할수록 많아진다.

13 흑점 주변에서 일어나는 폭발 현상으로 밝게 빛나는 A는 플레어이고, 온도가 높은 물질이 채층 위로 솟아 불꽃 모양이나 고리 모양으로 보이는 B는 홍염이다.

14 채층과 코로나는 평소에는 광구가 너무 밝아서 잘 볼 수 없지만, 광구의 강한 빛이 가려지는 개기일식 때는 볼 수 있다.

15  자료 VIEW

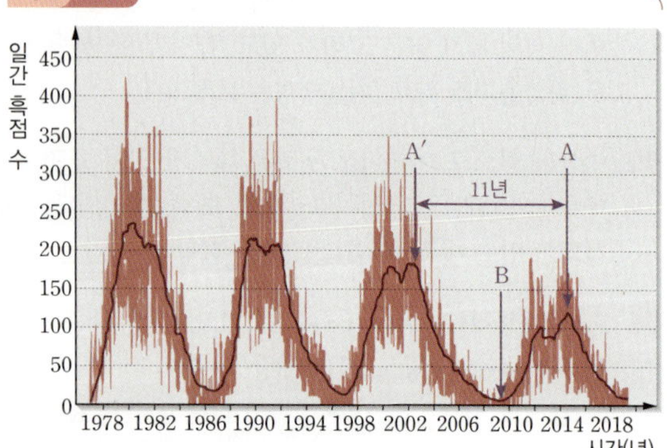

• 흑점 개수의 변화 주기: 약 11년
• A 시기(흑점 수가 많을 때): 태양 활동이 활발하므로 코로나가 넓게 발달하고, 홍염과 플레어가 자주 발생한다.
• B 시기(흑점 수가 적을 때): 태양 활동이 활발하지 않다.

흑점의 개수는 약 11년 주기로 변한다. 따라서, 2014년에 가까운 A 시기 이후에 흑점의 개수가 가장 많을 것으로 예상되는 시기는 2025년경이다.

16 A 시기는 흑점 수가 많을 때로, 태양의 활동이 활발하다. 따라서, 코로나가 넓게 발달하고 홍염과 플레어가 더 자주 발생한다.

17 A는 코로나로, 개기일식 때 광구가 가려지면 볼 수 있다. (가)는 (나)보다 코로나 영역이 넓게 나타나는 것으로 보아 태양 활동은 (가)일 때가 (나)일 때보다 더 활발하다. 태양 활동이 활발하면 오로라가 더 자주 발생하고, 장거리 무선 통신 오류가 더 잘 일어날 수 있다.

18 플레어는 흑점 주변에서 자주 일어나며, 오로라는 태양에서 방출하는 입자의 흐름인 태양풍이 지구 대기와 부딪히면서 빛을 내는 현상이다.

19 태양 활동이 활발해질 때 송전 시설의 고장으로 정전이 발생할 수 있다.

실력 강화 문제

2권 111쪽

01 ④   **02** ②   **03** ⑤   **04** ③

01 ㄱ. (가)는 혜성으로, 얼음과 먼지로 이루어져 있으며 태양 주변을 긴 타원이나 포물선 궤도로 공전한다. 태양에 가까워지면 태양 반대쪽으로 꼬리가 생긴다.

ㄴ. (나)는 모양이 불규칙한 것으로 보아 소행성임을 알 수 있고, 소행성은 화성과 목성 궤도 사이에 많이 분포한다.

ㄷ. (다)는 왜소 행성으로, 공전 궤도에서 지배적인 역할을 하지 못해 공전 궤도 상에 여러 천체가 같이 있다.

02 자료 VIEW

천왕성은 해왕성보다 조금 크지만 가볍다.
※ 해왕성 반지름: 3.9 / 질량: 17

행성	A	B	C	D
반지름	0.53	1 지구	9.4	4 천왕성
질량	0.11	1	95	14.5
위성 수(개)	2 화성	1	146 토성	27
고리	없음.	없음.	있음.	있음.
	지구형 행성		목성형 행성	

고리의 유무로 A, B는 지구형 행성, C, D는 목성형 행성으로 분류할 수 있다. B는 지구이고, A는 위성이 있고 지구 크기의 절반 정도이므로 화성이다. C는 위성 수가 많고 반지름과 질량을 고려하면 토성, D는 천왕성이다.

ㄱ. 화성은 아주 희박한 대기를 가지고 있다. 이산화 탄소로 이루어진 두꺼운 대기가 있는 행성은 금성이다.

ㄴ. 청록색으로 보이는 행성은 천왕성과 해왕성이므로, D에만 해당하는 내용이다. 천왕성과 해왕성은 크기와 질량, 색이 비슷하다.

03 A는 홍염, B는 코로나, C는 채층, D는 플레어이다.
⑤ 홍염과 플레어는 주로 흑점 주변에서 발생하는데, 흑점의 수가 많은 시기에는 홍염과 플레어가 자주 나타난다.

04 캐링턴 사건은 태양 활동 때문에 사회적으로 큰 혼란이 있었던 사건이다. 이때 전신 시스템이 마비되고, 전신국 직원은 전기 충격을 받기도 했다. 또한, 전 세계에 걸쳐 오로라가 발생했고, 밤에도 신문을 읽을 수 있을 만큼 오로라가 밝은 지역도 있었다.
ㄴ. 지구 자기장이 크게 변화하여 선박의 나침반이 제대로 작동하지 않았다.

서술형 문제

2권 112쪽~113쪽

1 2006년 8월 이전에는 행성을 '태양 주변을 공전하는 둥근 천체'로 정의하였으며, 명왕성은 이 기준을 충족하므로 행성으로 분류하였다. 하지만, 과학기술의 발달로 명왕성과 비슷한 천체가 계속 발견되었다. 이에 행성의 조건에 '공전 궤도 주변에 위성 외에 다른 천체가 없는 지배적인 천체여야 한다.'라는 조건을 추가하였다.

모범답안 행성은 태양 주변을 공전하고 구형에 가까운 모양을 유지할 수 있어야 하는데, 이 조건은 명왕성도 충족한다. 한편, 행성은 궤도 주변에서 지배적인 역할을 해야 하는데, 명왕성은 궤도 주변에 다른 천체가 많이 있다. 따라서 명왕성은 새로운 개념인 왜소 행성으로 분류되었다.

채점 기준	배점
행성과 왜소 행성의 차이를 궤도 주변에서 지배적인 역할을 해야 한다는 행성의 조건으로 옳게 설명한 경우	100 %
행성과 왜소 행성의 차이를 크기 또는 질량으로만 비교한 경우	50 %

2 금성은 두꺼운 이산화 탄소로 이루어진 대기가 있지만, 지구의 대기에는 이산화 탄소가 적다.

모범답안 금성인 (가)가 지구인 (나)보다 표면 온도가 더 높다. 그 까닭은 금성의 대기는 매우 두꺼운 이산화 탄소로 이루어져 있어, 지구보다 온실 효과가 더 크기 때문이다.

채점 기준	배점
두 행성의 표면 온도를 바르게 비교하고, 그 까닭을 대기 중 이산화 탄소에 의한 온실 효과로 설명한 경우	100 %
두 행성의 표면 온도는 바르게 비교하였으나, 그 까닭을 옳게 설명하지 못한 경우	50 %

3 목성에는 갈색과 흰색의 줄무늬와 대적점이 나타난다. 해왕성은 청복색을 띠며, 대흑 점이 나타난다.

모범답안 (가)는 해왕성이고, (나)는 목성이다. 그 까닭은 (가)에는 청록색 표면에 검은색의 소용돌이인 대흑점이 나타나고, (나)에는 갈색과 흰색의 줄무늬와 대적점이 나타나기 때문이다.

채점 기준	배점
두 행성의 이름을 바르게 쓰고, 대흑점과 대적점을 각각의 행성과 옳게 연결하여 설명한 경우	100 %
두 행성의 이름은 바르게 썼으나, 대흑점과 대적점을 각각의 행성과 옳게 연결하지 못한 경우	50 %

4 지구형 행성은 목성형 행성보다 질량과 반지름이 작고, 위성 수가 적다. 그 외에 고리의 유무, 표면 상태 등을 기준으로 분류할 수 있다.

모범답안 태양계 행성은 질량과 반지름이 작고 위성 수가 적거나 없는 지구형 행성, 질량과 반지름이 크고 위성 수가 많은 목성형 행성으로 분류할 수 있다. 따라서 수성, 금성, 지구, 화성은 지구형 행성으로, 목성, 토성, 천왕성, 해왕성은 목성형 행성으로 분류할 수 있다.

채점 기준	배점
질량, 반지름, 위성 수를 기준으로 지구형 행성과 목성형 행성으로 바르게 분류한 경우	100 %
주어진 자료 중 일부만으로 지구형 행성과 목성형 행성으로 분류한 경우	50 %

5 태양의 표면에는 쌀알 무늬(A)와 흑점(B)이 나타난다. 쌀알 무늬는 광구 아래에서 일어나는 대류 현상 때문에 생성되고, 흑점은 주변보다 온도가 낮아 검게 보이는 곳이다.

모범답안 A는 쌀알 무늬로, 광구 아래에서 일어나는 대류 현상 때문에 상승하는 곳은 밝고, 하강하는 곳은 어둡게 나타난다. B는 흑점으로, 주변보다 온도가 낮아서 검게 나타난다.

채점 기준	배점
쌀알 무늬와 흑점이 나타나는 까닭을 모두 옳게 설명한 경우	100 %
쌀알 무늬와 흑점이 나타나는 까닭 중 한 가지만 옳게 설명한 경우	50 %

6 태양 대기에서 밝게 빛나는 플레어의 위치와 태양 표면에서 흑점의 위치가 거의 일치한다. 플레어는 태양 폭풍을 일으키며, 이로 인해 지구에는 오로라가 더 많이 발생하거나 인공위성이 고장날 수 있다.

모범답안 (나)에서 밝게 빛나는 플레어의 위치와 (가)에서 흑점의 위치가 거의 일치하는 것으로 보아 플레어는 태양의 흑점 부근에서 발생한다. 플레어가 발생하면 강한 태양 폭풍이 일어나 지구에서는 오로라가 더 많이 발생하고, 무선 통신에 영향을 주어 인공위성의 성능이 일시적으로 감소할 수 있다.

채점 기준	배점
플레어가 발생하는 곳과 플레어의 영향을 모두 옳게 설명한 경우	100 %
플레어가 발생하는 곳과 플레어의 영향 중 한 가지만 옳게 설명한 경우	50 %

7 자료 VIEW

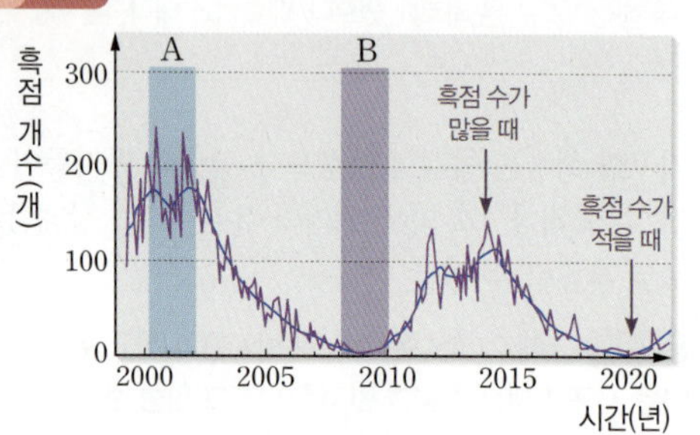

• A 시기(흑점 수가 많을 때): 태양 활동이 활발하다. → 코로나의 크기가 크다.
• B 시기(흑점 수가 적을 때): 태양 활동이 활발하지 않다. → 코로나의 크기가 작다.

(가)에서 흑점 개수의 변화 주기는 약 11년이다. (나)와 (다)는 코로나를 나타낸 것으로, 태양의 활동이 활발할 때 크기가 커진다.

모범답안 (1) 2014년~2015년 사이, 2019년~2020년 사이
(2) 태양의 활동이 활발하면 흑점의 개수가 많아지며, 코로나의 크기도 커진다. (나)보다 (다)에서 코로나의 크기가 더 크므로 (나)는 B 시기, (다)는 A 시기이다.
(3) A 시기 이후 흑점의 개수가 가장 많은 시기는 2014년에서 2015년 사이이며, 태양 활동의 주기는 약 11년이다. 따라서 다가올 태양 활동의 극대기는 2025년에서 2026년 사이가 될 것이다.

	채점 기준	배점
(1)	흑점의 개수가 가장 많은 시기와 가장 적은 시기를 모두 옳게 쓴 경우	20 %
	흑점의 개수가 가장 많은 시기와 가장 적은 시기 중 한 가지만 옳게 쓴 경우	10 %
(2)	(나)와 (다)가 어느 시기에 해당하는지 옳게 쓰고, 태양 대기의 영역이 다른 까닭을 흑점의 개수와 관련지어 설명한 경우	40 %
	(나)와 (다)가 어느 시기에 해당하는지 옳게 썼으나, 태양 대기의 영역이 다른 까닭을 흑점의 개수와 관련지어 설명하지 못한 경우	20 %
(3)	앞으로 다가올 태양 활동의 극대기를 흑점의 개수와 관련지어 옳게 예측한 경우	40 %
	앞으로 다가올 태양 활동의 극대기를 예측했으나, 흑점의 개수와 관련지어 설명하지 못한 경우	20 %

02 지구와 달

개념 빌드업

2권 115쪽	**1** 일주	**2** 시계	**3** 15
2권 117쪽	**1** 서, 동	**2** 황도, 황도 12궁	**3** 공전
2권 118쪽	**1** 초승달, 상현달, 하현달, 그믐달	**2** 같은	
2권 119쪽	**1** 월식	**2** 일식	

탐구 확인 문제
2권 120쪽

1 (1) ◯ (2) ◯ (3) × (4) ×

2 H, D

2 자료 VIEW

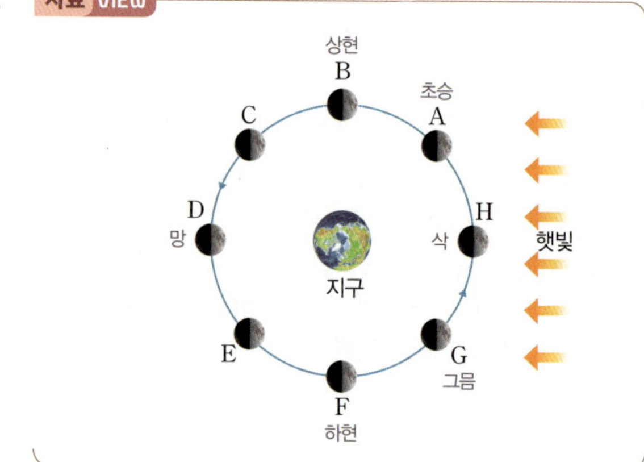

달의 밝은 면이 가장 적게 보일 때 달의 위상은 삭(H)이고, 가장 많이 보일 때 달의 위상은 망(D)이다.

탐구 확인 문제
2권 121쪽

1 (1) ◯ (2) × (3) ◯ (4) ×

2 오른쪽

개념 확인 문제
2권 124쪽~127쪽

01 ①	**02** ④	**03** (가) 서쪽, (나) 북쪽	**04** ⑤
05 ③	**06** ④	**07** ①	**08** 전갈자리	**09** ⑤
10 ⑤	**11** ④	**12** ③, ⑤	**13** ①	**14** ①
15 ④	**16** B, 망(보름달)	**17** ④	**18** ⑤	**19** ③
20 ⑤	**21** 개기월식	**22** ②, ④	

01 지구는 시계 반대 방향으로 자전하므로, 지구 관측자는 이와 반대 방향인 동쪽에서 서쪽으로 이동하는 천체의 겉보기 운동인 일주 운동을 볼 수 있다.
① 우리나라에서 북쪽 하늘의 별은 시계 반대 방향으로 회전한다.

02 지구의 자전으로 별은 북극성을 중심으로 일주 운동을 한다. 따라서 A에 있는 별은 북극성이다.
ㄷ. 천구의 별은 실제 회전하는 것이 아니고 지구의 자전으로 회전하는 것처럼 보이는 것이다. 이러한 운동을 겉보기 운동이라 한다.

03 (가)는 별이 왼쪽 위에서 오른쪽 아래로 비스듬하게 지는 서쪽 하늘이고, (나)는 북극성을 중심으로 시계 반대 방향으로 회전하는 북쪽 하늘이다.

04

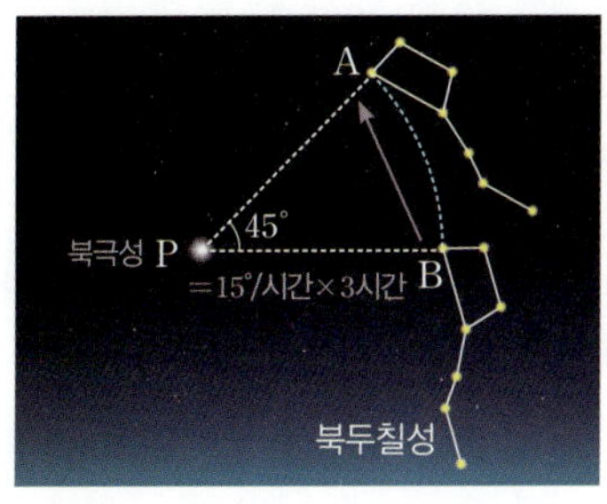

우리나라 북쪽 하늘의 별은 북극성을 중심으로 한 시간에 15°씩 시계 반대 방향으로 회전한다.
ㄴ. 북두칠성은 시계 반대 방향인 B에서 A로 이동한다.

05 지구에 있는 관측자는 지구의 자전을 느끼지 못하므로, 지구는 정지해 있고 천구가 지구의 자전과 반대 방향으로 회전하는 것으로 느껴진다.
ㄱ. 별은 ⊙ 방향으로 일주 운동을 한다.
ㄴ. 지구의 자전은 실제 운동이고, 지구 자전에 의한 일주 운동은 겉보기 운동이다.

06 지구는 태양을 중심으로 시계 반대 방향(서쪽 → 동쪽)으로 공전한다. 지구의 공전에 의한 겉보기 운동으로 태양의 연주 운동이 나타난다. 태양의 반대편에 있는 별자리는 한밤중에 잘 관측할 수 있으며, 계절에 따라 잘 관측되는 별자리가 달라지는 까닭은 지구의 공전으로 태양의 반대편에 있는 별자리가 달라지기 때문이다.
④ 태양의 연주 운동 방향은 지구의 공전 방향과 같은 시계 반대 방향이다.

07

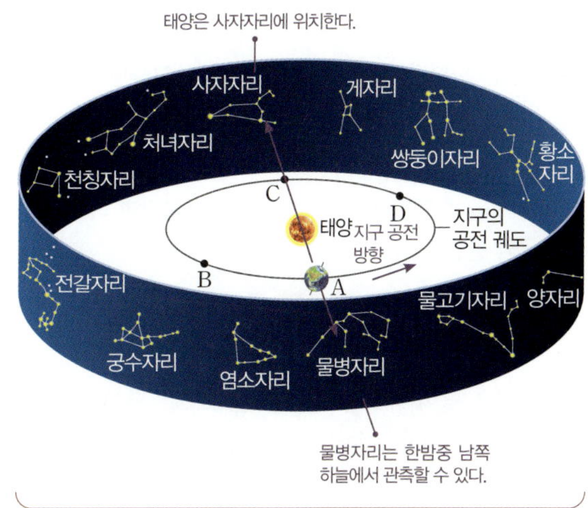

ㄱ. 지구가 A에 위치할 때, 태양은 사자자리 쪽에 있다.
ㄴ. 태양의 반대편에 있는 물병자리는 한밤중 남쪽 하늘에서 관측할 수 있다.
ㄷ. 지구는 1년 동안 태양을 중심으로 시계 반대 방향으로 공전한다. 따라서 지구는 3개월 뒤 A에서 D로 이동한다.

08 지구가 A에 있을 때로부터 3개월 뒤, 지구는 D에 위치하므로 태양은 전갈자리에 위치한다.

09 태양은 별자리를 배경으로 서쪽에서 동쪽으로 움직이는 연주 운동을 한다. 1년에 360°를 회전하므로, 하루에 약 1°씩 움직인다.
ㄱ. 별자리는 태양을 기준으로 동쪽에서 서쪽으로 움직이므로, 관측한 순서는 (다) → (가) → (나)이다.

10 지구의 공전으로 북두칠성은 하루에 약 1°씩 시계 반대 방향으로 회전하는 겉보기 운동을 한다. 따라서 C는 봄, A는 여름, B는 가을이다.

11 달은 약 27.3일 주기로 공전하므로, 하루에 약 13°씩 공전한다. 달은 스스로 빛을 내지 못하고, 햇빛을 반사하여 밝게 보인다. 달이 공전하면서 태양, 지구, 달의 상대적인 위치가 달라지는데, 이 때문에 지구에서 보이는 달의 모양인 위상이 변한다.
④ 달의 공전 방향과 지구의 자전 방향은 모두 시계 반대 방향이다.

12 달의 공전으로 달은 매일 다른 시각에 뜨고 진다. 음력 7~8일경 해가 진 직후 남쪽 하늘에 있는 오른쪽이 둥근 반달은 상현달이다.

13 A는 달이 보이지 않는 삭, B는 달이 보름달로 보이는 망이다. C는 달이 오른쪽이 둥근 반달로 보이는 상현이다.

14 (가)는 하현달, (나)는 초승달, (다)는 그믐달이다. 달이 태양과 직각 방향에 있을 때, 달의 위상은 상현 또는 하현이다. 달의 위상은 (나) → (가) → (다) 순서로 변한다.

15 달이 ㉠에 위치할 때, 달의 위상은 보름달과 하현달 사이인 ④와 같은 모양이다.

16 한밤중 남쪽 하늘에 보이는 달의 위치는 태양과 반대 방향인 B이고, 이때 달의 위상은 망(보름달)이다.

17 일식은 달이 태양을 가리는 현상으로, 달이 태양과 지구 사이에 위치하는 삭일 때 일어날 수 있다. 일식이 시작되면 태양의 오른쪽부터 가려진다.
④ 일식은 태양 빛이 달에 의해 차단되는 지역에서만 볼 수 있다.

18 일식이 일어날 때, 달의 위상은 삭이다. A에서는 태양이 완전히 가려지는 개기일식이 관측되고, B에서는 태양의 일부만 가려지는 부분일식이 관측된다.

19 일식은 달이 태양 앞을 지날 때 일어난다. 달은 시계 반대 방향으로 공전하므로, 일식 때 태양은 오른쪽부터 먼저 가려지기 시작한다. 따라서 일식은 (나) → (다) → (가) 순으로 일어난다.

20 월식은 달이 지구의 그림자로 들어가 달이 가려지는 현상으로 태양, 지구, 달 순서인 망일 때 일어날 수 있다. 달의 일부만 가려지면 부분월식이라고 하며, 달이 지구의 그림자로 완전히 들어가 붉게 보일 때를 개기월식이라고 한다.

21 달이 지구의 그림자로 완전히 들어가면, 지구의 대기에서 굴절된 태양의 붉은 빛이 달에서 반사되어 달이 붉게 보인다. 이러한 현상을 개기월식이라고 한다.

22 월식은 달의 위상이 망일 때 일어나는데, 월식이 시작되기 직전에는 보름달을 볼 수 있다. 월식이 시작되면 달의 왼쪽부터 가려지는 부분월식이 일어나고, 지구 그림자로 완전히 들어가는 개기월식 때는 달이 붉게 보인다.
① 달이 A에 있을 때는 부분월식이, B에 있을 때는 개기월식이 일어난다.
③ 달이 C에 있을 때는 달의 밝기만 조금 어두워지며, 보름달로 보인다.

 **강화 문제**

2권 128쪽~129쪽

01 ④	**02** ①	**03** ①	**04** ③	**05** ②	**06** ④
07 ④	**08** ②	**09** ①			

01 (나)는 왼쪽 위에서 오른쪽 아래로 별이 지고 있는 서쪽 하늘을 관측한 것이다.
ㄴ. 지구가 서쪽에서 동쪽으로 자전하기 때문에 별은 동쪽에서 서쪽으로 일주 운동을 한다.
ㄷ. A와 A′의 사잇각은 30°이다. 별은 한 시간에 15°씩 움직이므로 별이 30° 이동하는 데는 2시간이 걸린다.

02 지구가 A에 위치할 때 한밤중 남쪽 하늘에서는 염소자리를, 동쪽 하늘에서는 양자리를, 서쪽 하늘에서는 천칭자리를 볼 수 있다.

03 지구는 태양을 중심으로 시계 반대 방향으로 공전하므로, 태양은 별자리 사이를 시계 반대 방향으로 이동한다.
ㄱ. 지구가 A에 있을 때 태양은 게자리 부근에 있고, 이때는 8월이다.
ㄷ. 별의 연주 운동은 지구의 공전 방향과 반대인 시계 방향이므로, 매일 해가 진 직후 게자리를 관측하면 동쪽에서 서쪽으로 조금씩 이동한다.

04 북쪽 하늘은 북극성을 기준으로 시계 반대 방향으로 일주 운동을 한다.
ㄷ. 북쪽 하늘에서 별의 일주 운동을 고려하면, 북두칠성은 A에서 현재 위치로 45° 이동한다. 즉, A는 현재보다 3시간 전인 저녁 6시의 위치를 나타낸 것이다.

05 북두칠성을 같은 시각에 관측하였는데, 위치가 다른 것은 연주 운동 때문이다. 북쪽 하늘에 있는 별의 연주 운동은 북극성을 기준으로 하루에 약 1°씩 시계 반대 방향으로 이동하므로, A에 위치하는 날짜는 약 45일 전인 7월 18일이다.

06 5월 10일부터 5월 23일까지 달의 위상은 그믐달에서 삭, 초승달로 변한다. 따라서 그림 (나)에서는 달이 G → H → A 구간에서 공전할 때이다.

07 자료 VIEW

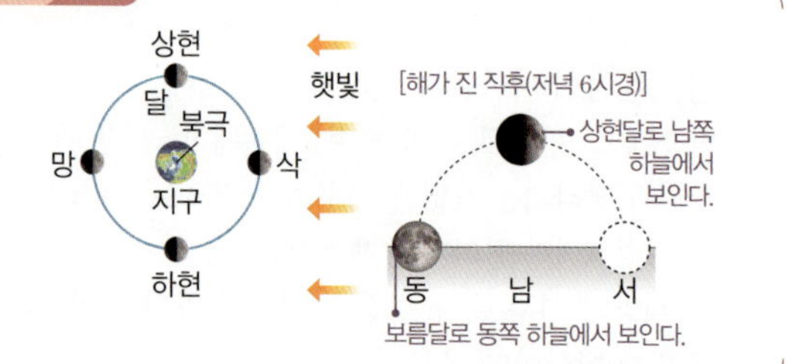

달이 상현에 위치할 때, 해가 진 직후(저녁 6시경) 달은 남쪽 하늘에서 보인다. 따라서 밤 9시경에는 달은 45° 이동한 남서쪽 하늘에 위치할 것이다.

08 전등은 빛을 비추고 있으므로 태양, 큰 스타이로폼 공은 지구, 작은 스타이로폼 공은 달을 나타낸다.

09 (가)에서 작은 스타이로폼 공은 큰 스타이로폼 공을 기준으로 전등 반대 방향에 위치하여 어둡게 보이므로 이는 월식을 나타내는 실험이다. (나)는 작은 스타이로폼 공이 전등과 큰 스타이로폼 공 사이에 위치하므로 일식을 나타내는 실험이다.
ㄴ. (가)는 월식이므로 밤에 관측할 수 있다.
ㄷ. (가)는 월식으로, 작은 스타이로폼 공이 큰 스타이로폼 공의 그림자에 들어갈 때 관찰할 수 있다. (나)는 일식으로, 작은 스타이로폼 공의 그림자가 생긴 지역에서만 관찰할 수 있다. 그림자의 크기로 보아 일식보다 월식을 더 오래 관측할 수 있다.

서술형 문제

2권 130쪽~131쪽

1 일주 운동은 지구의 자전으로 나타나는 겉보기 운동이므로, 별은 동쪽에서 서쪽으로 움직이는 것처럼 보인다.

모범답안 (1) 천구에서 별의 일주 운동은 동쪽에서 떠 올라 남쪽을 거쳐 서쪽으로 지는 것처럼 보인다. 그림에서 별의 일주 운동 경로가 왼쪽 아래에서 오른쪽 위로 나타나므로, 동쪽 하늘에서 관측한 모습이다.
(2) 별의 일주 운동은 지구의 자전으로 나타나는 겉보기 운동이다. 지구는 서쪽에서 동쪽으로 자전하므로, 별은 지구의 자전 방향과 반대인 동쪽에서 서쪽으로 움직이는 것처럼 보인다. 따라서 별 A의 이동 방향은 ⓒ이다.

	채점 기준	배점
(1)	관측 방향과 그 까닭에 대한 설명이 모두 옳은 경우	50 %
	관측 방향은 옳으나, 그 까닭을 옳게 설명하지 못한 경우	25 %
(2)	별 A의 이동 방향과 그 까닭에 대한 설명이 모두 옳은 경우	50 %
	별 A의 이동 방향은 옳으나, 그 까닭을 옳게 설명하지 못한 경우	25 %

2 그림은 약 2시간 동안 북쪽 하늘의 일주 운동을 관측한 것이다. 같은 시간 동안 이동한 각이므로, 각 a와 각 b의 크기는 같다.

모범답안 천구에 있는 별은 지구의 자전으로 생긴 겉보기 운동인 일주 운동을 한다. 북쪽 하늘의 일주 운동은 한 시간에 15°씩 북극성을 기준으로 회전하므로 각 a와 각 b의 크기는 30°로 같다.

채점 기준	배점
각 a와 각 b의 크기 비교와 그 까닭에 대한 설명이 모두 옳은 경우	100 %
각 a와 각 b의 크기 비교는 옳으나, 그 까닭을 옳게 설명하지 못한 경우	50 %

3 태양의 연주 운동은 지구의 공전 때문에 나타나는 겉보기 운동으로, 태양이 별자리 사이를 시계 반대 방향으로 이동하는 것처럼 보인다.

모범답안 (1) (가)에서 쌍둥이자리와 태양이 비슷한 방향에 있다. (나)에서 지구가 공전하면서 태양과 쌍둥이자리를 같은 방향에서 보려면, 계절은 여름이어야 한다.
(2) 태양이 서쪽으로 진 직후 동쪽 지평선은 태양과 반대 방향이다. 겨울에 태양의 반대 방향에서 볼 수 있는 별자리는 쌍둥이자리이다.

	채점 기준	배점
(1)	관측한 계절과 그 까닭에 대한 설명이 모두 옳은 경우	50 %
	관측한 계절은 옳으나, 그 까닭을 옳게 설명하지 못한 경우	25 %
(2)	관측되는 별자리와 그 까닭에 대한 설명이 모두 옳은 경우	50 %
	관측되는 별자리는 옳으나, 그 까닭을 옳게 설명하지 못한 경우	25 %

4 달은 지구를 중심으로 시계 반대 방향으로 공전하는데, 달이 공전하면서 태양, 지구, 달의 상대적인 위치가 서로 달라진다.

모범답안 (1) 달은 지구를 중심으로 공전하므로 태양, 지구, 달의 상대적인 위치는 계속 달라진다. 달은 스스로 빛을 내지 못하고 태양 빛을 반사하는데, 태양 빛이 반사된 면 중 지구에서 보이는 부분의 넓이는 태양, 지구, 달의 상대적인 위치에 따라 달라지므로 달의 모양이 매일 달라진다.
(2) 달의 위상이 망일 때, 지구를 기준으로 태양과 달은 서로 반대 방향에 있다. 따라서 9월 15일 달의 위상이 망일 때 동쪽에 있으므로 태양은 서쪽 하늘에서 막 졌을 때이다. 따라서 대략 저녁 6시경으로 추론할 수 있다.

	채점 기준	배점
(1)	달은 스스로 빛을 낼 수 없고, 공전하면서 태양, 지구, 달의 상대적인 위치가 달라진다는 설명을 모두 한 경우	50 %
	상대적인 위치 변화만 설명하고, 달이 스스로 빛을 낼 수 없다는 것을 설명하지 않은 경우	25 %

	채점 기준	배점
(2)	달을 관측한 시각을 옳게 추론하고, 그 까닭을 태양, 지구, 달의 위치 관계로 설명한 경우	50 %
	달을 관측한 시각은 옳게 추론했으나, 그 까닭을 옳게 설명하지 못한 경우	25 %

5 달의 위치에 따라 하루 동안 관측할 수 있는 시간이 다르다. 태양이 서쪽으로 진 직후에 달이 동쪽에서 뜨게 되면 가장 오랜 시간 관측할 수 있다.

모범답안 달을 하루 동안 가장 오래 관측하려면 태양이 진 직후에 달이 떠올라야 한다. 그러기 위하여 달은 태양의 반대 방향인 ㉣에 있어야 하고, 초저녁부터 해가 뜨기 직전인 새벽까지 관측할 수 있다.

채점 기준	배점
달의 위치와 관측할 수 있는 시간을 모두 옳게 설명한 경우	100 %
달의 위치와 관측할 수 있는 시간 중 한 가지만 옳게 설명한 경우	50 %

6 **자료 VIEW**

일식은 달이 태양 앞으로 지나면서 태양의 일부 또는 전체를 가리는 현상이고, 월식은 달이 지구의 그림자로 들어가 달의 일부 또는 전체가 가려지는 현상이다. 일식은 달의 그림자가 나타나는 곳에서만 볼 수 있고, 월식은 지구의 그림자 안에 달이 들어가 있는 동안 볼 수 있다.

모범답안 (1) 일식이 일어날 때 가려지는 대상은 태양이고, 월식이 일어날 때 가려지는 대상은 달이다.
(2) 일식에서 태양이 가려지기 위해서는 태양과 지구 사이에 달이 있어야 하며, 이때 달의 위상은 삭이다. 월식에서 달이 가려지기 위해서는 달이 지구 그림자로 들어가야 하며, 이때 달의 위상은 망이다.
(3) 일식을 볼 수 있는 시간이 월식을 볼 수 있는 시간보다 더 짧다. 지구의 그림자보다 달의 그림자가 더 작기 때문이다.
(4) 개기일식이 일어나면 태양의 밝은 광구가 가려져 태양의 대기인 채층, 코로나, 홍염을 관측할 수 있다.

	채점 기준	배점
(1)	일식과 월식이 일어날 때 가려지는 대상을 모두 옳게 쓴 경우	20 %
	일식과 월식이 일어날 때 가려지는 대상 중 한 가지만 옳게 쓴 경우	10 %
(2)	일식과 월식이 일어나기 위한 태양, 지구, 달의 위치 관계를 모두 옳게 설명한 경우	30 %
	일식과 월식이 일어나기 위한 태양, 지구, 달의 위치 관계 중 한 가지만 옳게 설명한 경우	15 %
(3)	일식을 볼 수 있는 시간과 월식을 볼 수 있는 시간을 옳게 비교하고, 각각의 현상을 관측할 수 있는 시간이 다른 까닭을 옳게 설명한 경우	30 %
	일식을 볼 수 있는 시간과 월식을 볼 수 있는 시간을 옳게 비교하였으나, 각각의 현상을 관측할 수 있는 시간이 다른 까닭을 옳게 설명하지 못한 경우	15 %
(4)	태양의 대기인 채층, 코로나, 홍염을 관측할 수 있다고 쓴 경우	20 %
	태양의 대기인 채층, 코로나, 홍염 중 일부만 관측할 수 있다고 쓴 경우	10 %

사고력을 키우는 최상위권 도전 문제 2권 132쪽~135쪽

1 ②	2 ①	3 ③	4 ④	5 ⑤	6 ⑤
7 해설 참고	8 ②				

1 **단계별 문제 해결**

Step 1 자료 분석하기

그림 (가)는 태양계의 모습을 모식적으로 나타낸 것이다.

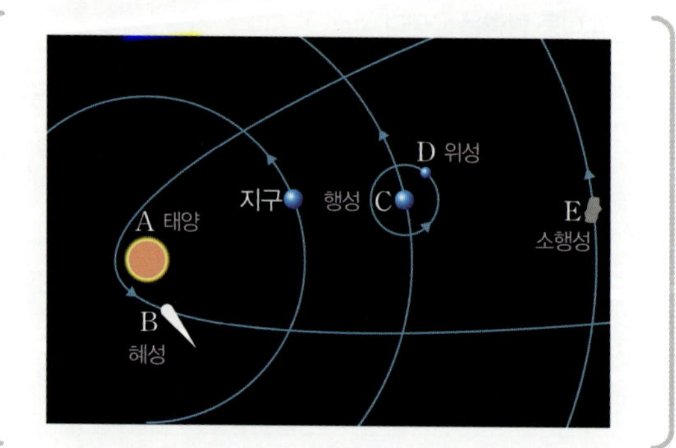

◆ 행성, 소행성, 혜성은 태양 주변을 공전하며, 혜성은 타원이나 포물선 궤도로 공전한다.
◆ 위성, 소행성, 혜성은 크기와 모양이 다양하다.

ㄱ. (가)에서 태양(A)과 행성(C)은 둥글지만, 위성(D)은 (나)와 같이 불규칙한 모양의 위성도 있다.

ㄴ. 혜성(B)은 타원이나 포물선 궤도를 그리며 운동한다.

ㄷ. (나)는 행성 주변을 공전하는 천체이므로 위성이며, (가)의 D에 포함된다.

Step 3 정답 찾아내기

그림 (가)에서 태양에 가까워졌을 때 꼬리가 나타나는 B는 혜성이다. → 혜성은 타원이나 포물선 궤도를 그리며 운동한다.

2 단계별 문제 해결

Step 1 자료 분석하기

그림은 제임스 웹 우주 망원경으로 관측한 목성형 행성의 모습을 나타낸 것이다.

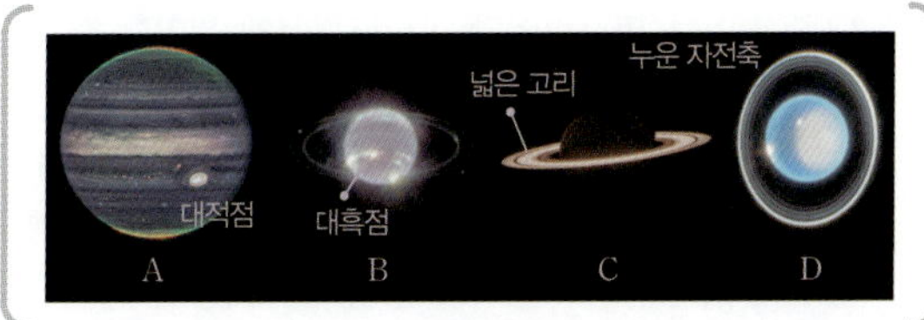

◆ A는 목성, B는 해왕성, C는 토성, D는 천왕성이다.
◆ 목성(A): 나란한 줄무늬와 대적점이 밝게 나타난다.
◆ 해왕성(B): 목성처럼 대흑점이 밝게 나타난다.
◆ 토성(C): 고리가 선명하게 나타난다.
◆ 천왕성(D): 다른 행성과 달리 자전축이 공전 궤도면과 거의 나란하다.

Step 2 보기 분석하기

ㄱ. A~D는 목성형 행성이므로 모두 고리가 있다.

ㄴ. 자전축과 공전 궤도면이 거의 나란한 행성은 천왕성인 D이다.

ㄷ. 태양계 행성 중 태양으로부터 거리가 가장 먼 것은 해왕성이고, 해왕성은 대흑점이 나타나는 B이다.

Step 3 정답 찾아내기

목성형 행성은 모두 고리가 있다. → ㄱ. A(목성)와 C(토성)는 모두 고리가 있다.

3 단계별 문제 해결

Step 1 자료 분석하기

그림 (가)는 천체 망원경과 태양을 관측하는 장치인 투영판을 나타낸 것이다.

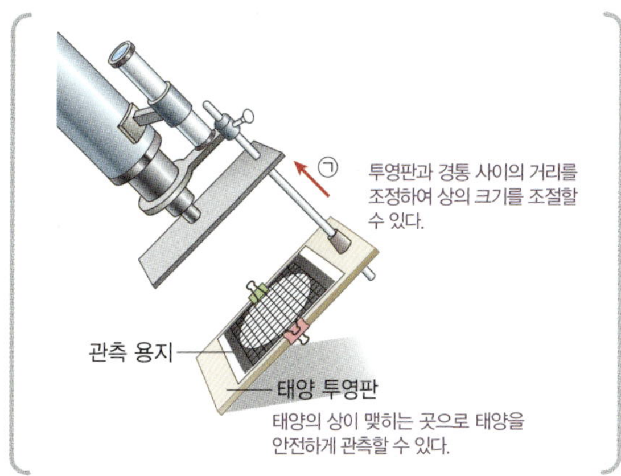

Step 2 보기 분석하기

ㄱ. 태양 투영판과 경통 사이의 거리가 가까워지면, 태양의 상은 작아진다.

ㄴ. 태양의 자기장이 강하게 밀집된 곳에서는 대류가 잘 일어나지 않아 주변보다 온도가 낮아 흑점이 생긴다.

ㄷ. 홍염은 흑점 주변에서 잘 일어난다.

Step 3 정답 찾아내기

그림 (가)에서 태양 투영판을 ㉠ 방향으로 옮기면 경통과 가까워진다. → 태양의 상은 작아진다.

그림 (나)에서 B는 흑점이다. → 홍염은 A보다 B 근처에서 더 잘 일어날 것이다.

4 단계별 문제 해결

Step 1 자료 분석하기

그림은 태양의 흑점을 위도별로 나타낸 것이다.

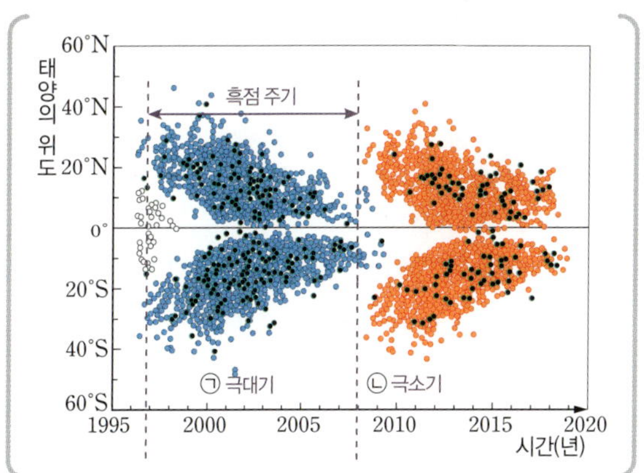

Step 2 보기 분석하기

ㄱ. 코로나의 크기는 태양 활동이 활발한 ㉠일 때 더 크게 나타난다.

ㄴ. 장거리 통신 오류는 태양 활동이 활발한 ㉠일 때 더 잘 일어난다.

ㄷ. 그림에서 대부분의 흑점은 위도 40° 이내의 지역에서 나타나는 것을 확인할 수 있다.

Step 3 정답 찾아내기

대부분의 흑점은 위도 40° 이내의 지역에서 나타나며, ㉠은 흑점 수가 많은 극대기로 태양 활동이 활발할 때이다.
→ 태양 활동이 활발한 ㉠일 때는 코로나가 더 넓게 나타나고, 장거리 통신 오류도 더 잘 일어난다.

5 단계별 문제 해결

Step 1 자료 분석하기

그림은 북극성 주변에 있는 별의 일주 운동을 나타낸 것이다.

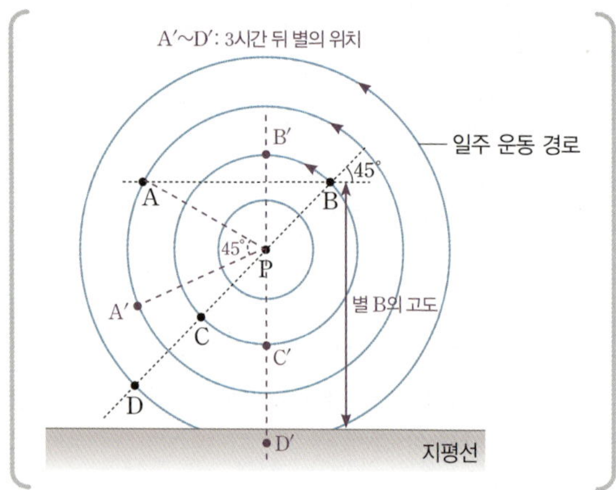

◆ 북극성 주변에 있는 별은 북극성을 중심으로 한 시간에 15°씩 시계 반대 방향으로 회전한다.

Step 2 보기 분석하기

ㄱ. 3시간 뒤 별 A는 북극성 P보다 더 아래에 위치하므로, 고도는 더 낮다.
ㄴ. 3시간 뒤 별 B는 하루 중 고도가 가장 높을 때이고, 별 C는 고도가 가장 낮을 때이다. 따라서 두 별의 고도 차가 가장 크게 나타난다.
ㄷ. 3시간 뒤 별 D는 지평선 아래에 위치하므로 관측할 수 없다.

Step 3 정답 찾아내기

3시간 뒤 별은 북극성을 중심으로 시계 반대 방향으로 45° 이동한다. 3시간 뒤 별의 위치를 확인하여 보기에서 정답을 찾아낼 수 있다.

6 단계별 문제 해결

Step 1 자료 분석하기

그림은 지구의 공전 궤도와 황도 12궁을 나타낸 것이다.

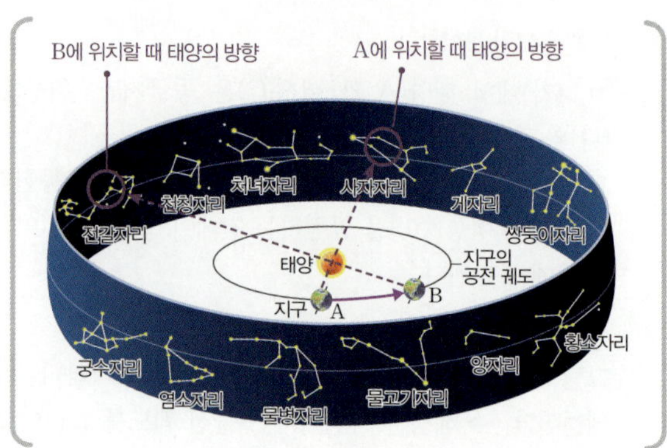

◆ 지구 자전축의 방향을 보면 B일 때 우리나라는 겨울이다.

Step 2 보기 분석하기

ㄱ. 우리나라의 계절은 지구 자전축의 방향으로 알 수 있는데, 지구가 B에 위치할 때 우리나라는 겨울이다. 따라서 지구가 A에 위치할 때는 B보다 3개월 전이므로 가을이다.
ㄴ. 한밤중에 남쪽 하늘에서 볼 수 있는 별자리는 태양 반대편에 있는 별자리이다. 따라서, B에 위치할 때 태양 반대편에 위치한 황소자리를 볼 수 있다.
ㄷ. 지구가 A에서 B로 공전하는 동안 태양은 사자자리에서 전갈자리로 이동한다. 따라서 태양을 기준으로 했을 때 천구에 있는 별자리는 시계 방향으로 이동한다.

Step 3 정답 찾아내기

지구의 공전으로 태양은 별자리를 기준으로 지구의 공전 방향과 같은 방향으로 이동하고, 별자리는 태양을 기준으로 지구의 공전 방향과 반대 방향으로 이동한다.

7 단계별 문제 해결

Step 1 자료 분석하기

그림은 4시간 간격으로 관측한 보름달의 위치와 모양을 나타낸 것이다.

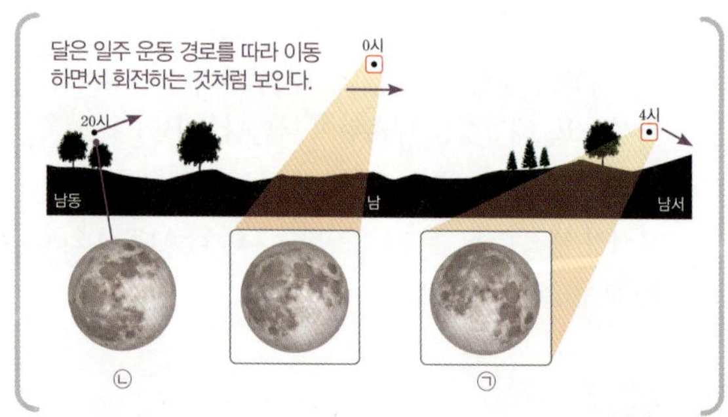

Step 2 문제 해석하기

하루 동안 달도 일주 운동 경로를 따라서 이동한다. 이때, 달이 회전하는 것과 같은 모습도 함께 볼 수 있다.

Step 3 정답 찾아내기

모범답안 (1) 달은 일주 운동 경로를 따라 4시간 동안 60°를 이동하며, 이때 시계 방향으로 함께 회전하는 것처럼 보인다. 따라서 A에 들어갈 달의 모양은 ㉠이다.

(2) 매일 같은 시각에 달을 관측하면 달은 하루에 약 13°씩 서쪽에서 동쪽으로 이동하므로, 4일 뒤에는 약 52° 이동한다. 따라서 달은 지금의 20시 위치보다 약간 남쪽에 위치한다. 달의 위상은 보름 뒤 4일이 지났으므로, 보름달과 하현달 사이의 모양이다.

	채점 기준	배점
(1)	A에 들어갈 달의 모양과 그 까닭에 대한 설명이 모두 옳은 경우	50 %
	A에 들어갈 달의 모양은 옳으나, 그 까닭을 옳게 설명하지 못한 경우	25 %
(2)	4일 뒤 0시에 달의 위치와 위상이 어떻게 될지 쓰고, 그 까닭을 옳게 설명한 경우	50 %
	4일 뒤 0시에 달의 위치와 위상이 어떻게 될지 썼으나, 그 까닭을 옳게 설명하지 못한 경우	25 %

8 〔단계별 문제 해결〕

Step 1 자료 분석하기

그림은 부분일식 진행 과정을 순서 없이 나타낸 것이다.

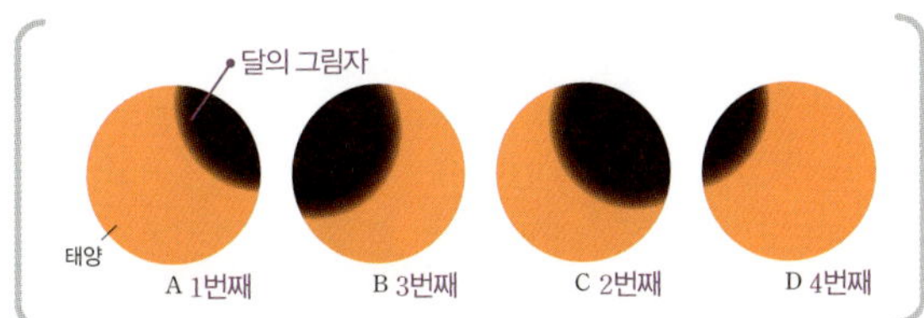

◆ 달은 시계 반대 방향으로 공전하면서 태양을 가리므로, 일식이 진행되면 태양의 오른쪽부터 가려진다.

Step 2 보기 분석하기

ㄱ. 지구가 태양 주변을 공전하는 면과 달이 지구 주변을 공전하는 면은 5° 정도 기울어져 있다. 따라서 일식이 일어나기 위해서는 태양, 달, 지구의 순서로 위치하는 삭일 때 달의 그림자가 지구에 닿아야 일어난다.

ㄴ. 부분일식이 일어나므로, 달의 반그림자가 우리나라를 지나고 있다. 만약 본그림자가 지나면 개기일식을 관측할 수 있다.

ㄷ. 일식이 진행되면 태양의 오른쪽부터 가려지며, 태양이 가려지는 방향과 면적으로 진행 순서를 알 수 있다.

Step 3 정답 찾아내기

태양이 가려지는 방향과 면적을 고려하면, 일식은 A → C → B → D 순으로 일어난다.

1 「**문제 해결 가이드**」 질량, 반지름, 고리의 유무, 표면 상태, 위성의 수 등 태양계 행성의 물리적 특징에 따라 지구형 행성과 목성형 행성으로 분류할 수 있다는 점에 착안하여 설명한다.

▶ 태양계 행성은 질량과 반지름 외에 고리의 유무, 표면 상태, 위성의 수 등으로 분류할 수 있다는 점 ≫ 이에 따라 태양계 행성은 크게 지구형 행성과 목성형 행성으로 분류할 수 있다는 점 ≫≫ 지구형 행성인 수성, 금성, 지구, 화성은 고리가 없고 표면 상태가 주로 암석이며 위성이 없거나 적지만, 목성형 행성인 목성, 토성, 천왕성, 해왕성은 고리가 있고 표면이 기체 상태이며 위성이 많다는 것을 설명한다.

모범답안 질량과 반지름 외에 행성을 분류할 수 있는 기준으로 고리의 유무가 있다. 이를 바탕으로 수성, 금성, 지구, 화성은 질량과 반지름이 상대적으로 작고 고리가 없는 지구형 행성으로 분류할 수 있다. 반면에 목성, 토성, 천왕성, 해왕성은 질량과 반지름이 상대적으로 크고 고리가 있는 목성형 행성으로 분류할 수 있다.

채점 기준	배점
추가 분류 기준을 제시하고, 질량과 반지름, 추가로 제시한 분류 기준을 근거로 태양계 행성을 분류한 경우	100 %
추가 분류 기준만 제시하거나, 질량과 반지름만으로 태양계 행성을 분류한 경우	50 %

2 「**문제 해결 가이드**」 우주에서 본다면 북반구 관측자와 남반구 관측자는 서 있는 방향이 서로 다르지만, 달의 공전과 지구의 자전은 같다는 점에 착안하여 설명한다.

▶ 우주에서 본다면 같은 달이지만, 관측자가 서 있는 방향이 서로 다르기 때문에 각자 다른 모양을 볼 수 있다는 점 ≫ 지구의 자전과 달의 공전은 서쪽에서 동쪽으로 일어나기 때문에 뜨고 지는 위치는 같지만, 관측자가 서 있는 방향이 달라 이동 경로는 달라지는 것을 설명한다.

모범답안 남반구 관측자는 북반구 관측자가 보는 달의 모양에서 좌우가 바뀐 모습을 보게 된다. 예를 들어 1월 31일 북반구 관측자는 초승달로 보겠지만, 남반구 관측자는 그믐달로 보게 된다. 한편, 달의 위치는 1월 31일에는 서쪽 하늘, 2월 6일에는 북쪽 하늘, 2월 12일에는 동쪽 하늘로 이동한다.

채점 기준	배점
남반구에서 관측한 달의 모양과 위치 변화를 모두 옳게 설명한 경우	100 %
남반구에서 관측한 달의 모양과 위치 변화 중 한 가지만 옳게 설명한 경우	50 %

3 「문제 해결 가이드」 오로라와 태양 활동의 관계를 바탕으로, 태양 활동이 활발할 때 지구에 미치는 영향을 설명한다.

(1) ❯ 오로라는 태양에서 방출되는 고에너지 입자가 지구의 공기 입자와 충돌하여 빛을 낸다는 점 ❯❯ 태양의 활동이 활발하면 태양에서 방출되는 고에너지 입자도 많다는 점 ❯❯❯ 태양이 고에너지를 방출할 때 태양의 표면과 대기의 변화를 설명한다.

(2) ❯ 태양 활동은 장거리 무선 통신 오류, 인공위성 고장, 송전 시설 고장, 지구 자기장 교란 및 방사선 노출 등의 영향을 줄 수 있다는 점 ❯❯ 태양 활동이 강할 때 큰 피해를 줄 수 있다는 점 ❯❯❯ 태양 활동으로 생기는 피해를 줄이는 방안을 설명한다.

모범 답안 (1) 태양 활동이 활발할 때, 오로라가 더 자주 나타난다. 이때 태양의 표면에서는 흑점의 수가 많아지고, 태양의 대기인 코로나가 더 넓게 나타난다. 또한, 홍염과 플레어 현상도 자주 일어난다.

(2) 태양의 활동이 활발해지면 장거리 무선 통신 오류, 인공위성 고장, 대규모 정전 등의 피해를 받을 수 있다. 특히, 태양의 활동이 정점에 이르는 2025년경에 큰 피해가 예상된다. 이러한 피해를 줄이기 위하여 실시간으로 태양의 활동을 관측하고 분석하여 예보하는 시스템을 운영할 수 있다.

	채점 기준	배점
(1)	태양의 표면과 대기에서 일어나는 변화를 모두 설명한 경우	50 %
	태양의 표면과 대기에서 일어나는 변화 중 한 가지만 설명한 경우	25 %
(2)	〈조건〉에 맞추어 모두 작성한 경우	50 %
	〈조건〉 중 한 가지 이상을 충족하지 못한 경우	25 %

4 「문제 해결 가이드」 개기일식이 일어날 때, 달의 위상과 달의 공전 방향에 따른 그림자의 이동 방향을 고려하여 설명한다. 또한, 다음 태양 활동이 활발할 때가 언제일지 예측하여 설명한다.

(1) ❯ A는 달의 그림자라는 점 ❯❯ 달의 그림자가 지구에 나타나려면 달의 위상이 삭이어야 하며, 달은 시계 반대 방향으로 공전한다는 점 ❯❯❯ 달의 공전으로 지구에서 달의 그림자는 서쪽에서 동쪽으로 이동한다는 것을 설명한다.

(2) ❯ 2024년경 태양 활동이 활발하므로, 다음 태양 활동이 활발할 때를 예측할 수 있다는 점 ❯❯ 달의 그림자가 바다보다 육지 위를 지날 때 관측하기 용이하다는 것을 고려하여 설명한다.

모범 답안 (1) A는 달의 그림자로, 태양과 지구 사이에 달이 위치할 때 나타난다. 즉, 달의 위상이 삭일 때 달의 그림자가 지구에 나타난다. 이때 달은 시계 반대 방향으로 공전하므로, 달의 그림자는 서쪽에서 동쪽으로 이동한다. 따라서 그림 (나)에서 태평양에서 대서양 쪽으로 개기일식이 진행된다.

(2) 2034년 3월 20일 아프리카 대륙 또는 2035년 9월 2일 중국에서 코로나를 관측하기 좋다. 그 까닭은 태양의 활동 주기는 약 11년이므로 2024년경 이후 태양 활동이 활발할 때는 2035년경으로 예상할 수 있으며, 달의 본그림자가 바다보다 육지 위를 지날 때가 개기일식 및 코로나를 관측하기 더 쉽기 때문이다.

	채점 기준	배점
(1)	달의 그림자가 나타나는 조건과 개기일식이 진행되는 방향을 모두 옳게 설명한 경우	50 %
	달의 그림자가 나타나는 조건과 개기일식이 진행되는 방향 중 한 가지만 옳게 설명한 경우	25 %
(2)	2035년경에 개기일식이 육지에서 관측될 때를 선택하고, 그 근거를 타당하게 설명한 경우	50 %
	2035년경에 개기일식이 육지에서 관측될 때를 선택하지 못했거나, 근거가 타당하지 않은 경우	25 %

01 과학에서의 힘은 물체의 모양이나 운동 상태(속력, 운동 방향)를 변화시키는 원인이다.
② 액체 상태인 물이 기체 상태인 수증기로 상태가 변하는 까닭은 기화열을 흡수했기 때문이다.

02 ㄱ. 힘을 받은 용수철은 모양만 변하였다.

03 힘은 화살표로 표현할 수 있다. 화살표의 방향은 힘의 방향, 화살표의 시작점은 힘의 작용점, 화살표의 길이는 힘의 크기를 의미한다.

04 화살표의 길이는 힘의 크기를 의미하고 화살표의 방향은 힘의 방향을 의미한다. 따라서 1 cm가 2 N이므로 길이가 3 cm인 힘의 크기는 6 N이고 방향은 남서쪽이다.

05 자료 **VIEW**

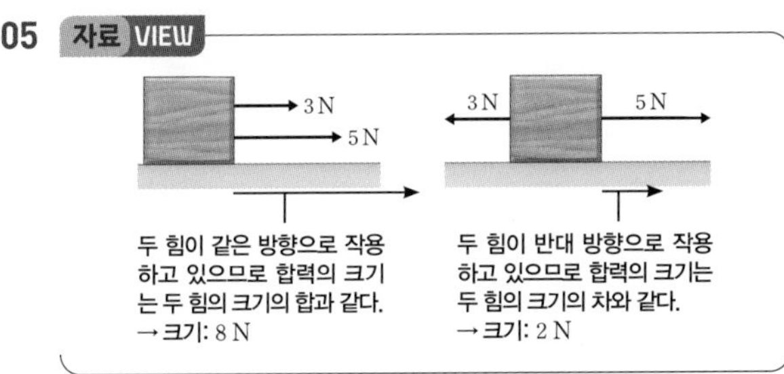

한 물체에 여러 힘이 동시에 작용할 때 이 힘들과 같은 효과를 내는 하나의 힘인 알짜힘(합력)을 구하는 것을 힘의 합성이라고 한다.
(가) 같은 방향으로 작용하는 두 힘의 알짜힘의 크기는 두 힘의 크기의 합과 같고, 방향은 두 힘의 방향과 같다. 따라서 알짜힘의 크기는 3 N+5 N=8 N이며, 오른쪽으로 작용한다.
(나) 반대 방향으로 작용하는 두 힘의 알짜힘의 크기는 두 힘의 크기의 차와 같고, 방향은 크기가 큰 힘의 방향과 같다. 따라서 알짜힘의 크기는 5 N−3 N=2 N이며, 오른쪽으로 작용한다.

06 상자를 밀어도 상자가 움직이지 않는 것은 A가 상자를 미는 힘과 B가 상자를 미는 힘이 힘의 평형을 이루기 때문이다. 따라서 두 힘의 크기가 같고, 서로 반대 방향으로 작용하며, 두 힘은 같은 작용선상에 있다.
ㄱ. A가 상자를 미는 힘의 크기와 B가 상자를 미는 힘의 크기는 같다.

07 미끄럼틀을 타면 아래로 내려가고 스카이다이빙을 하면 아래로 떨어지는 것은 모두 지구의 중력에 의한 현상이다.
① 지구의 중력은 지구가 물체를 당기는 힘이다.
② 지구의 중력은 지구 중심 방향으로 작용한다.
③ 물체의 질량이 클수록 지구의 중력이 크게 작용한다.
④, ⑤ 물체에 작용하는 중력의 크기를 무게라고 하며, 지구 중력에 의해 무거움이나 가벼움을 느낄 수 있다.

08 지구에서 질량이 1 kg인 물체의 무게는 9.8 N이다. 따라서 지구에서 무게가 294 N인 물체의 질량은 294÷9.8=30(kg)이다. 이 물체를 달에 가져가면 무게는 지구에서의 $\frac{1}{6}$이 되므로 49 N이다.

장소가 변해도 변하지 않는다.

구분	질량(kg)	무게(N)
지구	30	294
달	30	49

09 ㄱ. 1 kg의 무게가 9.8 N이므로 10 kg의 무게는 98 N이다.
ㄴ. 지표 근처에서 가만히 놓은 물체는 지구 중력의 방향인 B 방향으로 운동한다.
ㄷ. 지구 중력의 방향은 지구 중심 방향이다.

10 ① 탄성체의 변형이 클수록 탄성력이 크다.
② 탄성력은 힘을 받아 변형된 물체가 원래 모양으로 되돌아가려는 성질인 탄성에 의한 힘이다.
③ 탄성력의 크기는 탄성체를 변형시킨 힘의 크기와 같다.
④ 탄성력의 방향은 탄성체를 변형시킨 힘과 반대 방향으로 작용한다.
⑤ 물체의 종류나 모양에 따라 같은 크기의 힘을 작용해도 변형된 정도가 다를 수 있다.

11 물체의 질량이 클수록 물체의 무게가 크며, 용수철에 물체를 매달았을 때 물체의 중력과 용수철의 탄성력은 평형을 이룬다. 이때 물체에 작용하는 중력의 크기가 무게이므로, 탄성력의 크기는 물체의 무게와 같다. 즉, 탄성력의 크기를 비교하면 B>A>C이다.

12 탄성체에 작용하는 탄성력의 크기는 탄성체에 작용한 힘의 크기와 같고, 탄성체의 변형 정도에 비례한다. 또한 탄성력의 방향은 작용한 힘의 방향과 반대이다.

ㄱ. 용수철을 당기는 힘의 크기가 7 N이므로 탄성력의 크기도 7 N이다.

ㄴ. 용수철을 오른쪽으로 당기므로 탄성력의 방향은 왼쪽이다.

ㄷ. 오른쪽으로 더 당기면 용수철을 당기는 힘의 크기가 커지므로 탄성력의 크기도 더 커진다.

13 물체를 당겼을 때 물체의 속력이 일정한 것은 물체에 작용하는 힘과 마찰력이 힘의 평형을 이루기 때문이다. 한 물체에 나란하게 작용하는 두 힘이 평형을 이루려면 두 힘의 크기는 같고, 서로 반대 방향으로 작용해야 한다.

14 ㄱ. 접촉면이 거칠수록 마찰력의 크기가 커서 사포 위에서 미끄러진 거리가 짧다.

ㄴ. 물체가 운동하는 경우, 마찰력은 물체의 운동 방향과 반대 방향으로 작용한다.

ㄷ. 마찰력은 두 물체의 접촉면에서 물체의 운동을 방해하는 힘으로, 병뚜껑에 작용하는 마찰력이 클수록 병뚜껑이 미끄러지는 거리가 짧다.

15 부력은 액체나 기체가 그 속에 있는 물체를 위로 밀어 올리는 힘으로, 중력과 반대 방향으로 작용한다.

16

A가 물속에 잠긴 부피는 B가 물속에 잠긴 부피의 $\frac{1}{2}$ 이다.

→ A에 작용하는 부력의 크기는 B에 작용하는 부력의 크기의 $\frac{1}{2}$ 이다.

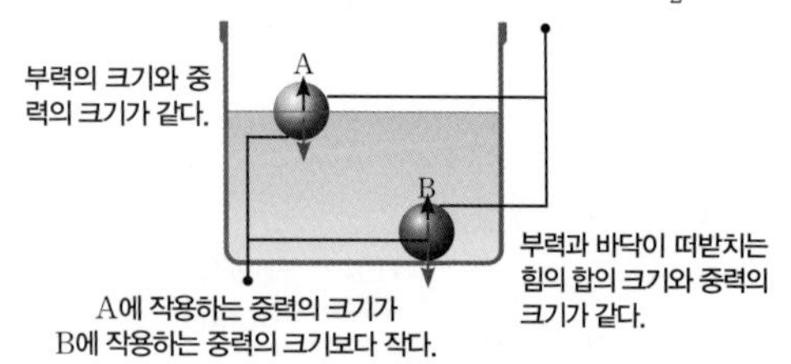

① 부력의 크기는 액체나 기체에 잠긴 물체의 부피에 비례하고 물에 잠긴 부피는 A보다 B가 크므로 A에 작용하는 부력의 크기가 B에 작용하는 부력의 크기보다 작다.

② B는 물에 넣자 가라앉았으므로 B에 작용하는 중력의 크기가 부력의 크기보다 크다.

③ A와 B에 작용하는 부력의 방향은 모두 중력의 반대 방향인 위 방향이다.

④ A는 물에 떠 있는 상태이므로 힘의 평형 상태이다. 따라서 A에 작용하는 부력의 크기와 중력의 크기가 같다.

⑤ A가 잠긴 부피가 B의 절반이므로 부력의 크기는 A<B이다. 이때 A에 작용하는 중력과 A에 작용하는 부력의 크기는 같고, B에 작용하는 중력의 크기는 B에 작용하는 부력의 크기보다 크므로 A에 작용하는 중력의 크기가 B에 작용하는 중력의 크기보다 작다.

17

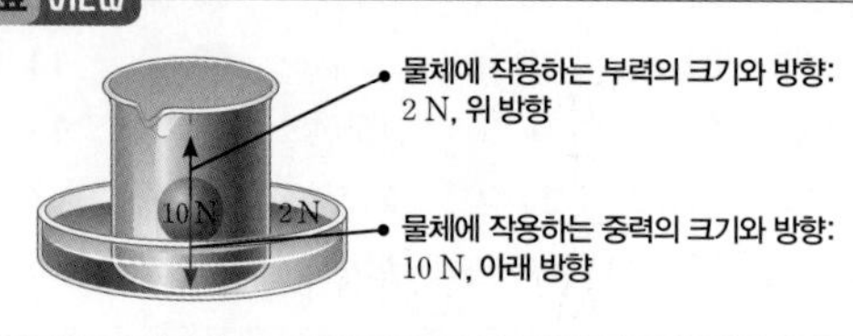

물이 가득 든 비커에 물체를 넣었을 때 넘친 물의 무게는 물체에 작용하는 부력의 크기와 같다.

18 (가) 사과가 정지해 있으므로 사과에 작용하는 중력과 부력은 힘의 평형을 이룬다.

(나) 사과가 정지해 있으므로 사과에 작용하는 중력과 용수철에 작용하는 탄성력은 힘의 평형을 이룬다.

19 (가) 무빙워크는 속력과 운동 방향이 모두 일정한 운동을, (나) 대관람차는 운동 방향만 변하는 운동을, (다) 롤러코스터는 매순간 속력과 운동 방향이 변하는 운동을 한다.

20 A는 중력을 받아 속력이 일정하게 증가하는 운동을, B는 중력에 의해 속력이 일정하지만 매순간 운동 방향이 변하는 원운동을, C는 중력과 실이 당기는 힘에 의해 속력과 운동 방향이 모두 변하는 운동을 한다.

21 ㄱ. (나)에서 속력이 일정하고, (라)에서 정지 상태이므로 알짜힘이 0이다.

ㄴ. (가)에서 운동 방향으로 알짜힘이 작용하여 속력이 증가하므로 알짜힘의 방향은 아래쪽이다. 반면 (다)에서 운동 방향과 반대 방향으로 알짜힘이 작용하여 속력이 감소한다.

ㄷ. (나)에서 운동이 변하지 않으므로 알짜힘이 0이다. 영희에 작용하는 중력과 승강기 바닥이 영희를 떠받치는 힘은 힘의 평형을 이룬다.

22 질량은 물체가 가진 물질의 고유한 특성이고, 무게는 물체에 작용하는 중력의 크기이다.

모범답안 ㉠ 역기의 질량은 지구에서와 같다. 왜냐하면 질량은 물체가 가진 물질의 고유한 양으로, 장소가 바뀌어도 변하지 않는다.

㉢ 달에서는 지구에서 작용하는 힘의 $\frac{1}{6}$ 만큼 힘을 작용해야 한다. 왜냐하면 달에서의 중력의 크기는 지구에서의 $\frac{1}{6}$ 이므로 달에서의 무게는 지구에서의 $\frac{1}{6}$ 이기 때문이다.

채점 기준	배점
틀린 내용을 모두 찾아 고치고, 그 까닭을 옳게 설명한 경우	100 %
틀린 내용을 하나만 찾아 고치고, 그 까닭을 옳게 설명한 경우	50 %

23 용수철의 탄성력의 크기는 용수철에 작용한 힘의 크기와 같고, 용수철이 늘어난 길이에 비례한다.

모범답안 탄성력, 탄성력의 크기는 용수철이 늘어난 길이에 비례하므로 $3 \text{ cm} : 1.5 \text{ N} = 18 \text{ cm} : x$에서 $x = 9 \text{ N}$이다.

채점 기준	배점
힘의 종류와 크기를 옳게 쓰고, 그 까닭을 옳게 설명한 경우	100 %
힘의 종류와 크기만 옳게 쓴 경우	50 %

24 실험을 설계할 때는 대조 실험을 하며, 가설에 따라 같게 할 조건, 다르게 할 조건, 관찰하거나 측정해야 할 것을 구분해야 한다. 마찰력의 크기가 접촉면의 거칠기와 관련이 있는지 알아보기 위해서는 물체의 무게를 동일하게 하고 접촉면을 다르게 한다. 마찰력의 크기가 물체의 무게와 관련이 있는지 알아보기 위해서는 접촉면을 동일하게 하고 물체의 무게를 다르게 한다.

모범답안 (가), 나무 도막 한 개를 사포 위에 놓고 서서히 당겨 움직이는 순간의 용수철저울의 눈금을 측정한다.
또는 (나), 나무 도막 두 개를 유리판 위에 놓고 서서히 당겨 움직이는 순간의 용수철저울의 눈금을 측정한다.

채점 기준	배점
(가)와 (나)의 마찰면을 동일하게 하고 물체의 무게를 다르게 수정한 경우	100 %
그 외의 경우	0 %

25 용수철저울로 측정한 힘은 추에 작용하는 중력과 추에 작용하는 부력의 차와 같다. 추에 작용하는 부력은 물속에 잠긴 물체의 부피에 비례한다.

모범답안 추에 작용하는 부력은 물속에 잠긴 추의 부피에 비례한다. 따라서 추가 물속에 반만 잠겼을 때 추에 작용하는 부력이 $1 \text{ N} - 0.8 \text{ N} = 0.2 \text{ N}$이므로, 추가 물속에 완전히 잠겼을 때 추에 작용하는 부력은 0.4 N이다. 이때 용수철저울로 측정한 힘의 크기는 추에 작용하는 중력과 추에 작용하는 부력의 차와 같으므로 (다)에서 용수철저울의 측정값은 $1 \text{ N} - 0.4 \text{ N} = 0.6 \text{ N}$이다.

채점 기준	배점
용수철저울의 측정값을 옳게 구하고, 그 까닭을 옳게 설명한 경우	100 %
용수철저울의 측정값만 옳게 구한 경우	50 %

---

01 ③	**02** (나)와 (다)	**03** ①	**04** ②, ④	**05** ③
06 ④	**07** ④	**08** ①, ⑤	**09** ④	**10** ③	**11** ④
12 ⑤	**13** ④	**14** ⑤	**15** ④	**16** ①	**17** ④
18 ③	**19** ②	**20** ④	**21** ④	**22** 해설 참조
23 해설 참조		**24** 해설 참조		**25** 해설 참조

---

01 일정한 면적에 작용하는 힘을 압력이라고 한다. 일정한 면적에 작용하는 힘의 크기가 클수록, 같은 크기의 힘이 작용하는 면적이 좁을수록 압력이 커진다.
ㄱ, ㄷ. 구두는 운동화보다 바닥 면이 좁아서 찰흙에 가해진 압력이 더 크므로 찰흙이 깊이 눌린다. 따라서 힘을 받는 면적이 좁을수록 압력이 크다는 것을 알 수 있다.
ㄴ. 주어진 실험에서 작용하는 힘의 크기는 같다. 따라서 작용하는 힘의 크기가 클수록 압력이 크다는 것은 알 수 없다.

02 힘을 받는 면적이 압력에 미치는 영향을 알아보기 위해서는 삼각 플라스크에 들어 있는 물의 양은 같지만, 삼각 플라스크가 스펀지에 닿는 면적은 다른 것을 골라야 한다. 따라서 (나)와 (다)를 비교해야 한다.

03 ① 힘을 받는 면적을 좁혀 압력을 크게 한 경우이다.
②, ③, ④, ⑤ 힘을 받는 면적을 넓혀 압력을 작게 한 경우이다.

04 풍선에 공기를 불어 넣으면 풍선 속 기체 입자의 개수가 많아져 기체 입자가 풍선의 안쪽 벽면에 충돌하는 횟수가 증가한다. 이때 풍선 속 기체의 압력은 모든 방향으로 작용한다. 또한, 풍선 속 기체 입자의 크기는 변하지 않으며, 온도가 일정하므로 기체 입자가 운동하는 빠르기는 변하지 않는다.

05 외부 압력이 커지면 기체 입자 사이의 거리가 가까워지면서 기체의 부피가 줄어든다. 이때 기체 입자의 충돌 횟수가 증가하여 기체의 압력이 커진다. 하지만 용기 속 기체 입자의 개수는 일정하며, 온도가 일정하므로 기체 입자 운동의 빠르기는 변하지 않는다.

06 ①, ③, ④ 주사기 속 기체의 부피와 압력은 반비례하며, 기체의 부피와 압력을 곱한 값은 일정하다. 따라서 ㉠은 다음과 같이 구할 수 있다.
$20 \text{ mL} \times 1.00 \text{ 기압} = 16 \text{ mL} \times ㉠ \text{ 기압}$ $\therefore ㉠ = 1.25$
② 기체의 부피와 압력의 관계를 알 수 있으므로 보일 법칙을 설명할 수 있다.

⑤ 주사기 속 기체의 부피가 줄어들어도 기체 입자의 질량은 변하지 않는다.

07 온도가 일정할 때 일정한 양의 기체에 가해지는 압력이 증가하면 기체의 부피가 감소하여 기체 입자의 충돌 횟수가 증가하므로 기체의 압력이 증가한다.

08 ① 열기구 속 기체를 가열하면 온도가 높아져 기체의 부피가 늘어난다. 따라서 열기구 속 기체의 일부가 밖으로 밀려나가면서 열기구가 가벼워져 위로 뜬다. ➡ 샤를 법칙과 관련된 현상
② 공기를 채운 공기 침대 위에 누우면 침대에 가해지는 압력이 커져 침대 속 기체의 부피가 줄어든다. ➡ 보일 법칙과 관련된 현상
③ 풍선이 하늘 높이 올라갈수록 대기압이 작아진다. 따라서 풍선이 점점 커지다가 결국에는 터진다. ➡ 보일 법칙과 관련된 현상
④ 뽁뽁이로 물건을 포장하면 외부에서 압력이 가해질 때 뽁뽁이 속 기체의 부피가 줄어들면서 물건이 파손되지 않게 한다. ➡ 보일 법칙과 관련된 현상
⑤ 물이 채워진 오줌싸개 인형 위에 뜨거운 물을 부으면 인형 속 기체의 부피가 늘어나서 인형 속 물이 뿜어져 나온다. ➡ 샤를 법칙과 관련된 현상

09 보일 법칙에 따르면 온도가 일정할 때 일정한 양의 기체의 압력과 부피는 반비례한다. 따라서 기체의 압력이 커질수록 기체의 부피가 줄어드는 ④번 그래프가 적절하다.

10 ①, ③ (가)에서는 외부 압력이 커져 풍선 속 기체의 부피가 줄어들므로 기체 입자의 충돌 횟수가 증가하여 기체의 압력이 커진다.
② (나)에서는 외부 압력이 작아져 풍선 속 기체의 부피가 늘어나므로 기체 입자의 충돌 횟수가 감소하여 기체의 압력이 작아진다.
④, ⑤ (가)와 (나)에서 풍선 속 기체 입자의 개수는 변하지 않고, 온도가 일정하므로 기체 입자 운동의 빠르기도 변하지 않는다.

11 ㄱ. 대기압의 변화에 따라 과자 봉지 속 기체의 부피가 달라진다. 따라서 압력에 따른 기체의 부피 변화를 알 수 있다.
ㄴ, ㄷ. 과자 봉지 속 기체의 압력은 (가)가 (나)보다 작고, 기체 입자 사이의 거리는 (가)가 (나)보다 멀다.
ㄹ. 두 장소에서 온도는 같으므로 과자 봉지 속 기체 입자 운동의 빠르기는 (가)와 (나)에서 같다.

12 용기 속 기체 입자의 개수가 많을수록 용기의 벽면에 충돌하는 횟수가 증가하므로 기체의 압력이 커진다.

또한, 온도가 높을수록 기체 입자의 운동이 빨라져서 기체 입자가 용기의 벽면에 충돌하는 횟수와 세기가 증가하므로 기체의 압력이 커진다. 따라서 용기 속 기체 입자의 개수가 많고, 온도가 높은 ⑤에서 기체의 압력이 가장 크다.

13 ㄱ. 온도가 높아지면 용기 속 기체 입자의 운동이 빨라져서 기체의 부피가 늘어난다. 따라서 기체의 부피가 가장 큰 (가)에서 온도가 가장 높다.
ㄴ. 기체 입자의 운동은 (가)에서 가장 빠르고, (다)에서 가장 느리다.
ㄷ. 기체의 부피가 가장 큰 (가)에서 기체 입자 사이의 거리가 가장 멀다.
ㄹ. 기체 입자의 크기는 변하지 않으므로 (가)~(다)에서 모두 같다.

14 샤를 법칙에 따라 일정한 압력에서 일정한 양의 기체의 온도를 높이면 일정한 비율로 기체의 부피가 늘어나고, 온도를 낮추면 일정한 비율로 기체의 부피가 줄어든다. 기체의 온도가 높아질수록 부피가 늘어나는 까닭은 기체 입자가 빠르게 운동하며 충돌하기 때문이다. 따라서 기체 입자 운동의 빠르기를 비교하면 (다)>(나)>(가)이다.

15 체온에 의해 유리병 속 기체의 온도가 높아져 기체 입자의 운동이 빨라지고 기체 입자의 충돌 세기가 증가하기 때문에 일어나는 현상이다. 이때 유리병 속 기체 입자의 크기, 개수, 질량은 변하지 않는다.

16 풍선을 씌운 삼각 플라스크를 얼음물에 넣었을 때보다 뜨거운 물에 넣었을 때 플라스크와 풍선 속 기체의 온도가 높아져 기체 입자의 운동이 빨라지므로 풍선의 부피가 늘어난다.
ㄱ, ㄷ. (나)에서보다 (가)에서 더 큰 값을 가지는 것은 풍선의 부피와 풍선 속 기체 입자 운동의 빠르기이다.
ㄴ, ㄹ. 온도가 변해도 기체 입자의 크기와 개수는 변하지 않는다.

17 주어진 실험으로 기체의 온도와 부피 관계를 나타내는 샤를 법칙을 설명할 수 있다.
① 높은 산에 올라가면 대기압이 작아져 과자 봉지 속 기체의 부피가 늘어난다. ➡ 보일 법칙과 관련된 현상
② 시간이 지남에 따라 어항에 담긴 물의 표면에서 기화가 일어나므로 물의 양이 점점 줄어든다. ➡ 증발 현상
③ 뜨거운 물에 차 티백을 넣고 흔들지 않아도 차 성분 입자가 스스로 운동하여 퍼져 나가 차가 우러난다. ➡ 확산 현상
④ 뜨거운 음식이 들어 있는 그릇에 비닐 랩을 씌우면 그릇 속 기체의 부피가 늘어나므로 비닐 랩이 부풀어 오른다.

→ 샤를 법칙과 관련된 현상

⑤ 물속에서 잠수부가 내뿜은 공기 방울은 수면 가까이 올라갈수록 수압이 작아지므로 점점 커진다. → 보일 법칙과 관련된 현상

18 시간이 지나면서 컵 속 기체의 온도가 낮아지면 기체 입자의 운동이 느려지고, 기체 입자 사이의 거리가 가까워지면서 기체의 부피가 줄어들어 컵 속에 풍선이 빨려 들어간다. 이 실험은 온도에 따라 기체의 부피가 변하는 현상이므로 샤를 법칙을 설명할 수 있다.

19 ㄱ, ㄷ. 압력에 따라 기체의 부피가 변하는 현상으로, 온도는 일정하므로 기체 입자 운동의 빠르기는 변하지 않는다.
ㄴ. 달걀 껍데기 속 기체의 온도가 높아져 기체 입자의 운동이 빨라지므로 기체의 부피가 늘어나는 현상이다.

20 양손으로 플라스크를 감싸 쥐면 플라스크 속 기체의 온도가 높아져 기체의 부피가 늘어나므로 잉크 방울이 B 쪽으로 이동한다. 이 실험을 통해 기체의 온도와 부피 관계를 알 수 있다.

21 (가)에서 (나)로 변할 때 기체 입자의 개수와 크기는 변하지 않고, 기체 입자 사이의 거리가 가까워지면서 기체의 부피가 줄어들었다. 따라서 일정한 온도에서 일정한 양의 기체에 가하는 압력을 증가시키거나 일정한 압력에서 일정한 양의 기체의 온도를 낮춘 것이다.

22 자료 VIEW

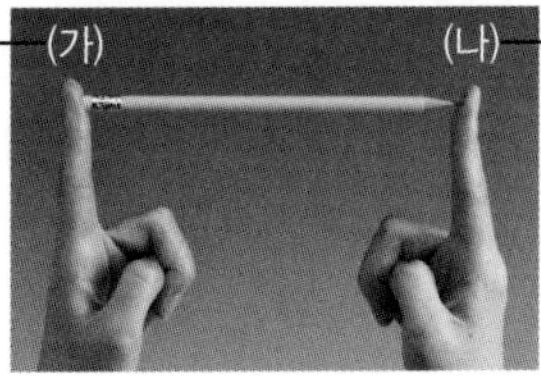

(가)와 (나)에 작용하는 힘의 크기는 같지만, 힘을 받는 면적이 다르기 때문에 손가락이 눌리는 정도가 다르다. 일정한 면적에 작용하는 힘의 크기가 클수록, 같은 크기의 힘이 작용하는 면적이 좁을수록 압력이 커진다.

모범답안 (나), 같은 크기의 힘이 작용할 때 힘을 받는 면적이 좁을수록 압력이 커지기 때문이다.

채점 기준	배점
(나)를 고르고 그 까닭을 옳게 설명한 경우	100 %
(나)만 고른 경우	30 %

23 감압 용기에 뜯지 않은 과자 봉지를 넣고 용기 속 공기를 빼내면 용기 속 기체의 압력이 작아진다.

모범답안 감압 용기 속 공기를 빼내면 용기 속 기체 입자의 개수가 줄어들어 기체 입자의 충돌 횟수가 감소한다. 따라서 용기 속 기체의 압력이 작아지므로 과자 봉지 속 기체의 부피가 늘어나면서 과자 봉지가 부푼다.

채점 기준	배점
변화가 나타난 까닭을 주어진 용어를 모두 이용하여 옳게 설명한 경우	100 %
변화가 나타난 까닭을 주어진 용어 중 세 가지만 이용하여 옳게 설명한 경우	70 %
변화가 나타난 까닭을 주어진 용어 중 두 가지만 이용하여 옳게 설명한 경우	40 %

24 (가)에서 주사기를 얼음물에 담그면 주사기 속 기체의 온도가 낮아져 기체의 부피가 줄어들므로 피스톤이 아래로 움직인다. (나)에서 주사기를 뜨거운 물에 담그면 주사기 속 기체의 온도가 높아져 기체의 부피가 늘어나므로 피스톤이 위로 움직인다.

모범답안 (1) (가)에서는 피스톤이 아래로 움직이고, (나)에서는 피스톤이 위로 움직인다.
(2) (가)에서는 주사기 속 기체의 온도가 낮아져 기체의 부피가 줄어들기 때문이고, (나)에서는 주사기 속 기체의 온도가 높아져 기체의 부피가 늘어나기 때문이다.

	채점 기준	배점
(1)	(가)와 (나)에서 피스톤의 움직임을 모두 옳게 설명한 경우	40 %
	(가)와 (나) 중에서 한 가지만 피스톤의 움직임을 옳게 설명한 경우	20 %
(2)	(가)와 (나)에서 피스톤이 움직인 까닭을 모두 옳게 설명한 경우	60 %
	(가)와 (나) 중에서 한 가지만 피스톤이 움직인 까닭을 옳게 설명한 경우	30 %

25 샤를 법칙에 따라 기체의 온도가 높아지면 기체의 부피가 늘어나는 현상을 이용하여 스포이트의 끝에 남아 있는 액체 방울을 빼낼 수 있다.

모범답안 스포이트의 한쪽 끝을 막고 스포이트를 손으로 감싸 쥐면 스포이트 속 기체의 온도가 높아져 기체의 부피가 늘어나므로 스포이트의 끝에 남아 있는 액체 방울을 빼낼 수 있다.

채점 기준	배점
액체 방울을 빼내는 방법을 기체의 온도와 부피 관계를 이용하여 옳게 설명한 경우	100 %
기체의 온도와 부피 관계에 대한 언급 없이 액체 방울을 빼내는 방법만 설명한 경우	50 %

Ⅶ. 태양계

01 ① **02** ⑤ **03** ⑤ **04** ③ **05** ④ **06** ③

07 A: 쌀알 무늬, B: 흑점 **08** ③ **09** ⑤ **10** ④

11 ① **12** ③ **13** ③ **14** 궁수자리 **15** ①

16 ② **17** ② **18** ② **19** 개기월식 **20** ②

21 ④ **22** 해설 참조 **23** 해설 참조

24 해설 참조 **25** 해설 참조

01 태양계 천체의 대부분은 태양을 중심으로 공전하지만, 위성은 행성을 중심으로 공전한다.

02 태양계 행성은 수성, 금성, 지구, 화성, 목성, 토성, 천왕성, 해왕성으로 총 8개이다. 행성과 왜소 행성은 모두 태양을 중심으로 공전하며, 둥근 구형이다. 행성 중 목성형 행성은 기체로 이루어져 단단한 표면이 없다. 행성은 궤도 주변에 다른 천체가 없이 지배적인 역할을 하지만, 왜소 행성은 궤도 주변의 다른 천체에 지배적인 역할을 하지 못한다.

03 (가)는 수성, (나)는 목성, (다)는 토성이다. 수성은 태양에서 가장 가까운 행성이다. (가)는 지구형 행성이고, (나)와 (다)는 목성형 행성이다. 지구형 행성은 고리가 없고, 위성이 없거나 그 개수가 적다. 반면에 목성형 행성은 고리가 있고, 위성의 수가 많다.

04 (가)는 지구형 행성, (나)는 목성형 행성이다. 지구형 행성은 목성형 행성보다 반지름이 작고, 위성의 개수가 적다. 한편, 지구형 행성은 단단한 표면으로 이루어져 있지만, 목성형 행성은 단단한 표면이 없고 기체로 이루어져 있다.

05 자료 VIEW

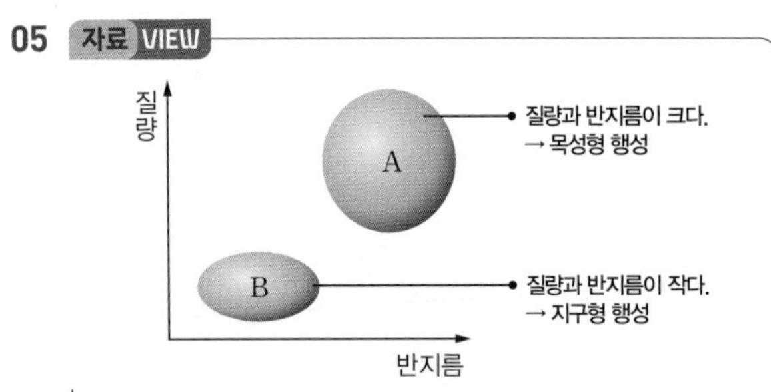

수성, 금성, 지구, 화성은 지구형 행성(B)이며 목성, 토성, 천왕성, 해왕성은 목성형 행성(A)이다. 목성형 행성은 지구형 행성보다 더 많은 위성을 갖고 있다.

06 태양은 태양계에서 유일하게 스스로 빛을 내는 천체로, 표면 온도는 약 6000 ℃이다. 광구 바로 아래에서는 대류가 일어나 표면에 쌀알 무늬가 나타난다. 플레어는 흑점 부근

에서 일어나는 강력한 폭발로, 태양의 대기 현상 중 하나이다. 광구에서는 상대적으로 주변보다 온도가 낮아 검게 보이는 흑점을 볼 수 있다.

07 태양의 표면에서 쌀알 모양의 무늬인 A는 쌀알 무늬이고, 어두운 부분인 B는 흑점이다.

08 태양의 대기에서 볼 수 있는 현상은 홍염과 플레어가 있다. 홍염은 광구나 채층의 물질이 불꽃처럼 코로나까지 뻗어 나가는 현상이고, 플레어는 흑점 부근에서 일어나는 강력한 폭발 현상이다.

09 (가) 시기는 태양 활동이 가장 적을 때이고, (나) 시기는 태양 활동이 가장 활발할 때이다. (나) 시기에는 코로나의 영역이 (가) 시기보다 더 넓게 나타난다.

10 그림은 오로라를 나타낸 것이다. 오로라는 플레어가 발생할 때 주로 고위도 지역에서 볼 수 있다. 특히, 태양 흑점이 많을 때는 플레어가 자주 발생하여 오로라가 더 넓은 지역에서 자주 발생한다.

11 천체의 일주 운동은 지구의 자전에 의한 겉보기 운동으로, 지구가 자전하는 방향과 반대(동쪽 → 서쪽)로 나타난다.

12 지구의 자전으로 천체의 일주 운동이, 지구의 공전으로 계절에 따른 별자리 변화와 태양의 연주 운동이 나타난다.
ㄱ. 우주에서 지구의 북극을 내려다볼 때, 지구의 자전과 공전은 모두 시계 반대 방향이다.
ㄴ. 태양의 연주 운동은 지구의 공전으로 나타나는 겉보기 운동이다.

13 그림은 북쪽 하늘을 촬영한 것으로, 북쪽 하늘의 별은 북극성을 중심으로 시계 반대 방향으로 회전한다.
ㄴ. 별은 일주 운동으로 한 시간에 15°씩 회전한다.

14 자료 VIEW

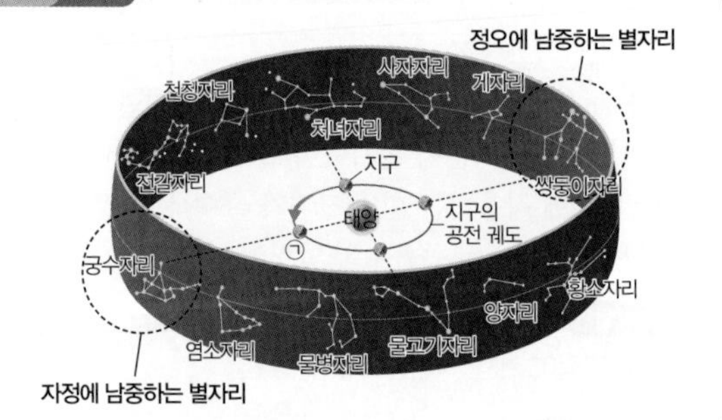

지구가 ㉠에 위치할 때, 한밤중 남쪽 하늘에서는 태양의 반대편에 있는 궁수자리가 보인다.

15 지구의 공전 때문에 태양은 별자리를 기준으로 서쪽에서 동쪽으로 움직인다.

ㄱ. 태양이 서쪽 지평선에 있을 때, (나)의 별자리가 (가)보다 태양으로부터 더 멀리 있다. 연주 운동으로 별자리는 태양을 기준으로 동쪽에서 서쪽으로 움직이므로, (나)가 (가)보다 먼저 관측한 것이다.

ㄷ. 별자리의 연주 운동은 지구의 공전 때문이다.

16 A는 달이 하현과 삭 사이에 위치할 때로, 그믐달이다. 이때는 왼쪽 일부분이 밝은 모양으로 보인다.

17 달의 위상 변화는 태양, 지구, 달의 상대적인 위치에 따라 지구에서 보이는 달의 밝은 부분이 달라져 일어난다.

ㄱ. 달은 스스로 빛을 내지 못하고 태양 빛을 받은 부분만 빛을 반사하여 밝게 보인다.

ㄴ. 달은 하루에 약 13°씩 공전하고, 지구는 하루에 약 1°씩 공전한다.

18 일식은 달이 태양을 가리는 현상으로, 태양과 지구 사이에 달이 위치하는 삭일 때 일어날 수 있다. 개기일식 때는 태양의 대기인 코로나를 관측할 수 있다. 월식은 달이 지구의 그림자로 들어갈 때 일어나는 현상으로, 달이 태양 반대편에 위치하는 망일 때 일어날 수 있다.

19 달이 지구의 그림자로 완전히 들어가면 지구의 대기에서 굴절된 빛 중 붉은색 빛이 달에서 반사되어 달이 붉게 보이는데, 이러한 현상을 개기월식이라고 한다.

20 일식이 진행될 때는 태양의 오른쪽부터 먼저 가려진다. 따라서, 일식은 (다) → (나) → (가) 순으로 진행된다.

ㄱ. 일식이 일어날 때 달의 위상은 삭이다.

ㄴ. (나)는 개기일식으로, 태양의 광구가 달에 의해 완전히 가려져 쌀알 무늬는 볼 수 없다.

21 손전등은 태양, 작은 스타이로폼 공은 달, 큰 스타이로폼 공은 지구를 나타낸다. 이 실험은 일식의 원리를 알아보기 위한 것으로, 이때 달의 위상은 삭이다. (가)는 작은 스타이로폼 공의 그림자로, 이 그림자 영역 안에서 관찰할 때 손전등이 가려지며, 이는 일식이 일어나는 원리와 같다.

22 (가)는 왜소 행성인 명왕성, (나)는 행성인 금성이다. 왜소 행성은 대체로 행성보다 크기와 질량이 작지만, 행성과 왜소 행성은 '공전 궤도에서 다른 천체에 지배적인 역할을 하는가'로 구분한다.

모범 답안 행성과 왜소 행성은 '공전 궤도 상에서 다른 천체에 지배적인 역할을 하는가'로 구분한다. 행성은 다른 천체에 지배적인 역할을 하여 공전 궤도 주변에 다른 천체가 없지만, 왜소 행성은 다른

천체에 지배적인 역할을 하지 못하여 공전 궤도 주변에 다른 천체가 있다.

채점 기준	배점
'공전 궤도에서 다른 천체에 지배적인 역할을 하는가'로 기준을 제시한 경우	100 %
왜소 행성이 행성보다 크기 또는 질량이 작은 것을 기준으로 제시한 경우	50 %

23 (가)는 태양 흑점이 적은 극소기이고, (나)는 흑점이 많은 극대기이다. 극대기일 때, 태양의 활동이 활발하다.

모범 답안 (나) 시기는 (가) 시기보다 태양 활동이 활발할 때로, 태양에서는 홍염과 플레어가 자주 일어나고 코로나가 더 넓게 나타난다. 지구에서는 오로라가 더 자주 발생하고, 장거리 무선 통신이 끊어지는 현상이 더 자주 발생할 수 있다.

채점 기준	배점
태양과 지구에서 일어나는 현상을 모두 옳게 설명한 경우	100 %
태양과 지구에서 일어나는 현상 중 한 가지만 옳게 설명한 경우	50 %

24 별은 같은 날 2시간 동안은 일주 운동을, 같은 시각 한 달 동안은 연주 운동을 한다. 별의 일주 운동과 연주 운동 방향은 모두 동쪽에서 서쪽이다.

모범 답안 같은 날 동안 별자리는 지구의 자전으로 1시간에 15°씩 동쪽에서 서쪽으로 일주 운동을 한다. 따라서 2시간 동안 별자리는 동쪽에서 서쪽으로 30° 이동한다. 한편, 같은 시각 한 달 동안 별자리는 지구의 공전으로 하루에 약 1°씩 동쪽에서 서쪽으로 연주 운동을 한다. 따라서 한 달 동안 동쪽에서 서쪽으로 약 30° 이동한다.

채점 기준	배점
별자리의 일주 운동과 연주 운동을 모두 옳게 설명한 경우	100 %
별자리의 일주 운동과 연주 운동 중 한 가지만 옳게 설명한 경우	50 %

25 그림 (가)는 부분월식의 모습이다. 월식은 달의 왼쪽부터 지구 그림자로 들어가 어두워진다. 부분월식은 달의 일부가 지구의 그림자에 가려지는 ②와 ④일 때 일어난다. 지구의 그림자에 완전히 들어간 ③일 때는 개기월식이 일어난다.

모범 답안 (가)는 달의 위치가 ②일 때의 모습이다. 부분월식은 달의 일부가 지구 그림자에 가려졌을 때 일어나며, 월식이 진행될 때 달의 왼쪽부터 먼저 어두워진다. 따라서 (가)처럼 왼쪽이 어두운 부분월식은 달의 위치가 ②일 때 일어난다.

채점 기준	배점
달의 위치와 그 까닭을 옳게 설명한 경우	100 %
달의 위치는 맞으나 그 까닭을 옳게 설명하지 못한 경우	50 %

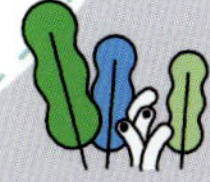